de l

D0410682

DE PROFEET

Michael Koryta

De profeet

Vertaald door Paul Witte

2013

DE BEZIGE BIJ

AMSTERDAM

Cargo is een imprint van Uitgeverij De Bezige Bij, Amsterdam

Copyright © 2012 Michael Koryta
Copyright Nederlandse vertaling © 2013 Paul Witte
Oorspronkelijke titel *The Prophet*
Oorspronkelijke uitgever Little, Brown and Company, New York
Omslagontwerp Wil Immink Design
Omslagillustratie Danita Delimont / Alamy
Vormgeving binnenwerk Peter Verwey, Heemstede
Druk Bariet, Steenwijk
ISBN 978 90 234 79741
NUR 305

www.uitgeverijcargo.nl

Voor het hoofd van de voorjaarscompetitie – een geweldige vriend,
die ik enorm dankbaar ben.

Ik blijf op genezing hopen,
op een medicijn,
één gesprek.

Naar jou toe gaan kan ik niet,
jij moet bij mij terugkomen,
zo staan de zaken ervoor.

Het spijt me.
Had ik al gezegd dat het me spijt?

'Kom terug bij mij' – Matthew Ryan

DEEL 1

Borg

Hij voelt zich meteen thuis in het stadje, en hij denkt dat dat door de bladeren komt. Waarschijnlijk is het vuilnisophaaldag, want op de trottoirs liggen slordige hopen plastic zakken barstensvol verwelkte overblijfselen van het dagelijks bestaan, waarvan sommige over de stoep zijn uitgelopen, zodat het witte beton onder de rode en koperkleurige vlekken zit – gelijk bloedspatten op bleek vlees. Het verspreidt die weerspannige melange: een levendige geur, maar wel de geur van verderf.

De mensen die hem passeren lopen gebogen, als schildpadden die zich in hun schild terugtrekken. Hij niet; hij loopt rechtop en breeduit en omhelst de heerlijke, koude wind die niet door betonnen muren wordt tegengehouden of prikkeldraad op zijn weg vindt. Daar is hij dankbaar voor. Er zijn in deze stad mensen met soortgelijke emoties, met herinneringen aan dagen waarop je de wind niet hebt kunnen omarmen terwijl je daar vreselijk naar verlangde, hoe bitterkoud het ook was. Sommigen van hen kent hij en hij weet dat juist die herinneringen – die werkelijkheid! – hen naar dit stadje hebben gedreven, die kans om zich voor dat verleden te verbergen.

Want op het eerste gezicht lijkt dit stadje een prima plek om je voor de werkelijkheid te verstoppen: het heeft iets ouderwets, met een echt plein in het midden en een stenen gerechtsgebouw. Het zou het decor van de Hollywoodversie van om het even welk stadje in de vs kunnen zijn, ware het niet dat er zo veel leegstaat; bij de helft van alle winkels tegenover het gerechtsgebouw hangt een bord met 'Te koop' of 'Te huur' erop aan een van de stoffige ramen. Hij loopt in noordelijke richting, naar het meer, en terwijl hij het plein achter zich laat, moet hij oppassen dat hij niet over de uitpuilende zakken vol bladeren struikelt, en overal ziet hij leegstand; de ooit keurige gazonnetjes staan nu vol vergeeld onkruid, en kunststof buitenmuurbekledingen smeken om een tuinslang en wat bleek.

Het zijn zware tijden in Chambers, in Ohio.

Een paar honderd meter naar het noorden, als hij het meer al kan zien en een straf windje de geur van het water naar hem toe duwt, geeft de wegwijzer van de school aan dat hij naar het westen af moet slaan, en nog iets verderop krijgt hij het schoolgebouw in zicht: een hoofdge- bouw met twee verdiepingen en zijvleugels van één verdieping, die er in vreemde hoeken uit steken – wat erop duidt dat er in de loop der jaren verschillende keren is uitgebreid.

Chambers College, thuisbasis van de Cardinals.

Het derde wezen dat hij ooit had gedood, was een kardinaal. Hij had hem onder de voederplank van zijn oma te grazen genomen. Hij had gezien hoe de kat dichterbij sloop, en zich verwonderd. De kat verstopte zich niet, maar wachtte alleen maar; hij wachtte met ontzagwekkend geduld. Er was geen enkele beschutting onder de voederplank, niets waar een moordenaar zich achter kon verschuilen, en toch slaagde hij in zijn opzet. Als de kat naderde, vlogen de vogels op. Dat kon de kat niets schelen, die was tevreden met zijn rol en gaf zich eraan over, zo doelmatig als maar kon. De kat ging bij een paar zonnebloempitten die van de plank waren gevallen in het gras zitten en begon te wach- ten. En altijd kwamen de vogels terug, gegarandeerd. Ze zagen de kat wel, maar zijn roerloze houding stelde hen gerust en overtuigde hen ervan dat ze veilig waren. Op de eerste vogels reageerde de kat niet. Hij wachtte en keek toe. Na een tijdje voelden ze zich zo op hun gemak dat een van hen te dichtbij kwam, en opeens volgde er één verbluffende uit- haal en vlogen de vogels rondom het slachtoffer weer verschrikt op.

En als je hun nog meer tijd gaf? Dan zouden ze opnieuw komen. Steeds weer. Omdat de voederplank daar stond, en de voederplank was thuis. En al waren ze in staat zich te herinneren wat een van hen daar op die plek was overkomen, dan nog zouden ze niet geloven dat het hun ook kon gebeuren.

Een rotsvast vertrouwen. En een rotsvaste stomheid.

Hij is gefascineerd door hulpeloze exemplaren met een rotsvast ver- trouwen.

Over de eerste vogel deed hij langer dan de kat, maar minder lang dan hij had verwacht. Het geheim zat 'm in zijn roerloosheid. En in hun stomheid. Hij deed er maar vijf dagen over om de kardinaal te pakken. Daarna doodde hij de kat. Hij kon niets meer van hem leren.

Hij heeft het geduld dat je voor bestuderen nodig hebt en de dorst van iemand die toegewijd is. Doden is zijn vak. Hij verstaat het als geen ander, maar hij weet dat er altijd meer te leren is, en in die wetenschap ligt zijn geluk. Hij heeft het gedrag van moordenaars bestudeerd, met hen gesproken, met hen achter de tralies geleefd, en van hen allemaal geleerd.

Nu wordt het frisser, en de koelere lucht, zwanger van de geur van dode bladeren, draagt de belofte van regen. Hij bekijkt de gevel van de middelbare school lang genoeg om de bewaker op de parkeerplaats te kunnen observeren, loopt dan voor het gebouw langs en slaat de hoek om, zodat hij het footballveld in het zicht krijgt. Hier maken de Cardinals hun aanspraak op glorie. Wat een vreselijke naam voor een sportteam. Waarom niet de Krijgers, of de Titanen, of de Tijgers? Hoe ontleen je ook maar het geringste zelfvertrouwen aan het logo van een vogeltje dat een kind kan doden in de palm van zijn hand?

Er zitten zes mannen op de aluminium tribune langs het veld. Hij is niet de enige die toekijkt vandaag. Ze zijn ongeslagen, deze Cardinals, ze zijn de trots van een stad die ooit heel wat meer reden had om trots te zijn.

Hij glipt de tribune op, leunt met zijn handen in zijn zakken tegen de zijkant en wacht op de coach. De coach is natuurlijk meer dan een coach. Hij heeft al honderddrieënvijftig wedstrijden voor deze school – voor deze gemeenschap – gewonnen. Verloren heeft hij er maar twee-entwintig. Op dit veld, waar zijn spelers nu, in de wind en onder een grijs wolkendek, de spieren strekken en losmaken, heeft hij eenentachtig wedstrijden gewonnen en maar vier verloren. Dat is een record. Maar vier keer thuis verloren. Hij is meer dan een coach, hij is een held. Een man van mythische proporties. En niet alleen vanwege die gewonnen wedstrijden. O, nee, Coach Kent Austin is meer dan alleen football.

Hij bewijst het meteen: zodra hij het veld over loopt, valt er een

stilte. Hij is nog jong en in goede conditie, maar hij trekt met zijn been;
de linkerknie weigert gelijke tred met de rechter te houden, hij buigt
iets verder door – net iets te veel. Maar de ongenaakbaarheid van de
coach wordt daar juist door versterkt. Iedereen weet van zijn kwetsuur;
alleen de coach zelf pretendeert dat niet te doen.

Niet alleen de jonge spelers in tenue vallen stil als de coach het veld
over loopt, maar ook de mannen op de tribune die het team volgen. Ze
zijn vervuld van eerbied, want wat op dit veld gebeurt, gaat deze men-
sen, die er zelf nooit ook maar één voet op hebben gezet, echt aan het
hart. Je bent trots op wat voorhanden is, en hier ligt het. Want het zijn
zware tijden, in Chambers. Zoveel begrijpt hij maar al te goed; hij ziet
het zoals een weerman de donkere wolken die vanaf Lake Erie landin-
waarts jagen ziet. Hij is een selfmade profeet.

Een profeet van zware tijden.

De coach is te geconcentreerd bezig om op te kijken en hem te zien,
want de coach is aan het werk, hij gaat volkomen op in de sport waar-
van hij benadrukt dat het maar een spelletje is – wat natuurlijk niet
waar is, want uiteindelijk is het alles wat hij heeft. Een leeg spelletje en
een leeg geloof. Holle woorden en loze beloftes. De zorgen en het ver-
maak van een kind, met zorgvuldig opgebouwde muren die hem moe-
ten afscheiden van de realiteit van de wereld die hem bezit, die hem
draagt in een geopende hand die in een oogwenk in een gesloten vuist
kan veranderen. Hij moet voelen dat die hand hem knijpt.

De profeet heeft drie jaar doorgebracht met Zane, een moordenaar
die zijn vrouw en haar ouders met een kaliber 10-jachtgeweer had
doodgeschoten. Een smerig wapen, dat kaliber. Voordat hij de trekker
overhaalde, gaf hij hun alle drie gelegenheid God af te zweren. Te zeg-
gen dat Zane hun god was. Een veelbelovend idee, maar niet op waarde
geschat. Zane beschikte niet over de diepgang die voor zo'n taak nood-
zakelijk was, maar bewonderenswaardig was zijn poging wel. Zane
had hem verteld dat twee van zijn slachtoffers hem als hun god hadden
geaccepteerd en één niet. Voor hun lot had het natuurlijk geen verschil
gemaakt, maar Zane was in hun antwoord geïnteresseerd en de profeet
ook. Eerlijk gezegd vond hij het toentertijd behoorlijk indrukwekkend

om iemand zo'n vraag te stellen vlak voordat je hem naar de andere wereld helpt.

Maar inmiddels vindt hij dat niet meer. Het beschouwelijke heeft hem zijn zwakte en uiteindelijk ook zijn onbeduidendheid getoond. Die vraag en het antwoord hebben geen enkele betekenis. Waar het om gaat, en wat Zane niet had ingezien – Zane was impulsief – is dat je die vraag uitbant en vervangt door de enige zekerheid.

Er is geen God.

Je dwaalt in volstrekte eenzaamheid door de duisternis.

Dát bewijzen, dát zo diep in iemands geest kerven dat iedere andere mogelijkheid wordt uitgesloten, dat is zijn doel. Dat is macht, in optima forma.

Breng hem iemand die hoop heeft en hij zal hem zonder hoop achterlaten. Breng hem iemand die sterk is en hij zal hem gebroken achterlaten. Breng hem iemand die vervuld is en hij zal hem leeg achterlaten.

Het doel van de profeet is simpel. Als de laatste schreeuw in de nacht komt, zal degene die hem slaakt van één ding zeker zijn: er is niemand die hem hoort.

In Chambers, in Ohio, zijn hem overtuiging en levenskracht toegezegd. Hij heeft een zelfverzekerde man in de ogen gekeken en hem horen zeggen dat er geen angst was die niet zou buigen voor zijn geloof.

De profeet van zware tijden, die in zijn leven menig zelfverzekerd persoon in de ogen heeft gekeken, heeft daar zo zijn twijfels over.

1

Op het moment dat het meisje de deur opendeed, had Adam net zijn overhemd opgetild om de loodkleurige bloeduitstorting op zijn ribbenkast te bestuderen. Geschrokken wendde ze haar gezicht af – alsof hij in zijn blootje geknield op zijn bureau zat. Hij wierp nog een laatste blik op de bloeduitstorting, fronste zijn wenkbrauwen en liet zijn overhemd zakken.

'Zal ik jou eens wat vertellen?'

Het meisje, een brunette met een gebruinde huid – een huid die voor dit deel van het jaar in dit deel van de wereld véél te gebruind was – draaide zich aarzelend om en zei niets.

'Als je tegen een dronken man zegt dat het tijd is om weer naar de gevangenis terug te gaan, moet je wel oog hebben voor de biljartkeu in zijn hand,' zei Adam.

Ze deed haar lippen van elkaar en sloot ze weer.

'Maar daar hoef jij niet over in te zitten,' zei Adam. 'Sorry. Kom binnen.'

Ze deed een stap naar voren en liet de deur achter zich dichtvallen. Op het moment dat hij in de vergrendeling viel, keek ze over haar schouder, alsof ze bang was bij hem te zijn opgesloten.

Haar man is zeker tien jaar ouder dan zij, dacht Adam. Hij slaat haar niet. Tenminste: nog niet, of niet recent. Hij is het type dat ertoe in staat is, maar wegens huiselijk geweld zit hij waarschijnlijk niet. Laten we het houden op, hm… openbare dronkenschap. Het zal niet veel kosten om hem eruit te krijgen. Althans, niet in dollars.

Hij liep om het bureau heen, stak zijn hand uit en zei: 'Adam Austin.'

Weer een aarzeling, maar toen strekte ze haar arm en nam zijn hand aan. Haar ogen gingen naar zijn knokkels, die gezwollen waren en onder de korstjes zaten. Toen ze haar hand terugtrok, zag hij dat ze felrode nagellak droeg, met zilveren glittertjes erin.

'Ik heet April.'

'Oké.' Hij plofte weer in de leren draaistoel achter zijn bureau en probeerde niet ineen te krimpen toen de pijn door zijn zij schoot. 'Zit iemand om wie je geeft in de problemen, April?'

Ze hield haar hoofd schuin. 'Wat?'

'Ik neem aan dat je een borg wilt.'

Ze schudde haar hoofd. 'Nee, dat is het niet.' Ze hield een map in haar hand, die ze tegen haar borst drukte toen ze in een van de twee stoelen voor het bureau ging zitten. Het was een helblauwe, glanzende map, van plastic.

'Nee?' Er stond AA-Borgtochten op de deur. Mensen die bij hem langskwamen, hadden daar een reden voor.

'Ik... U bent toch privédetective?'

Privédetective. Inderdaad, hij had een vergunning. Hij kon zich niet herinneren dat iemand hem ooit eerder als 'privédetective' had aangesproken.

'Ik, hm... Inderdaad, dat soort werk doe ik ook.'

Hij dacht: ik wist niet eens dat ik nog als privédetective in het telefoonboek sta. Het was AA-Borgtochten, meer niet. Het dekte zijn initialen en gaf hem een voorkeursplek in de Gouden Gids, heel handig voor mensen die met trillende handen door de gids bladerden op zoek naar hulp.

Het meisje zei niets, maar keek naar de glanzende map alsof daar al haar hartsgeheimen in zaten. Adam voelde even met zijn vingertoppen aan zijn linkerzij – hij probeerde nog steeds in te schatten of zijn ribben nou gekneusd of gebroken waren – en vroeg: 'Wat brengt jou hier, April?'

'Ik heb gehoord... Iemand heeft me naar u toe gestuurd.'

'Naar mij toe gestuurd,' echode hij. 'Mag ik vragen wie?'

Ze streek haar haar achter haar linkeroor, boog zich naar voren en keek hem voor het eerst recht aan, alsof ze hem tot vertrouwelijkheid wilde aansporen. 'Mijn vriend. Uw broer is zijn footballcoach.

Hij heeft ons verteld dat u detective bent.'

'Mijn broer?' vroeg Adam met een holle stem.

'Ja. Coach Austin.'

'Kent,' zei hij. 'Wij zitten niet in zijn team, April. Wij mogen Kent zeggen.'

Dat idee leek haar niet aan te staan, maar ze knikte.

'Dus mijn broer heeft jou naar mij toe gestuurd,' zei hij, en om de een of andere reden vond hij dat wel grappig, ondanks de pijn in zijn ribben en de gekneusde hand en de wallen onder zijn ogen, die hij aan een week van onregelmatige werktijden en te veel drank dankte. Op het moment dat zij binnenkwam, had hij net op het punt gestaan het kantoor te sluiten om een kop koffie te halen. Hij moest koffie hebben, de grootste kop van de meest robuuste melange die ze hadden. Hij voelde dat er een stevige hoofdpijn op kwam zetten, en om die onderuit te halen had hij meer nodig dan Advil.

'Inderdaad.' Zijn antwoord leek haar niet te bevredigen, alsof ze eigenlijk had verwacht dat het noemen van zijn broer een band zou scheppen. 'Ik zit op het Baldwin-Wallace College. Ik ben vierde-jaars.'

'Dat is geweldig,' zei Adam.

'Het is een goede universiteit.'

'Dat heb ik gehoord.' Hij probeerde er zijn aandacht bij te houden, maar eigenlijk was ze op dat moment niet veel meer dan een oponthoud tussen hem en de koffie. 'Wat zit er in die map?'

Ze keek beschermend naar beneden, alsof hij de privacy van de map had geschonden. 'Brieven.'

Hij wachtte. Hoe lang ging dit duren? Hij was gewend persoon-lijke geschiedenissen waarin hij niet geïnteresseerd was uit te zitten. Hij was zelfs gewend aan de larmoyante verhalen waarmee ze om de hete brij heen draaiden. Maar hij had niet het geduld om de larmoy-ante verhalen er zelf uit te moeten trekken.

'Wat wil je precies, April?'

'Ik wil mijn vader ontmoeten.'

'Ken je hem dan niet?' vroeg Adam, die vond dat dit, gesteld dat hij hier iets mee zou willen, niet het soort probleem was dat hem goed lag. Hoe vond je iemand die zijn kind tientallen jaren geleden had verlaten? Dat was iets heel anders dan iemand opsporen die op borgtocht vrij was en 'm was gesmeerd – die liet een vers spoor van vrienden, familieleden en bezittingen achter.

'Ik heb hem wel gekend,' zei ze. 'Maar tegen de tijd dat ik oud genoeg was om hem beter te leren kennen, zat hij... toen zat hij al in de gevangenis.'

Nu begreep Adam waarom ze de moeite had genomen hem te vertellen dat ze op een goede universiteit zat. Ze wilde niet dat hij zich op basis van één gegeven een mening over haar vormde – op basis van het feit dat haar vader in de gevangenis zat.

'Aha. Nou, het kan nooit moeilijk zijn om te achterhalen in welke gevangenis hij zijn straf uitzit.'

'Die zit er al op. Hij is op vrije voeten.'

Verdomme. Dat maakte het een stuk lastiger.

'Meer dan de brieven heb ik niet,' zei het voor oktober te bruine meisje. 'We begonnen te schrijven toen hij nog in de gevangenis zat. Dat was eigenlijk een idee van uw broer.'

'Je meent het,' zei Adam, die alles uit de kast moest halen om zijn afkeer te verbergen. Net wat dit meisje nodig had, een relatie met een klootzak in een cel. Maar Kent had dat wel een goed idee gevonden. De gevangenisbezoekjes van Adams broer hadden in de loop der jaren heel wat persaandacht gegenereerd. DOOR HET VERLEDEN GEDREVEN, luidde één kop. Dat had Adam nogal voor de hand liggend gevonden: iedereen werd door het verleden gedreven. Speelde het verleden van Kent een rol bij zijn gevangenisbezoekjes? Ja, natuurlijk. Speelde datzelfde gedeelde verleden een rol in Adams eigen gevangenisbezoekjes? Nou en of. Het ene soort bezoekjes was alleen het andere niet.

'Ja. En het was een heel goed idee. Ik heb geleerd hem te vergeven, snapt u? En daarna ben ik gaan inzien dat hij geen monster is, dat hij iemand is die een fout heeft gemaakt en...'

'Stopte hij met schrijven toen hij vrijkwam?'

Ze begon te hakkelen. 'Nee. Althans, eerst wel. Het is moeilijk je weer aan te passen.'

'Dat is het zeker,' zei Adam en hij slikte nog net in dat dat precies de reden was dat de meesten in een mum van tijd weer achter de tralies zaten. Ze was nog zo jong. Zagen die studenten er allemaal zo jong uit? Shit, dan werd hij oud. Die meiden leken zich wel in tegengestelde richting te ontwikkelen, ze gleden net zo snel weg van hem als hij ouder werd, tot hun jeugd iets werd wat hij totaal niet meer kon bevatten.

'Ja,' zei April, blij dat hij met haar had ingestemd. 'Dus er verstreek wat tijd. Vijf maanden, om precies te zijn. Dat was frustrerend, maar toen kreeg ik weer een brief, en daarin stond dat hij was vrijgekomen. Hij legde uit hoe moeilijk het was en maakte zijn excuses.'

Natuurlijk. Heeft hij al om geld gevraagd?

'Dus hij schrijft nu weer, maar hij heeft me geen adres gegeven. Hij zegt dat hij het eng vindt om me te ontmoeten en dat kan ik me voorstellen. Ik wil het niet forceren. Maar ik wil hem wel graag terugschrijven, snapt u? En ik wil niet dat hij... bang voor me is.'

Die koffie had Adam niet meer nodig. Hij had nu meer behoefte aan een biertje. Het was vier uur. Nog even en de vijf zat in de klok.

'Misschien moet je hem de tijd geven,' zei hij. 'Misschien...'

'Ik heb hem de tijd gegeven. Maar als ik niet kan terugschrijven, is dat dan ook meteen het enige wat ik hem kan geven.'

Dat is juist goed, schat. Geef hem tijd en hou hem op afstand.

'Hij heeft me uitgelegd waar hij woont,' zei ze. 'Eerlijk gezegd vind ik eigenlijk dat ik in mijn eentje had moeten kunnen uitvinden waar dat is. Ik heb het op internet geprobeerd, maar ik heb geloof ik geen idee waar ik mee bezig ben. Hoe dan ook, ik zou dolblij zijn als u zijn adres kunt achterhalen. Het enige wat ik wil, is terugschrijven. Hem laten weten dat hij niet bang voor me hoeft te zijn. Ik ga echt niet van hem verlangen dat hij nu opeens een váder voor me is.'

Adam wreef zich in zijn ogen. 'Ik doe meer, hm... hier in de buurt. Ik doe niet veel...'

'Hij is in de stad.'

'In Chambers?'

Ze knikte.

'Komt hij hiervandaan?'

Dat leek ze een moeilijke vraag te vinden. 'Wij allemaal, oorspronkelijk. Mijn hele familie. Ik bedoel, iedereen is vertrokken, ik ook, om naar de universiteit te gaan, en...'

En je vader om naar de gevangenis te gaan... Inderdaad, iedereen is vertrokken.

Ze sloeg de map open en haalde er een kopie van een brief uit.

'In deze brief staat de naam van zijn huisbazin,' zei ze. 'Daar moet een lijstje van te maken zijn, toch? Hij woont in een huurhuis, dit is de naam van de eigenaresse. Dat kan nooit moeilijk zijn.'

Dat was ook niet moeilijk. Hij hoefde alleen maar naar het kadaster te gaan, dan had hij zo achterhaald welk onroerend goed op naam van deze dame stond.

'Misschien kun je de dingen beter op hun beloop laten,' zei hij.

Haar ogen schoten vuur. 'Er zijn genoeg mensen die me advies kunnen geven en die weten ook nog eens iets van mijn situatie af. Ik vraag u alleen om een adres.'

Daar had hij kwaad om kunnen worden, maar hij moest er bijna om glimlachen. Hij had niet gedacht dat ze het in zich had, niet nadat ze zo onzeker binnen was gekomen en al was geschrokken van het geluid van de deur die achter haar dichtsloeg. Hij had liever gehad dat ze was binnengekomen op een moment dat Chelsea had gewerkt. Niet dat Chelsea nou zo gevoelig was, maar daarom was het misschien juist beter geweest. Iemand moest haar zijn kantoor uit jagen, en daar was Adam niet mee bezig.

'Touché,' zei hij. 'Mag ik de brief zien?'

Ze reikte hem aan. Het was een getypte brief, en de tekst vulde nog geen kwart van het papier.

Lieve April,

Waarschijnlijk ben je niet zo blij met me. Het kost gewoon tijd om me aan te passen. Ik wil niet dat je meer van me verwacht dan ik kan waarmaken. Voor dit moment kan ik alleen zeggen dat het goed voelt om weer thuis te zijn. Maar het is ook een beetje eng. Misschien verbaast dat je, maar vergeet niet dat ik hier al een hele tijd niet ben geweest – ik was overal en nergens. Het is natuurlijk heerlijk om weer op vrije voeten te zijn, maar ook vreemd en nieuw. Ik woon in een huurhuis met een lekkend dak en een fornuis dat stinkt, maar voor mij is het een paleis. Mevrouw Ruzich, mijn huisbazin, verontschuldigt zich de hele tijd en zegt steeds dat ze alles zal regelen, maar ik zeg dat het geen haast heeft, ik heb er geen last van. Echt niet.

Ik ben hier in mijn favoriete seizoen. De herfst... het is zo mooi. Heerlijk zoals de bladeren ruiken, vind je niet? Ik hoop dat het goed met je gaat. Ik hoop dat de manier waarop ik dit aanpak, je niet kwetst. Pas goed op jezelf.

Jason (papa)

Adam las de bief en gaf hem terug. Hij zei niet wat hij wilde zeggen – laat het gaan, forceer het contact niet, want waarschijnlijk brengt het je alleen maar verdriet – want dat pleit had ze net met vuur beslecht. Trouwens, met de naam van de huisbaas erbij was het een fluitje van een cent. Ruzich? Daar konden er niet veel van zijn.

'Ik wil hem alleen maar een kort briefje schrijven,' herhaalde April. 'Om hem het beste te wensen en te zeggen dat hij zich over mijn verwachtingen geen zorgen hoeft te maken.'

Dat wordt dus een biertje, dacht Adam. Die koffie laat ik zitten, ik neem absoluut een biertje.

'Kunt u het adres voor me achterhalen?' vroeg ze.

'Waarschijnlijk wel. Ik werk op uurbasis, niet meer en niet minder. Het resultaat van de situatie is mijn verantwoordelijkheid niet. Het enige wat ik garandeer, is mijn tijd.'

Ze knikte en pakte haar portemonnee. 'Ik kan tweehonderd dollar betalen.'

'Geef me maar honderd. Ik reken vijftig dollar per uur. Ben ik er meer dan twee uur mee bezig, dan laat ik het je weten.'

Eigenlijk rekende hij honderd dollar per uur, maar waarschijnlijk had hij dit in twintig minuten uitgezocht en het was altijd goed om genereus over te komen.

'Goed.' Ze telde vijf briefjes van twintig dollar uit en schoof ze over het bureau naar hem toe. 'Nog één ding: dit gesprek is vertrouwelijk, toch? Zoals bij een advocaat?'

'Ik ben geen advocaat.'

Dat was niet het antwoord waar ze op gehoopt had.

'Maar een prater ben ik evenmin,' zei Adam. 'Wat ík doe is mijn zaak, en wat jíj doet is jouw zaak. Ik praat er niet over, tenzij er een agent door die deur binnenkomt en me ernaar vraagt.'

'Dat zal niet gebeuren.'

Ze had geen idee hoe vaak dat wél gebeurde, met Adams cliënten.

'Ik wil alleen zeker weten dat... Het is privé, snapt u,' zei ze. 'Het is een privéaangelegenheid.'

'Ik zal geen persbericht rondsturen.'

'Nee. Maar zegt u ook niets tegen, eh... uw broer? Ik bedoel, u moet me niet verkeerd begrijpen, ik heb echt respect voor Coach Austin, maar... het is privé.'

'Kent en ik praten niet veel met elkaar,' zei Adam. 'Ik achterhaal een aantal mogelijke adressen en geef die aan jou. De rest is tussen jou en je vader.'

Ze knikte dankbaar.

'Hoe kan ik je bereiken?' vroeg hij.

Ze gaf hem een mobiel nummer, dat hij op een blocnoteje schreef. Hij zette er 'April' naast en keek op.

'Achternaam?'

Ze fronste, en hij begreep waarom ze hem haar familienaam niet wilde geven. Als zij dezelfde naam als haar vader had, en hij durfde te wedden dat dat het geval was, dan was ze bang dat Adam zou opzoeken wat hij had gedaan om in de gevangenis te belanden.

'Harper,' zei ze. 'Maar vergeet niet dat dit...'

'… privé is. Inderdaad, juffrouw Harper. Dat begrijp ik. Daar heb ik dagelijks mee te maken.'

Ze bedankte hem en gaf hem een hand. Ze rook naar kokos, en hij dacht aan haar donkere huid. Waarschijnlijk kwam ze net onder de zonnebank vandaan. Oktober in het noorden van Ohio; alle knappe meiden verzetten zich tegen de invallende kou en duisternis. Ze probeerden de zomer mee te nemen naar de winter.

'Ik neem contact met je op,' zei hij, en hij wachtte tot ze op de parkeerplaats was en haar auto had gestart. Toen sloot hij zijn kantoor af en ging zijn biertje drinken.

2

Kent wist wat ze hoorden en lazen: dat dit hun seizoen was, dat het niet mis kón lopen, dat ze te goed waren om te verliezen.

Het was aan hem om ervoor te zorgen dat ze dat zouden vergeten. En dat zou deze week extra lastig zijn. Ze hadden die vrijdag tegen een goed team gespeeld, een team dat zich ook voor de beslissingswedstrijden om het kampioenschap had geplaatst, en ze hadden zonder veel moeite met 34-14 gewonnen. Daarmee was het nu al het beste seizoen in de geschiedenis van de school. Ze hadden elk gevecht met de statistieken gewonnen, en ook al had Kent zelf niet veel op met statistieken, hij wist dat de jongens ze op de voet volgden en dat gebruikte hij met veel plezier tegen hen. Nog vier korte dagen, dan zouden ze de eerste wedstrijd in de play-offs spelen. Dan zouden er motivatiemeetings en televisiecamera's zijn, en T-shirts waarop stond dat ze het hele seizoen ongeslagen waren gebleven.

Dat alles boezemde hem meer angst in dan om het even wat de tegenstander kon. Te zelfverzekerd zijn was dodelijk. Wetende dat hun zelfvertrouwen zo goed als onwankelbaar was en dat ze naar het eerste kampioenschap in vijfentwintig jaar smachtten, zocht hij oefeningen die hun zwakke plekken blootlegden.

Colin Mears zou voor het tweede jaar op rij tot de beste receiver van de staat worden uitgeroepen. Kent had nog nooit zo'n snelle knul op die positie gehad, en dan kon hij ook nog eens heel goed vangen. Colin liep de hele training rond zonder zijn glimlach ook maar een seconde van zijn gezicht te halen. Hij blokte zelfs met een brede glimlach. Met dat lange, magere lichaam van hem viel het niet mee snel laag genoeg te zijn en een blok goed uit te voeren en dat lieten de linebackers hem maar al te graag merken, vooral Damon Ritter, een van Kents favoriete spelers aller tijden – een rustige zwarte jongen met een ongeëvenaard talent om de video-instructies op het veld in de praktijk te brengen. Kent had nog nooit zo'n intelligente linebacker gehad. Lorell McCoy, op zijn beurt, zou voor het tweede jaar op rij tot beste quarterback van de staat worden uitgeroepen. Hij had een balgevoel dat je niet vaak bij middelbare scholieren zag. Hij gooide een bal zo strak als een speer waar hij hem hebben wilde of wierp hem zo hoog door de lucht naar de hoek van de eindzone dat de receiver genoeg tijd kreeg om hem op het juiste moment te vangen. Het enige wat Lorell níet had, was Colins snelheid. Hij was ongelooflijk sterk als spelverdeler en zag altijd waar de ruimte lag, maar explosief was hij niet. Als Lorell na de aftrap zelf met de bal ging lopen en richting de achterlijn sprintte, miste hij de bagage om zo'n actie succesvol af te ronden. Bovendien moest Colin Mears dan een blok voor hem zetten, wat dus niet zijn favoriete bezigheid was.

De laatste twintig minuten van de training deed hij oefeningen waarbij zijn spelverdeler, de quarterback, met de bal moest lopen.

Niet dat Kent van plan was om Spencer Heights vrijdagavond met deze tactiek te verslaan, maar verslaan wilde hij ze, en het was belangrijk zijn jongens eraan te herinneren dat ze niet overal goed in waren. Hij wilde dat zijn ongeslagen team het trainingsveld zou verlaten in de wetenschap dat ze ook kwetsbaar waren. Het was lastig om de mentale balans te vinden waarmee je een footballwedstrijd wint. Vertrouwen was cruciaal, te veel zelfvertrouwen was dodelijk. Succes was een dubbeltje op zijn kant.

Op de onoverdekte tribunes zat een mannetje of dertig toe te kijken. Het was koud en winderig, maar ze zaten daar evengoed. Talenten als Mears, Ritter en McCoy zouden dit jaar van school gaan, en de kans dat hij het volgende jaar een team met gelijkwaardige jongens zou kunnen samenstellen, was niet groot. Zoveel begreep Kent beter dan wie dan ook. In zijn dertien seizoenen als hoofdcoach was hij vier keer regionaal kampioen geworden en had hij twee keer voor het kampioenschap van de staat gespeeld. Maar een team zoals dit had hij niet eerder gehad.

Als hij naar hen keek, wilde hij dat de schijnwerpers aan gingen en de bal door de lucht vloog. Hij kon niet wachten tot de wedstrijd begon. Dat was ongebruikelijk. Net als de meeste andere coaches had hij normaal gesproken altijd het liefst nog een dag extra gehad. De voorbereiding was nooit goed genoeg. Maar deze week? Dit seizoen? Dit team? Hij voelde aan alles dat ze aan de schijnwerpers toe waren. Hij wilde dat het voorbij zou zijn, zodat hij kon beginnen te verlangen dat het nog niet was afgelopen. Want stel je voor dat hij met zo'n getalenteerde groep géén kampioen van de staat zou worden!

Het is een spel van jongens tegen jongens, bracht hij zichzelf in herinnering terwijl Matt Byers, die de verdediging coördineerde, naar het midden van het veld liep om iets over druk naar voren uit te leggen. En je staat hier om deze jongens met dat spel verder te helpen; niet om ervoor te zorgen dat er een prijs in de kast komt. Zo is het nooit geweest en zo zal het nooit zijn. Dat je die prijs nog nooit hebt gepakt, zegt niets over jouw statuur als man. En als je die prijs wel pakt, zegt dat ook niets.

Maar dit seizoen? Dit seizoen viel het niet mee om dat voor ogen te houden. Hij liet Byers zijn zegje doen en riep daarna iedereen bij zich. Toen ze allemaal om hem heen stonden, alle zevenenveertig spelers en zes hulptrainers, vertelde hij hun dat het er voor die dag op zat.

'Blijf bescheiden,' zei hij, en dat zou hij blijven zeggen zolang de play-offs duurden om een eind te maken aan alle praatjes na de training, in de kleedkamer. Als het erop zat zou hij zeggen dat ze trots mochten zijn en trots mochten blijven. Maar niet eerder.

Nu het officiële gedeelte van de training erop zat, liep Kent naar het midden van het veld, en het grootste deel van het team volgde hem. Hij gaf daar geen opdracht toe, wat belangrijk was – het schoolbestuur had het na een klacht van een ouder, vier jaar eerder, zelfs geëist. Het verplicht stellen van bidden met een footballteam van een openbare school, was hem te verstaan gegeven, is niet in overeenstemming met het principe van de scheiding van kerk en staat. Hij mocht het niet van zijn spelers eisen. En dus deed hij dat niet. Hij bad aan het eind van de training, maar deelname aan het gebed geschiedde op vrijwillige basis.

De spelers knielden en Kent sprak een kort gebed uit. Football kwam er niet in voor. Dat gebeurde nooit, zou ook nooit gebeuren en mocht ook nooit gebeuren. Het dichtst kwam hij er bij in de buurt als hij voor hun gezondheid bad. En hoewel je daar natuurlijk voor mocht bidden, had hij zich erop betrapt dat zijn gedachten dit seizoen soms te veel in die richting afdreven, zelfs op het moment dat hij het gebed uitsprak. Een schielijk, scherp verlangen de dingen bij hun naam te noemen: Niet Damons knie, Heer, niet zijn knie. God, waakt u alstublieft over Lorells werpschouder... Lichtzinnige verlangens waarvoor hij privé boete zou doen, maar ze kwamen toch in hem naar boven.

Want dit seizoen...

'Amen,' zei hij, en iedereen sprak hem na en ze kwamen overeind en gingen op een drafje naar de kleedkamer – geen enkele speler liep het veld op of af, nooit. Kent keek toe hoe Colin Mears zich regelrecht naar zijn vriendin, Rachel Bond, die bij het hek stond, spoedde. Eén kus, snel en amusant ingetogen voor zo'n hormonale tiener; daarna voegde hij zich bij de anderen. Deze afwijking van de gebruikelijke gang van zaken, waarbij het team altijd op de eerste plaats kwam, stond Kent normaal gesproken niet toe, maar je moest begrijpen dat je spelers meer waren dan radertjes in het grote geheel. Dat meisje had een hoop doorstaan, en Colin was voor haar een licht in de duisternis. Hij was precies wat Kent hen zo graag wilde laten zijn: jongens bij wie het niet alleen maar om football ging, maar vooral om wie ze waren.

Kents assistenten volgden het team naar de kleedkamer; zelf liep Kent meteen door naar de parkeerplaats. Daarmee week hij af van de gewone gang van zaken, maar hij moest ergens naartoe. Naar een gevangenis.

Achter de eindzone stond een plaatselijke dominee, Dan Grissom. Kent zou samen met hem naar Mansfield rijden, waar een van de grotere gevangenissen van de staat stond. Daar zou Kent met een groepje gevangenen gaan praten. Het gesprek zou over football gaan, en over familie. Kent moest bekennen dat hij een huivering door zich heen had voelen gaan toen hij Grissom had zien aankomen en hij aan zijn taak werd herinnerd. Hij had het het liefst uitgesteld tot na het seizoen, als de play-offs waren gespeeld. Maar je mag je verantwoordelijkheden niet uit de weg gaan. Niet thuis geven was er niet bij.

'Dat zag er goed uit!' zei Dan met zijn gebruikelijke enthousiasme. Kent glimlachte een beetje, want Dan had totaal geen verstand van football. Maar van aanmoedigen des te meer.

'Dat mag ook wel,' zei Kent, 'in dit deel van het jaar.'

'Niet te geloven dat er zelfs voor een training publiek op de tribunes zit.'

Kent keek over zijn schouder en zag de gezichten, sommige bekend, andere niet. Naarmate het seizoen vorderde en ze de overwinningen aaneenregen, werden het er meer. Meer onbekenden, vooral. Die waren nieuwsgierig wat de Cardinals hadden. Wat ze zouden kunnen.

'Het leeft nogal, in Chambers,' gaf hij toe.

'Alice en ik zouden het leuk vinden als je met Beth en de kinderen komt eten,' zei Dan. 'Om het goede seizoen te vieren.'

'Laten we daar maar mee wachten tot het seizoen is afgelopen.'

'Ik bedoel om te vieren dat het tot nu toe zo goed is gegaan,' zei Dan, en Kent vroeg zich af of hij zich nou verbeeldde dat Dan zich even een beetje ongemakkelijk voelde of dat dat echt zo was, alsof Dan zich niet kon voorstellen dat het seizoen net zo goed zou eindigen als het begonnen was.

'Dat is aardig van je. Maar een etentje is nu lastig, met de trainingen en zo.'

'We kunnen laat eten. Het is leuk als de kinderen elkaar een keer zien. Sarah is ongeveer net zo oud als Lisa, weet je. Ik denk dat ze het goed met elkaar zullen kunnen vinden.'

'Na de training bekijken we video-opnames,' zei Kent. En toen hij een blik van teleurstelling en spijt in de ogen van de dominee zag, voegde hij eraan toe: 'Sorry, Dan, maar in dit deel van het jaar ben ik altijd een beetje… gespannen. Dan heb je toch niet veel aan een etentje met mij. Dus laten we het doen zodra het seizoen voorbij is, oké?'

'Prima,' zei Dan. 'Of jullie nou winnen, gelijkspelen of verliezen, als het seizoen voorbij is komen jullie eten.'

Je kunt niet gelijkspelen, Dan, dacht Kent. Niet in de play-offs. Dan is het erop of eronder.

Ze kwamen op de parkeerplaats en zagen Rachel Bond. Ze ving Kents blik, glimlachte en stak haar hand op. Hij knikte en tikte met twee vingers tegen de rand van zijn pet. Ze was een geweldige meid. Ze had een veroordeelde moordenaar als vader en een alcoholist als moeder, en was daaraan ontstegen. Ongelooflijk hoeveel sommigen van deze kinderen, zo jong nog, voor hun kiezen kregen.

Maar het leven? Het leven deelt geen gele kaart uit voordat het je de echte pijn verkoopt. Kent had dat in hoogsteigen persoon ervaren. Daarom wijdde hij ook zo'n groot deel van zichzelf aan deze sport. Soms was een sport precies wat goed voor je was – voor je gedachten, je lichaam en je ziel. Dat wist hij al jaren.

3

Ooit werd er in het district Chambers County alleen meer staal geproduceerd dan in zesenveertig staten bij elkaar. Er hadden vijf grote fabrieken van bedrijven met een wereldwijde export gestaan, en de staalindustrie had meer dan de helft van de beroepsbevolking aan het werk gehouden. Die tijd was nu een herinnering waarover alleen nog op fluistertoon werd gesproken. De staalindustrie was verdwenen en er was, tien jaar nadat de laatste fabriek zijn deuren sloot en twintig jaar nadat de eerste tekenen van verval aan het licht kwamen, niets voor in de plaats gekomen. Chambers kon zich al jaren beroemen op de hoogste werkloosheidscijfers van de staat, en wie kon, vertrok. De bevolking was er sinds de jaren vijftig met vijfentwintig procent teruggelopen – een van de weinige steden in een land van groei waar dit verschijnsel zich voordeed. Het was een industriestad zonder industrie geworden.

Terwijl de statistieken lieten zien dat de bevolking gestaag afnam, nam de gevangenispopulatie snel toe. De gevangenis was twee keer uitgebreid. De kern van de problemen in de stad – de economische malaise en het gebrek aan banen – was ook de kern van Adams handel. Twee dingen bloeiden de laatste tijd in Chambers: het footballteam van de middelbare school en de handel in borgtochten.

Omdat hij het druk had, woog hij goed af wat hij wél en wat hij níet deed. Dat was de aard van het beestje, zo simpel was het. Een klus met een borgsom van tienduizend dollar kreeg voorrang, een meisje met honderd dollar en een vader die zoek was niet. Hij probeerde April Harper de ochtend na haar bezoek één keer te bereiken – één keer, niet meer. Ze nam haar mobiele telefoon niet op, dus sprak hij in dat er in de hele stad maar één Ruzich was die een woning verhuurde. Haar voornaam was Eleanor en ze had twee huizen: een dat werd aangeslagen voor driehonderdduizend dollar, wat voor Chambers duur was, en een ander dat buiten de stad aan een klein privémeertje lag, waarschijnlijk een zomerhuisje. De woning met een stinkend fornuis en een lekkend dak, vertelde hij haar, was waarschijnlijk het huisje aan het meer, Shadow Wood Lane 7330.

Hij sprak verder in dat ze kon bellen als ze nog vragen had en aarzelde toen even – hij kwam in de verleiding haar er nog een keer aan te herinneren dat haar net vrijgekomen vader er de voorkeur aan gaf hun communicatie in één richting te laten lopen en dat het misschien slimmer was het daarbij te laten. Maar hij herinnerde zich ook dat ze de honderd dollar in zijn zak voor een adres en niet voor een advies had betaald en hij verbrak de verbinding. Hij had zichzelf niet toegestaan Jason Harpers strafblad op te vragen, want hij wist wat hij zou denken als hij dat wel deed en wat hij dan tegen zijn jonge cliënte zou zeggen: je vader is puur vergif, blijf bij hem uit de buurt. Anders dan zijn broer zat hij niet in de pro bono-therapieën.

De meeste mensen – of, liever gezegd, de meeste cliënten – zagen Adam als iemand die deel van het juridische verdedigingssysteem uitmaakte. Je had een advocaat nodig om de beschuldiging te weerleggen, maar zolang de advocaten met hun juridische steekspel bezig waren, had je ook een borgsteller nodig die de sloten van je celdeur liet openspringen. In dat deel van zijn werk, en alleen in dat deel, voldeed Adam aan de stereotiepe verwachtingen: hij zorgde ervoor dat je tijdelijk in vrijheid werd gesteld.

Met de nadruk op tijdelijk. Adam zag zichzelf niet als onderdeel van het juridische verdedigingssysteem, hij zag zichzelf eerder als cipier van de vrije wereld. Als hij als borgsteller werd gevraagd, was er nog geen veroordeling uitgesproken, maar een aanklacht lag er wel al. De goede criminelen van Chambers County die genoeg geld bij elkaar hadden geschraapt om een borgsom te kunnen betalen, stapten dan de vrije wereld weer in en begonnen aan het proces van het vertragen van de rechtsgang en het houden van pleidooien die eropuit waren hen op vrije voeten te houden. Soms werkte dat, soms niet. Maar tijdens dat proces? Tijdens dat proces waren ze van Adam; ze waren niet vrij, ze waren van hem. In negentien jaar tijd hadden meer dan driehonderd cliënten hun borgtocht geschonden. Op vier na had hij hen allemaal gevonden. Dat was geen slechte score. En die vier? Er waren dagen dat de herinnering aan hen hem deed tandenknarsen.

De procedure van vrijlating op borgtocht bestaat alleen in Amerika, en er zijn in de hele wereld maar twee landen die toestaan dat een particuliere zakenman zich borg stelt voor een verdachte – Amerika en de Filippijnen. De kritiek op het concept ligt daarin dat een verdachte een som geld moet betalen om uit de gevangenis te komen, wat iemand die onschuldig is een onredelijke last oplegt. Maar Adam was totaal niet in de morele voors en tegens van zijn beroep geïnteresseerd – nooit geweest ook. Waar hij wel in was geïnteresseerd, was de belofte die hij bij iedere borgtocht deed: dat de verdachte op de dag van de zitting voor de rechter zou verschijnen. Zijn bijdrage was misschien niet heel groot en zeker niet erg flitsend, maar hij telde wel. Hij wist precies hoeveel.

Zijn sluimerende nieuwsgierigheid naar April Harper verbleekte in de loop van de week. Op donderdag, een drukke dag op de rol van de strafrechtkamer van Chambers County, kwamen twee van zijn verdachten niet op hun zitting opdagen. De eerste stond voor de derde keer terecht wegens rijden onder invloed. De tweede was van iets ernstigers beschuldigd, namelijk van het verkopen van Oxy-Contin en Vicodin – het zat er dik in dat hij een tijdje moest brommen. Veel mensen kunnen zich niet voorstellen dat je gewoon niet komt opdagen als je voor een strafrechter moet verschijnen. Die denken dat je dan de politie achter je aan krijgt, dat arrestatieteams je deur intrappen en rechercheurs in surveillancewagens voor de deur posten, dat het hele politieapparaat in verhoogde staat van paraatheid is totdat de vermiste misdadiger wordt opgepakt. Maar meestal gebeurt dat helemaal niet. Het aantal aanhoudingsbevelen is te groot, en er zijn te veel verdachten en te veel lopende zaken. De politie is onderbemand, de gevangenissen zijn overbevolkt en als je niet op de zitting verschijnt en je bent geen crimineel die in de schijnwerpers staat, dan komen de wetsdienaren je niet zoeken. Op dat moment verschijnt Adam Austin ten tonele, de eigenaar en directeur van AA-Borgtochten.

En hij komt je halen.

De mensen voor wie Adam de borgsom voorschoot, werkten niet van negen tot vijf en werden niet door de wekker gewekt. Ze gingen ook niet slapen; ze crashten. Ze zaten er niet mee dat ze niet op hun zitting verschenen, want ze hadden geen zin in hun pro-Deoadvocaat die beweerde dat ze het best schuldig konden pleiten. De meesten betaalden hun borgsom, liepen de deur uit en verschenen vervolgens wel of niet op de zitting. Deden ze dat niet, dan kreeg Adam een telefoontje en ging hij op jacht. Zoals bij iedere jacht het geval is, maakte hij meer kans naarmate hij zijn prooi beter begreep en zijn territorium beter kende. En Adam was een uitstekende jager. Hij zwierf heen en weer tussen tralies en trailerparken, intimideerde waar mogelijk, kocht om waar dat niet lukte en volgde vervolgens elk spoor tot hij een aanknopingspunt had waarmee hij verder kon komen. Het was een spelletje waarvoor je over een lange adem moest beschikken, en een lange adem had Adam. Die had hij lang geleden ontwikkeld en was mettertijd niet verslapt.

Dat zou ook nooit gebeuren.

De vrijdag na het bezoek van April Harper ontdekte Adam dat een gast niet op zijn zitting was komen opdagen, een heerschap dat pijnstillers had gedeald en Jerry Norris heette. Het was de derde keer dat Adam een borgsom voor Jerry had voorgeschoten en de derde keer dat hij niet kwam opdagen. Adam maakte zich niet veel zorgen over de vraag of hij hem zou weten te vinden, maar hij wist wel dat het nachtwerk zou worden, want hij kon pas na de footballwedstrijd beginnen. Chambers High School was de laatste plek waar hij wilde zijn, maar die avond was er een wedstrijd in de play-offs, de eerste, en een kampioenswedstrijd van zijn broer wilde hij niet missen. Hij had er nog nooit een gemist en daar ging hij nu geen verandering in brengen. Dat stond Marie niet toe. Marie zou veel van wat er van Adam was geworden niet hebben goedgekeurd, maar naar de dingen waarvan hij zeker wist dat ze het van hem geëist zou hebben ging hij, en als het team van zijn broertje een gooi naar het kampioenschap deed, was dat er zo een – Marie stond absoluut niet toe dat Adam een beslissingswedstrijd miste. Hij had het één keer geprobeerd, maar hij had haar geest nadrukkelijk om zich heen gevoeld, en een teleurgestelde geest is de meest angstaanjagende. Op het moment dat de schijnwerpers aangingen, zou hij op de tribune zitten.

Een van de dingen die Kent graag zag in een footballwedstrijd was dat de aftrap volgens vaste patronen verliep. De fans vonden het geweldig als je een wedstrijd spectaculair begon, maar hij niet, zelfs niet als het goed afliep. Hij had liever dat een wedstrijd gewoon met twee keer tien yard in twee downs begon. Middelbare scholieren zijn emotionele atoombommen, en hij wilde hen zo vroeg mogelijk tot bedaren brengen.

Die avond gaf zijn team hem daar de kans niet toe. Colin Mears besloot bij de aftrap dat het een mooie gelegenheid voor de eerste prutsbal van zijn overigens glansrijke carrière was. De bal glipte door zijn handschoenen, schoot tussen zijn benen door, vloog naar achteren en rolde door tot aan de vijf-yardlijn, waar Spencer Heights hem veroverde. Geen eerste down en tien yard op de twintig-yardlijn voor Kent, die avond. Het was eerste down en goal vanaf de vijf-yardlijn, en zijn verdediging stelde zich op voor een in één klap doodstil publiek.

Geweldig.

Maar de verdediging hield stand. Ze zwermde naar de man met de bal en wist drie kansrijke loopacties aan hun sterke kant te smoren. Het publiek stond weer achter het team, want dat ze Spencer Heights tot een poging op een velddoelpunt wisten te dwingen, was geen geringe prestatie.

Alleen gingen ze niet voor het velddoelpunt. Ze stelden zich op in een rij, zetten zich op handen en voeten en gingen voor de touchdown, en hoewel hij die beslissing zelf nooit zou hebben genomen – hij pakte ieder punt dat hij pakken kon – kon Kent de lef ervan wel waarderen. Wat hij niet kon waarderen was de manier waarop zijn safety's in de daaropvolgende schijnbeweging trapten, de manier waarop ze brullend naar voren stormden omdat ze verwachtten dat er een loopactie met de bal zou volgen, terwijl een receiver van Spencer Heights tussen twee linesmen door naar de eindzone sloop en daar de bal ving.

De Cardinals stonden een touchdown achter en het publiek was opnieuw muisstil. Colin Mears kreeg in korte tijd zijn tweede kans de aftrap te vangen. Kent overwoog naar hem toe te gaan, maar zag ervan af. Soms toonde je je vertrouwen door niets te zeggen.

Colin ving de bal nu wel, maar deed er niet veel mee; ze kregen hun eerste down en de bal ging naar Lorell McCoy. Goed, het kon er nu alleen maar beter op worden.

Maar het werd niet beter. Zijn ongeslagen team was van slag en gebruikte de rest van het eerste en het tweede kwartier om dat te bewijzen. Bij Lorell en Colin mislukten meerdere manoeuvres, de passing en de rushes van Spencer Heights waren beter dan wie ook had verwacht, inclusief Kent, en laat in het tweede kwartier liet de jonge tailback van de Cardinals, Justin Payne, de bal uit zijn handen glippen op een moment dat hij grote terreinwinst had moeten boeken – hij hield zijn handen te laag en te ver van zijn lichaam op het moment dat hij van een tackle af wilde draaien. Daardoor tolde de bal van hem weg. 'Hoog en stevig, hoog en stevig!' schreeuwde Kent, die er ziek van werd dat hij zulke beginnersfouten zag op een tijdstip in het seizoen waar geen beginnersfouten meer gemaakt mochten worden. Daarna haalde Spencer Heights alles uit de kast om hen ook voor dit balverlies te laten bloeden. Bij rust stond het 0-14, en het thuispubliek zweeg.

Niet dit jaar, dacht Kent onderweg naar de kleedkamer. Ze hadden fouten gemaakt, zeker, veel te veel fouten, maar het waren fouten die gecorrigeerd konden worden. En ze zóuden ook gecorrigeerd worden, zijn team ging deze wedstrijd niet verliezen. Ter-

wijl hij van het veld af liep, concentreerde Kent zich op zijn houding. Een onverzettelijke manier van lopen en een onverzettelijke
blik. Geen tevredenheid op zijn gezicht, natuurlijk niet, maar ook
geen woede, geen afgrijzen en, boven alles, geen angst. Waar sommige coaches hun spelers woede vol testosteron voorschotelden,
wilde Kent hun leren hoe ze het negatieve gevoel konden laten weg-
vloeien. De benadering die hij zocht bestond niet uit wilde agressie,
maar uit koele discipline. Als je je goed genoeg had voorbereid, als
je je tegenstander goed had bestudeerd en op hem anticipeerde en
hem begreep, had je geen reden om bang te zijn. Als je tegenstander
kalmte zag, als je tegenstander begrip en voorbereiding zag, las de
tegenstander geen angst. Dat voelden ze. Dat voelden ze aan je wils-
kracht, en aan je houding.

Voordat de coaches de kleedkamer binnengingen, bleven ze even
bij elkaar staan, verdeeld in de aanval en de verdediging. Hier hadden ze kort tijd technische aanpassingen te overleggen, naar het in
kaart gebrachte wedstrijdverloop van de eerste helft te kijken en te
bespreken wat er niet goed liep en waarom. Eenmaal binnen nam
Matt Byers als eerste het woord – hij begon ermee een leeg flesje
Gatorade door de kleedkamer te schoppen. Dit was vaste kost. Byers
was een overblijfsel uit de tijd dat Kent zelf op dit veld had gespeeld,
een drieëndertigjarige assistent toen nog, en de bewering dat zijn
stijl van die van Kent verschilde, was een lachwekkend understatement. Kent was koele precisie, Byers hete emotie. Diens gevloek en
getier, theater en indrukwekkende lichaamsomvang intimideer-
den de jongens. Kent en Byers stonden weleens met de koppen tegen
elkaar – soms waren hun confrontaties zo hevig dat de rest van de
begeleiding weddenschappen afsloot op de vraag of Byers ontslagen zou worden of niet – maar als puntje bij paaltje kwam had Kent
Byers nodig. Hij droeg het klembord en mocht zich schor schreeuwen. Daarmee bracht hij ook een boodschap aan de jongens over,
zeker, maar het benadrukte vooral die gevallen waarin Kent degene
was die schreeuwde. Die kregen meer gewicht, omdat ze minder
vaak voorkwamen. Naar coaches die altijd tekeergingen luisterden

spelers niet meer. Als Kent zijn stem verhief, was het meteen stil. Zo zag hij het graag.

Matt Byers legde net uit dat hun teamprestatie niet alleen duidelijk maakte dat de spelers een stel mietjes waren, maar ook dat ze geen enkel respect voor hun fans, hun ouders, hun staat en hun land hadden, toen Kent van zijn stoel kwam. Dit was het teken, en hier gingen hun grootste botsingen over – als Kent ging staan, moest Byers zijn mond houden en gaan zitten. Onmiddellijk. Hij bleef midden in zijn tirade steken, wat hem altijd even van slag bracht, en zei: 'En nu naar de hoofdcoach luisteren. Lúisteren, verdomme.'

Kent ging voor zijn team staan en liet hen daar in stilte zitten, in de hoop dat twee dingen tot hen door zouden dringen: zijn kalmte en zijn teleurstelling.

'Wie denkt dat ik van die cijfers op dat scorebord onder de indruk ben?' vroeg hij ten slotte. Zijn stem was zo zacht dat degenen die achteraan zaten zich vooroverbogen om hem te kunnen verstaan.

Niemand stak zijn hand op. Ze wisten wel beter; het draaide niet om de punten, maar om de uitvoering. De punten waren het resultaat van de juiste uitvoering, en de juiste uitvoering was het resultaat van de juiste focus. Hij richtte zich tot Damon Ritter, de centrale linebacker die dat jaar eindexamen zou gaan doen, en vroeg: 'Wat stoort mij, Damon?'

'Dat we hun de punten cadeau hebben gedaan.'

'Precies. En ik zie graag dat jullie vrijgevig zijn, maar niet bij football.' Hij draaide zich om en keek naar Colin Mears. 'Colin, ben jij bang dat we gaan verliezen, vanavond?'

'Nee, *sir*.'

'Dat zou je wel moeten zijn,' zei Kent. 'Vertel eens waarom, Colin. Vertel waarom.'

Zijn ster-receiver zei: 'Omdat we op onze donder krijgen, we zijn de wedstrijd aan het verliezen.'

Dit verschil was essentieel; om dit verschil draaide hun hele seizoen.

'Wil je wat voor me doen, Colin? Lees eens voor wat er hier achter me op de muur staat. Lees het hardop.'

Op de muur stond: ER IS EEN VERSCHIL TUSSEN EEN NEDERLAAG ACCEPTEREN EN EEN NEDERLAAG VERDIENEN. De slogan kwam de jongens de neus uit. Kent keek toe terwijl ze hem nog een keer moesten aanhoren.

'Jullie hebben jullie tien overwinningen stuk voor stuk verdiend,' zei hij. 'En jullie hebben het nog niet verdiend er een te verliezen. Als we een nederlaag moeten accepteren, dan doen we dat. Maar laten we ervoor zorgen dat we geen nederlaag verdienen, jongens. Laten we dat doen.'

Hij keek naar Colin, die krachtig knikte. Maar toch was er iets met hem aan de hand. Er was iets mis met zijn focus. Van alle spelers die de zenuwen hadden omdat dit een beslissingswedstrijd was, verbaasde hem dat bij Colin het meest. Kent besloot dat ze hem de bal in de tweede helft sneller moesten toespelen, misschien dat ze hem met herhaling en rituelen konden kalmeren.

'Ik wil dat jullie veel vloedpatronen lopen,' begon hij, en vanaf dat moment ging al hun aandacht uit naar technische details. Hoopte hij.

Als je je op je individuele verantwoordelijkheden focust, gebeuren er goede dingen met het team. Vroeg in het derde kwartier trapten de safety's van Chambers niet langer in de loopmanoeuvres en onderschepten ze een lange bal van Spencer Heights. Vanaf dat moment begon de aanval te lopen, en Lorell vond Colin door het midden voor een snelle touchdown. Ze scoorden opnieuw bij het begin van het vierde kwartier en toen ze weer in balbezit kwamen, stonden ze gelijk. Lorell loodste hen geduldig door het veld, pakte de yards die voor het oprapen lagen en liet de verdedigende aanvallers fanatiek op de verticale lijnen achter Colin aan rennen om de bal vervolgens in de ruimte erachter te gooien. Ze kregen een eerste down op de drie-yardlijn. Kent keek naar het veld en dacht, nou, daar hebben we dus op getraind, afgelopen week, en hij gaf Lorell opdracht de bal zelf de eindzone in te lopen. Dat deed hij zonder zelfs maar aangeraakt te worden.

En daarmee hadden ze de eindstand bereikt, 21-14. Kinderen en ouders stroomden van de tribunes af het veld op, de fanfare speelde erop los en Kent sprak met spelers van de tegenstander en legde hen uit hoe ze een overwinning in hun nederlaag konden vinden. Maar ondertussen voelde hij druk op zijn borst. Hij wist dat de teams die hen nog wachtten beter waren, ze zouden iedere week beter worden, en er stonden nog vier teams en vier weken tussen Chambers en de beker in.

Hij ging hem dit jaar winnen. Hij ging hem winnen.

4

Kent geloofde in wat hij in de kleedkamer tegen de jongens zei: 'Geniet van deze overwinning, oké? Kijk nog niet vooruit. Geniet er vanavond van dat jullie het hele seizoen met jullie beste vrienden hebben kunnen spelen. Maar blijf bescheiden. We zijn er nog niet.' Ze hadden er recht op hun overwinning te vieren. Ze moesten de intense focus en concentratie die hij op het veld eiste na de wedstrijd kunnen loslaten. Dit was een spel en dit waren kinderen, ze moesten genieten van wat ze hadden zolang ze het hadden.

Maar voor hemzelf geen feestje. Ze hadden een verontrustend aantal mentale blunders en beginnersfouten gemaakt, en daar was Kent goed ziek van. Hij kon veel hebben, maar dit niet, geen dingen die ze in de voorbereiding en op de training hadden kunnen voor-komen.

Het digitale tijdperk was een zegen voor de footballcoach. Nog geen uur na het einde van de wedstrijd kon hij met zijn assistenten al een HD-herhaling bekijken. Er was koffie gezet en er werden blikjes frisdrank geopend. Alcohol werd op het schoolterrein niet getole-reerd, maar na de videosessie zouden de assistenten nog wel wat met elkaar gaan drinken. Kent ging zelden mee, om twee redenen: ten eerste dronk hij niet, en ten tweede – en dat was veel belangrijker – onderkende hij de behoefte van zijn assistenten hun hart zonder hem te luchten. Of beter gezegd, de behoefte hun hart óver hem te luchten. Zijn werkkamer was geen relaxte plek, de sfeer was er totaal niet ontspannen, zelfs niet na een overwinning, en hij snapte best dat dat een zware wissel op hen trok. Hij was niet van plan de sfeer te veranderen, maar wist wel dat ze iets met die spanning moesten doen. Dus nodigden zij hem uit voor een biertje en sloeg hij hun aanbod af, en dat was voor iedereen beter.

Maar voordat hij hen liet gaan, bespraken ze het resultaat van die avond en planden ze wie wát zou doen bij de videoanalyse de volgende dag. Die avond, dat wist hij, wilden ze vroeg weg. Byers had hen bij hem thuis uitgenodigd om de overwinning te vieren, en daarom zou hij hen iets langer vasthouden. Want ze hadden nog vier wedstrijden te gaan en hij zou niet nalaten hun dat voor te houden voordat ze aan het bier mochten. Terwijl zij op hun horloges en naar de deur keken, verbond hij de laptop aan de projector en stelde voor dat ze even naar een paar sleutelmomenten zouden kijken.

Het eerste sleutelmoment was die doorgeschoten bal bij de aftrap, en hoewel ze van tevoren wisten wat ze zouden zien, schudde bij het beeld iedereen zijn hoofd. Colin Mears maakte dat soort fouten niet. Dat deed hij gewoon niet.

'Het zal niet meer gebeuren,' beloofde Steve Haskins, die de receivers en de speciale teams coachte. 'Het was de eerste beslissingswedstrijd en er was veel publiek. Hij wilde indruk maken op zijn ouders en zijn meisje, dat is alles.'

Kent knikte, maar hij had het gevoel dat daarmee niet alles gezegd was.

'Er was iets met hem, vanavond,' zei Kent.

'Hij heeft zich prima hersteld,' zei Haskins. 'Geweldige tweede helft. Geweldig.'

'Dat wel,' zei Kent, maar hij was niet overtuigd. Misschien was hij daarom niet volkomen verrast toen het telefoontje van de politie kwam.

Het was toen al bijna middernacht en ze zaten nog steeds naar de wedstrijdbeelden te kijken. Het overgaan van de telefoon trok de aandacht des te meer omdat een van de regels die Kent iedereen in de kleedkamer had opgelegd, inhield dat er geen mobiele telefoons werden gebruikt. Hij legde niet heel veel beslag op de tijd van zijn staf, maar zolang ze er waren, eiste hij concentratie. Elk jaar was er wel weer een nieuwe assistent die dacht dat hij tijdens een vergadering wel een sms'je kon versturen of een e-mailtje bekijken. Maar dat gebeurde elk seizoen maar één keer.

Het was dan ook de vaste telefoon in de kleedkamer, en die ging bijna nooit. Alle coaches kregen aan het begin van het seizoen het nummer, met de specifieke opdracht dit aan de familie door te geven. Je kon immers nooit weten wanneer iemand je nodig had voor iets wat belangrijker was dan football. Kent nam de hoorn van de haak, hoorde een man die zich als inspecteur kenbaar maakte en sloot zijn ogen. Het was niet de eerste keer dat de politie naar deze kleedkamer belde en het zou niet de laatste keer zijn. Jongens kunnen in de problemen komen, ook goede jongens.

Het was dan ook niet de naam van de beller die Kent verontrustte, maar die van de speler. Colin Mears. Er was iets met hem aan de hand, dacht hij, er was iets. Ik heb het gezien, maar ik heb er niet naar gevraagd. Waarom heb ik hem er niet naar gevraagd?

'Is hij in moeilijkheden?' vroeg Kent, en meteen trok zijn stem de aandacht van de andere coaches. Het volgende wat hij zei – fluisterde, eigenlijk – was: 'O, god!' Byers pakte de afstandsbediening en zette de video af.

'Natuurlijk,' zei Kent in de telefoon. Zijn assistenten staarden hem aan en probeerden iets uit Kents bijdrage aan het gesprek op te maken. 'Natuurlijk kan ik voor getuigen zorgen. Vijftig, zelfs.'

Dat veroorzaakte een zichtbare reactie, iedereen keek elkaar aan.

'Ik kom eraan,' zei hij. 'Zegt u tegen zijn ouders dat ik eraan kom. Alstublieft.'

Hij hing op. Het was doodstil in de kleedkamer, iedereen wachtte af.

'Rachel Bond is dood,' zei hij. Ze wisten allemaal wie zij was. Het was een kleine school met een zo mogelijk nog kleiner footballprogramma. Als er in je team een receiver zat die tot de beste van de staat was uitgeroepen, kenden de coaches zijn vriendin. 'Colin zit op het politiebureau.'

'Nee,' zei Haskins. 'Het is absoluut uitgesloten dat hij...'

'Natuurlijk heeft hij het niet gedaan.'

'Maar zij denken van wel?'

'Dat weet ik niet,' zei Kent. 'Waarschijnlijk niet. Hij zal wel de eerste zijn die in beeld is, dat is alles. Ik denk dat ze willen dat ik bevestig waar hij vanmiddag en vanavond is geweest. Ze willen dat ik naar het politiebureau kom.'

Byers zei: 'De eerste die in beeld is. Dan heb je het niet over een autowrak. Is dat meisje vermoord?'

Kent knikte.

Iedereen zweeg. Kent pakte zijn sleutels van zijn bureau, stond op en zei: 'Ga naar huis, heren. Ga naar jullie gezin.'

Hij reed met de raampjes open en de radio uit. Hij bad hardop, zoals altijd als hij in zijn eentje door het donker reed. Hij bad voor Rachel Bond en haar familie en voor Colin Mears en voor de agenten die met het onderzoek waren belast. Hij bad voor iedereen die in hem opkwam, behalve voor zichzelf, want van alle mensen die het verdienden, stond hij als laatste op de lijst.

'Je bent hier goed op voorbereid,' zei hij tegen zichzelf terwijl hij een blik in het achteruitkijkspiegeltje wierp. 'Je bent hier ongewoon en vreselijk goed op voorbereid. Elke gruwelijke gebeurtenis heeft zijn bedoeling, en deze...'

Hij bad voor zijn zus, en haar naam rees door hem heen naar boven en verliet zijn lippen als koud prikkeldraad dat van een rol in hem werd losgetrokken. Marie Lynn. Hoeveel pijn het deed om die twee woorden los te laten, alsof hij haar, door haar naam hardop uit te spreken, losliet in een wereld die haar niet zou teruggeven. Dat wist hij maar al te goed, maar hij deed het toch. Herinneringen aan de doden. Je wilde ze dicht bij je houden, maar ze moesten op afstand blijven.

De stoep voor het politiebureau, een fris gebouw van kalksteen, was bezaaid met bladeren. Kent liep er met knisperende stappen overheen en ging de trap op naar de hal, waar de familie Mears wachtte.

Ze hebben een leider nodig, bracht hij zichzelf in herinnering.

Het was belangrijk te weten dat er mensen keken. Je nam een andere houding aan als je dat besefte, je hield jezelf in bedwang. In het felle licht, als het publiek keek, was je tijdelijk een andere man, de man die je eigenlijk had moeten zijn. Hoeveel beter zou de wereld zijn als iedereen altijd in de spotlights en voor het publiek zou optreden, als niemand de eenzame momenten in de duisternis kreeg toebedeeld?

De politie leidde hem door een gang naar de kamer waarin Colin Mears en zijn ouders aan een kleine, ronde tafel zaten. Kent keek naar Colins gezicht. Van de opwinding van na de wedstrijd was niets op zijn gezicht terug te vinden, alleen een winterse bleekheid en daartegen afgezet angstige, ongelovige blauwe ogen. Kent keek hem aan en zei: 'Laten we doen wat nodig is om haar te helpen, knul. Laten we dat eerst doen.'

Hij bedoelde: eerst dít doen. Het politiebureau, de vragen. Hij bedoelde: eerst het hoofd nog even boven de wateren van het verdriet houden. De jongen begreep het.

'Ja, sir,' zei Colin Mears. 'Ik doe mijn best.'

Kent reikte over de tafel, legde zijn hand op zijn schouder en gaf hem een kneepje, en Colins moeder bedankte hem zacht voor zijn komst. Kent knikte, deed een stap naar achteren en keek naar de politieman die hem naar de kamer had gebracht, ene inspecteur Salter.

'Alles wat u van mij of mijn staf nodig heeft, kan ik onmiddellijk voor u regelen,' zei hij. 'Wat kunnen we, naast mijn verklaring en de bevestiging van het feit dat hij vanaf halfdrie vanmiddag bij ons team is geweest, doen om…'

'Wacht even, Coach,' zei Salter. 'Dat zal niet nodig zijn. We weten waar Colin was en we begrijpen dat dat een paar honderd keer kan worden bevestigd. Wat wij van u willen, ligt meer op het persoonlijke vlak.'

'Persoonlijke vlak?' vroeg Kent, en hij dacht: daar heb je het, de gedeelde ervaring. Ze zullen willen dat je zo'n knul vertelt hoe hij zich groot moet houden, want jij hebt dat al een keer gedaan.

'Ja,' zei Salter. 'Heeft u enig idee hoe we uw broer kunnen bereiken?'

Kent draaide zijn hoofd een kwartslag, alsof zijn oor op de verkeerde plek had gezeten en hij de vraag had gemist.

'Mijn broer?'

Niet Salter antwoordde, maar Colin.

'Hij heeft haar geholpen, Coach. Maar ze was niet... Ik denk dat ze niet helemaal eerlijk tegen hem is geweest.'

'Heeft hij haar geholpen?' vroeg Kent. 'Heeft mijn broer Rachel geholpen?'

Hij keek de jongen nu met samengeknepen ogen aan.

'Heeft u zijn nummer?' vroeg Salter. 'We zijn er nog niet in geslaagd hem te bereiken. We hebben iemand naar zijn huis gestuurd, maar daar is hij niet.'

'Daar is het waarschijnlijk nog een beetje te vroeg voor.'

'Het is na twaalven.'

'Ja,' zei Kent, bij wie het kwartje viel. Hij keek naar Colin. 'Zijn jullie naar hem toe gegaan om hem te vragen haar te helpen haar vader te vinden?'

'Haar vader had geschreven dat hij uit de gevangenis was. Ze wilde hem vinden. Ze geloofde hem. We geloofden hem allebei. Daarom heb ik voorgesteld...'

De woorden vlogen uit zijn mond als iets lichts op een plotselinge vlaag wind, en Kent vroeg: 'Hoe bedoel je, je geloofde hem?'

Salter antwoordde voor de jongen.

'Rachels vader heeft de gevangenis helemaal niet verlaten, Coach. Veel is nog onduidelijk, maar zoveel is zeker. Dus wie uw broer ook voor haar gevonden mag hebben, haar vader was het niet.'

'Ze heeft me niet verteld dat ze in haar eentje ging,' zei Colin, bij wie de tranen nu over de wangen liepen. 'Ik had haar nooit in haar eentje laten gaan. Ze heeft me beloofd dat we samen zouden gaan. Vlak voor de wedstrijd kreeg ik een berichtje. Ze zei dat ze naar hem toe ging en dat we elkaar na de wedstrijd zouden zien, maar ze was er niet. Ze was er ook niet bij de aftrap, en ze...'

Had het einde ook gemist. De jongen hoefde die zin niet af te maken, Kent begreep hem zo ook wel. Hij dacht weer aan de bal die hij na de aftrap uit zijn handen had laten glippen; de jongen had daar staan wachten tot de bal door de lucht naar hem toe was gezweefd en had geprobeerd zichzelf wijs te maken dat het ertoe deed. Waarom had hij het niet tegen iemand gezegd? Had het vermeden kunnen worden als hij er met iemand over had gesproken?

Maar natuurlijk had hij niets gezegd. Kents eis op het veld liet niets te raden over: honderd procent focus en concentratie. Honderd procent.

'De plek waar ze is... waar ze is gevonden,' zei Salter, die zijn woorden woog, 'is niet de plaats waar uw broer haar naartoe heeft gestuurd. Daarom hebben we uw broer nodig. Om die plaats te vinden.'

Kent bracht zijn hand omhoog, kneep in zijn neusbrug en droeg zichzelf op na te denken. Hij kon nog niet alle consequenties overzien en hij stond het zichzelf niet toe de reikwijdte van deze avond te beseffen, de wijze waarop dit drama om zich heen zou grijpen, tot in uithoeken waarvan hij het bestaan niet had kunnen vermoeden.

'Ik kan u het nummer van zijn mobiele telefoon geven,' zei hij. 'Maar ik kan u niet garanderen dat hij die ook opneemt.'

Salter noteerde het nummer en liep de kamer uit om te bellen. Even waren Kent, zijn sterspeler en de ouders van de jongen alleen. Kent zei: 'Vertel me hoe het zover heeft kunnen komen, knul.'

Het was in de zomer begonnen, legde Colin uit, maar dat wist Kent al. Rachel kwam vaak bij hen thuis, omdat ze hun vaste kinderoppas was en omdat Kents vrouw, Beth, haar graag mocht. Kent had zich niet met haar bemoeid, maar de situatie met haar vader, die geen rol in haar leven had gespeeld en op dat moment in de gevangenis zat, vormde daar een uitzondering op. Rachel interesseerde zich voor Kents bezoekjes aan gevangenissen en had hem daar regelmatig vragen over gesteld – van details over de cellen tot zijn mening over de mannen die erin zaten. Die zomer had ze hem verteld dat ze haar vader wilde ontmoeten. Het was bijna tien jaar geleden dat ze hem voor het laatst had gezien. Hij was toen drie dagen na haar zevende verjaardag langsgekomen met een verjaardagskaart waar een ver-frommeld tiendollarbiljet in zat. Rachels moeder, die Penny Gootee heette, had hem weggestuurd. Kent adviseerde haar om eerst maar eens een brief te schrijven. Hij waarschuwde haar niet op een ant-woord te rekenen.

Maar dat had ze wel gekregen.

Kort, bondig en ter zake. Het speet Jason Bond dat ze geen relatie hadden. Hij bedankte haar dat ze de tijd had genomen om hem te schrijven. Hij hoopte dat het goed ging met haar moeder. Met hem ging het naar omstandigheden prima. Zij moest haar school afma-ken, goed op zichzelf passen en betere keuzes maken dan hij had gedaan.

Kent herinnerde zich die brief. Hij herinnerde zich ook dat de vier brieven die Rachel in de weken erna had verstuurd, niet werden beantwoord. Hij had geprobeerd haar daardoorheen te helpen, haar eraan te herinneren dat zij voor die man zijn vleesgeworden schuld was, dat je een relatie de tijd moet geven, dat je die iemand niet op kunt leggen.

Van andere brieven had hij geen weet. Het seizoen begon weer – hij hield zich met football bezig, zij met haar vader. Er waren, ver-telde Colin, over en weer nog verschillende brieven verstuurd, en het grootste gedeelte van wat Rachels vader te zeggen had, was hem onder ogen gekomen: verontschuldigingen, altijd vergezeld van de waarschuwing dat hij haar niet nog eens teleur wilde stellen en dat het misschien beter was verder geen contact te hebben. Zijn schuld-gevoelens kwamen ter sprake, bijna alles waar Kent het eerder die zomer met haar over had gehad, kwam ter sprake.

Plus zijn ophanden zijnde vrijlating.

In september kwamen de brieven regelmatiger en werden ze gedetailleerder. Jason Bond zei dat hij weer in Chambers was – zo dichtbij dat het bij zijn dochter, die hem graag wilde ontmoeten, verwachtingen wekte. Maar hij liet zich niet opjagen. Hij wilde dat ze begreep dat eenrichtingsverkeer het beste was en smeekte haar de situatie niet met haar moeder te bespreken, want ook aan die relatie was hij nog niet toe. Het was de vraag of het ooit zover zou komen.

Best listig, want Rachels band met haar moeder was niet bepaald sterk. Penny Gootee was een alcoholiste die met depressies worstelde en telkens weer de grootst mogelijke moeite had een baan te behouden. De weinige woorden die ze over Rachels vader sprak, waren gedrenkt in bitterheid. Als er één persoon was bij wie Rachel in deze situatie waarschijnlijk niet voor hulp zou aankloppen, dan was het wel haar moeder.

Dus klopte Rachel bij Colin aan. Hij had een idee. Als zij de brieven van haar vader wilde beantwoorden, dan moest ze hem opsporen. En de broer van Coach Austin was privédetective.

5

In Haslem's hing één tv, in de hoek boven de bar, een ding dat in het tijdperk van HD-flatscreens opvallend ouderwets en log was. Maar niemand klaagde erover, want je kwam niet in Haslem's om tv te kijken, maar om te zien wat er over het podium dartelde en aan de roestvrijstalen paal rondslingerde.

Adam Austin daarentegen keek er tien minuten naar. Om tien voor halftwaalf vroeg hij de barman, Davey, om op ABC-Cleveland af te stemmen.

'Met geluid?' vroeg Davey.

'Nee.'

Het ging hem om de sportrubriek van het lokale nieuws. Het enige wat Adam wilde zien waren de uitslagen die onder in beeld voorbijkwamen. Hij wilde weten welk team zijn broer uit de andere groep zou treffen, wie hij op zijn weg zou vinden. Het grootste risico vormde waarschijnlijk Saint Anthony's, dat de teams van Kent jaar in jaar uit de baas was geweest. Ook zij hadden gewonnen, maar dat sprak voor zich. Met veertig punten verschil, maar liefst. Een overtuigende afstraffing. De overwinning waarmee Chambers een ronde verder was gekomen, gaf eerder aanleiding tot opluchting.

'Het verschil was wel erg klein, Franchise,' mompelde Adam, die voor zijn jongere broer een bijnaam gebruikte die maar één andere persoon in de wereld ooit voor hem had gebruikt. 'Té klein.'

Kent had de afgelopen week waarschijnlijk meer staan preken dan dat hij hun had geleerd een beuk uit te delen. Zo was hij nu eenmaal. Maar de klus was geklaard, ze hadden elf overwinningen op rij behaald en de staatstitel was geen droom meer voor dit stadje – hij lag in het vooruitzicht. Hoe zijn broer het nu zou gaan aanpakken, stond nog te bezien. Misschien zouden de psalmen worden ingewisseld voor de lessen van de legendarische footballcoach Lombardi, misschien werd de leer van Paulus de leer van Paul – de legendarische footballcoach Paul Brown.

Achter Adam, op het podium, waren drie meiden aan het werk. Een stuk of twintig heikneuters schoven hun dollarbiljetten toe. Zo nu en dan trok iemand bij wie bijvoorbeeld na het verkopen van een tweedehands jetski het fortuin naar het hoofd was gestegen een briefje van twintig tevoorschijn, maar verder dansten deze meiden voor een schijntje. Adam bleef met zijn rug naar hen toe zitten. Hij wachtte op ene Jerry Norris, die zich niet had verwaardigd afgelopen donderdag op zijn rechtszitting te verschijnen. Dat Jerry nog niet was komen opdagen, kon twee dingen betekenen: of hij had al zo veel gezopen dat hij de tietenbar niet meer had gehaald, of een vriend had hem voor Adam gewaarschuwd.

Adam was van plan om het om middernacht voor gezien te houden, maar Davey schonk hem een Jim Beam van het huis in, en gratis whisky afslaan stond gelijk aan heiligschennis. Tegen de tijd dat hij hem op had, was hij minder moe, de meiden hadden pauze en er stond een truckersliedje op de digitale jukebox. Hij kon net zo goed ook nog een laatste biertje nemen.

Dat ene laatste biertje werden er drie, en toen kwam het telefoontje. Verrast was hij niet; hij werd wel vaker midden in de nacht gebeld. Al was het laat en was hij moe, zulke telefoontjes betekenden vaak kassa, en als het om geld ging deed het er niet toe dat het laat was en je zin had om naar bed te gaan. Sterker nog, in zijn vak belde het geld zelden op een fatsoenlijk tijdstip. Het verraste hem dat het Stan Salter was, maar nou ook weer niet zo erg dat hij ervan opkeek. Daarvoor had hij te vaak met de politie van doen.

'Wie van mijn schatjes heeft wat uitgevroten?' vroeg hij.

'Zoiets is het niet,' zei Salter.

'Wat voor iets dan wel?'

'Dat zal ik je hier op het politiebureau vertellen, Adam. Kun je zelf rijden of moet ik iemand sturen?'

'Waar gaat dit in godsnaam over?'

'Over moord,' zei Salter. 'En als ik zeg dat ik je hier op het bureau wil spreken, bedoel ik nu meteen.'

Het zou niet de eerste keer zijn dat iemand voor wie Adam zich verantwoordelijk had gesteld een moord had gepleegd – de derde keer om precies te zijn – maar prettig was het nooit.

'Wie heeft het gedaan?' vroeg hij.

'Adam, het is niet wat je denkt. We hebben je nodig in verband met het slachtoffer. Ik heb begrepen dat je haar onlangs hebt gesproken.'

'Hoe heet ze?'

'Ik zei dat ik je hier op het politiebureau wil spreken.'

'En dat kan. Maar dat wil niet zeggen dat je me niet kunt zeggen hoe ze heet.'

Na een aarzeling zei Salter: 'Rachel Bond.'

'Zegt me niets,' zei Adam. Hij zou het echt niet zijn vergeten als hij zich borg had gesteld voor iemand die Bond heette. Zo'n naam vergat je niet.

'Wij hebben iets anders gehoord.'

Rachel, dacht hij. Rachel. Was dat die vrouw die hier bont en blauw binnenkwam en vroeg of ik haar man los kon krijgen?

'Blonde griet, jaar of dertig?' vroeg hij. 'Heet haar man Roger?'

'Nee,' zei Salter. 'Bruin haar, en ze was geen jaar of dertig. Ze was zeventien. Ze heeft je gevraagd haar te helpen haar vader te vinden.'

'Dat klopt niet. Nee. Dat meisje… Zij heette April. Ze studeerde.'

Maar hij herinnerde zich ook dat hij naar haar had gekeken en had gedacht dat hij snel ouder werd, want studentes begonnen er onmogelijk jong uit te zien.

'Dat heeft ze misschien gezegd,' zei Salter, 'maar ze studeerde niet. En nu is ze dood, Adam. En wij willen je spreken. Nu meteen. Dus ik vraag het nog één keer – kun je zelf rijden of moet ik iemand sturen?'

'Ik kan rijden,' zei Adam. Hij herinnerde zich de brieven in zo'n plastic map waar scholieren mee liepen. Studenten niet. En de nagellak. Rood met zilveren glinstertjes. Ze had haar nagels voor de Cardinals geverfd.

'Kom dan hierheen. Ik wacht op je.'

Salter hing op. Adam legde zijn telefoon op de bar en staarde in de spiegel tegenover hem. Het enige wat hij tussen al die flessen door zag, waren zijn ogen en zijn terugwijkende haargrens.

'Godverdomme,' fluisterde hij.

In de kamer met de te felle verlichting, de geur van nieuw plastic en een digitale recorder op tafel herinnerde hij zich, tot ergernis van Stan Salter en de rechercheur, het adres niet.

'Het was ergens buiten de stad,' zei hij. 'Aan een meertje. Het was... Shadow Lane. Nee. Shadow Wood Lane. Het nummer weet ik niet meer.'

'De straat weet je zeker?'

'Shadow Wood. Ja.'

De rechercheur liep de kamer uit en Adam bleef alleen met Stan Salter achter.

'Denken jullie dat ze daar is vermoord?' vroeg Adam.

'Dat gaan we uitzoeken. Heb jij het huis gezien?'

'Nee.'

'Je hebt haar alleen het adres gegeven?'

Adam wist niet of Salters stem echt was vervuld van minachting of dat hij zich dat verbeeldde. Hij nam het de man hoe dan ook niet kwalijk. Hij herinnerde zich dat het meisje ondanks haar rechte, witte tanden een vreemde, voorzichtige glimlach had gehad, waarbij haar lippen op elkaar bleven, alsof ze tot voor kort een beugel had gehad en haar spiergeheugen en tieneronzekerheid haar erop hadden getraind haar – nu perfecte – tanden te verbergen...

Nee, dat was niet waar. Ze had helemaal niet geglimlacht. Dat was een ander meisje. Verwar de een niet met de ander, Adam, dat moet je echt niet doen.

'Ja. Ik heb het adres op haar voicemail ingesproken. Ik heb gezegd dat ze het me maar moest laten weten als het niet was gelukt, dat we het dan nog een keer zouden proberen. Daarna heb ik niets meer van haar gehoord. Ze zei dat ze April Harper heette en dat ze aan een universiteit studeerde.'

'Het is niet de gewoonte naar identiteitspapieren te vragen?' vroeg Salter. Adam moest moeite doen om zich op de vraag te concentreren. Hij verloor zich steeds in de nagellak, de plastic map en de geur van kokos, waaruit hij had geconcludeerd dat ze naar een zonnebank was geweest.

'Bij mijn cliënten?' vroeg hij. 'Nee. Dat doet toch niemand? Ik liet haar geen vliegticket kopen of zelfs maar een biertje drinken, ik deed een klusje voor haar. Daar hoef ik haar leeftijd niet voor te controleren.'

Maar hij dacht: zeventien, zeventien, zeventien godver-de-godver – en hij voelde de drank in zijn maag alsof het een zuur was.

En zo had ze er ook uitgezien. Het was onzin om net te doen alsof dat niet zo was, hij kon zich niet verbergen achter het meelijwekkende schild van de bewering dat ze zo'n meisje was geweest dat er ouder uitzag dan ze was. Eerder nog iets jonger. Als ze bij een benzinestation sigaretten had willen kopen, dan zou de bediende om haar identiteitspapieren hebben gevraagd. Ze had zelfs de moeite genomen hem te vertellen dat ze vierdejaars aan Baldwin-Wallace was en terwijl zijn ogen 'echt niet' zeiden, zeiden zijn hersens 'het zal mij een rotzorg zijn' en zei haar geld 'doe het nou maar, Adam'.

'Het kwam niet bij je op dat ze loog?' vroeg Salter.

'Ze liegen allemaal tegen me, Salter. De hele tijd. Of ik dacht dat ze loog? Natuurlijk wel. Maar om te zeggen dat het me kon schelen waaróm ze loog, dat is een ander verhaal... Kijk eens, ze zei wat ze van me wilde en ze had er een reden voor en ze had die brieven.'

'En het geld,' zei Salter.

Adam kreeg zin om die goochem zijn neus te breken, die Salter die met zijn militaire stekelhaar en halfdichte ogen en zijn insigne naar Adam zat te kijken alsof hij een van de danseressen in Haslem's was, zonder een greintje waardigheid en tuk op dollars.

'Heb jij soms geen salaris nodig?' vroeg Adam. 'Hoef jij de hypotheek niet te betalen?'

Salter bleef hem strak aankijken. 'Dat je werk nodig had, interesseert me niet. Wat me wel interesseert, is dat ze contant afrekende.'

Juist. Omdat cashgeld haar leeftijd verklapte – althans, volgens Salter, die dacht dat een volwassene een check zou uitschrijven of zou vragen of Adam ook creditcards accepteerde.

'In mijn werk,' zei Adam, 'zijn cashtransacties niet ongewoon.'

Dat was zo. Bij veel mensen die naar hem toe kwamen was het IQ een stuk hoger dan de saldogrens op hun creditcard, en niet omdat ze nou zo intelligent waren.

'Aha.' Salter maakte een notitie in zijn opschrijfboekje en zei: 'Laten we het over de brieven hebben die ze bij zich had. Heb je ze gelezen?'

'Ja.' Zeventien. Een kind nog. Een lijk.

'Heb je er kopieën van gemaakt?'

'Nee. Dat had ze zelf al gedaan. Wat ze bij zich had, waren kopieën. De originelen heb ik niet gezien. Ik heb er überhaupt maar één gezien. Maar er waren er meer.'

'Wat stond er in die brief?'

'Hij kwam van haar vader. Hij had in de gevangenis gezeten. Nadat hij was vrijgekomen, schreef hij een tijdje niet meer. Dat zat haar dwars. Toen pikte hij de draad weer op, maar hij wilde niet zeggen waar hij woonde, hij gaf haar geen adres of zo. Dus bleef het bij eenrichtingsverkeer, maar zij wilde hem terugschrijven. Daarom vroeg ze mij om hem op te sporen. Een adres, bedoel ik.'

'Ben je bevoegd tot dat soort opdrachten?'

'Ik heb een vergunning, dat weet je best.'

Salter gaf geen antwoord.

'Dat is wat ik doe voor de kost,' zei Adam. 'Iedere dag weer. Mensen schennen hun borg en ik ga ze zoeken. Ik breng ze terug. Dat weet je.'

'In dit geval gaat het niet om iemand die op borgtocht vrij was en niet is komen opdagen.'

'Het gaat om de aanpak,' zei Adam. 'De aanpak is hetzelfde.'

'Aha. Dus je hebt het op dezelfde manier als altijd aangepakt en het adres gevonden?'

'Zo is het.'

'Weet je het adres nog?'

'Nee.'

'Maar je hebt de gegevens nog wel?'

'Tuurlijk. Ja.'

'En ze heeft jou geen fysiek adres gegeven? Alleen het telefoon-nummer?'

'Alleen het telefoonnummer. Ze zei dat ze studeerde aan...'

'Baldwin-Wallace, ja,' onderbrak Salter hem. 'Heeft ze nog gezegd waarom ze naar jou toe kwam?'

'Ze zei dat ze een referentie had.' Adam had spijt dat hij onderweg niet even kauwgom of pepermunt had gekocht. Bij ieder woord dat hij uitsprak, wasemde hij bier uit, wat een onbetrouwbare en deerniswekkende indruk maakte.

'Dat deel hebben we begrepen,' zei Salter. 'Dat heeft haar vriendje ons al verteld. Die referentie, zoals jij het noemt, kwam van hem. Hij speelt in het team van je broer.'

'Speelt?' vroeg Adam. 'Op dit moment? In het huidige team?'

'Op dit moment,' zei Salter knikkend. 'Colin Mears? Ik heb de indruk dat zijn familie en jouw broer nogal close zijn. Jouw naam viel, en Colin begreep dat jij privédetective zou zijn.'

Die liet Adam aan zich voorbijgaan. 'Begreep dat jij detective zou zijn' in plaats van 'begreep dat jij detective bent'. Wat maakte het uit? Wat maakte het uit wat Salter dacht? Nu telde alleen het meisje met de glitternagellak. Het enige wat nu telde, was dat hij de zieke klootzak die haar had vermoord moest opsporen, hem opsporen en een eind aan zijn leven maken. Want als je dat níet deed... als hij gewoon vrij bleef rondlopen...

'Het is verdomd jammer dat ze tegen je heeft gelogen,' zei Salter, 'en het is ook verdomd jammer dat je haar niet hebt gevraagd zich te legitimeren. Want als je haar echte naam had gehad, zou je haar vader zo hebben gevonden. In de Mansfield-gevangenis.'

Adam staarde hem aan. 'Zit hij daar nog steeds?'

'Hij is nooit vrijgelaten. Hij zit er al zeven jaar en wordt nu verhoord. Hij zegt dat hij haar in augustus voor het laatst heeft geschreven. Dus de vraag is wie haar is blijven schrijven. Wie jij voor haar hebt gevonden. Dat is de man die we moeten vinden. En snel.'

'Het slaat nergens op,' zei Adam.

'Wat?'

'Het slaat nergens op, Salter. Ik heb die brief gezien, oké? Degene die hem had geschreven, probeerde haar juist níet te zien.'

'Echt?'

'Ja, echt. Ik heb die stomme brief zelf...'

'Dat heb je al gezegd. Maar voor iemand die niet wilde dat ze hem op het spoor kwam, strooide hij wel erg kwistig met broodkruimels. Door te vertellen dat hij in de stad was en de naam van zijn huisbazin te noemen? Aan een meisje dat actief op zoek was naar contact met hem? Vind je dat niet een beetje tegenstrijdig?'

Daar had hij natuurlijk een punt, maar Adam bleef zijn hoofd schudden.

'Het is duidelijk dat hij haar wist te vinden. Dus waarom zou hij spelletjes spelen?'

'Dat weet ik niet,' zei Salter. 'Maar het komt wel vaker voor dat stalkers spelletjes spelen. Veel vaker.'

'Maar er spreekt te veel geduld uit,' zei Adam. 'Gewoon afwachten of ze reageert? Of ze hem gaat zoeken? Dat is mij veel te geduldig.'

'Misschien was hij helemaal niet zo geduldig. Misschien kreeg hij haast toen ze bij hem op de stoep stond.'

Op dat moment herinnerde Adam zich de cijfers. Ze dreven op een zwart briesje naar hem toe: Shadow Wood Lane 7330. Ja, dat was het adres, daar had zij voor de deur gestaan.

Voor de deur waar hij haar naartoe had gestuurd.

6

Toen Beth beneden kwam om Kent te begroeten was het twee uur in de nacht, maar uit niets bleek dat dat haar verraste. Tijdens het seizoen waren dit soort tijden geen reden voor alarm, en ook voordat ze kinderen hadden gekregen, waren dit soort uren voor Beth normaal geweest. Ze was verpleegster op een eerstehulppost geweest en was van plan daarnaar terug te keren zodra Lisa en Andrew oud genoeg waren. De nachtdiensten waren nooit helemaal uit haar systeem verdwenen. Kent trof haar weleens om vier uur 's nachts met een kop koffie in de keuken aan – ze wist dan dat een poging om weer in slaap te vallen toch tot mislukken gedoemd was.

Maar die nacht had ze wel geslapen, dat zag hij aan haar mistige glimlach en de manier waarop haar lange blonde haar in de war zat van het kussen. 'Nog altijd perfect,' zei ze. 'Goed gedaan, schat.'

Hij trok de koelkast open voor een flesje koud water, en in het witte licht zag ze iets wat haar op bezorgde toon 'Schat?' deed vragen.

Hij pakte het water en liet de koelkastdeur dicht zwaaien. Het was weer donker toen hij haar vertelde dat Rachel Bond dood was.

'Heeft iemand dat arme kind gedood?' vroeg ze. 'Vermoord?' Intuïtief reageerde zij op slecht nieuws met het benoemen van de feiten en die te interpreteren, een beproefde reactie van iemand die gewend is om in een crisissituatie de kalmte te bewaren. Maar die nacht ergerde hij zich eraan. Schreeuw iets! had hij willen zeggen. Huil! Ga gillen! Krijg een zenuwinzinking! Want niet één karaktertrek van de ander is zo irritant als juist dat trekje waaraan je je bij jezelf zo ergert. Hij had de hele nacht geprobeerd rust en kracht uit te stralen en zijn emoties te onderdrukken. Dat had hem uitgeput.

Beth liep de keuken door en sloeg haar armen om hem heen. De ergernis als gevolg van het verdriet en de vermoeidheid vloeiden weg in haar warmte. Hij hield haar in zijn armen terwijl hij haar vertelde over het politiebureau, over alles wat er was gezegd, over Stan Salter en Colin Mears en het nieuws over Adam.

'Adam heeft haar naar hem toe gestuurd.'

Beth boog een stukje naar achteren en zocht zijn blik. 'Adam?'

Hij knikte. 'Herinner je je die avond dat Colin me naar hem vroeg? Hij had hem op de teamfoto van het kampioensjaar zien staan en vroeg wat er van hem terecht was gekomen. Nou, toen heb ik hem verteld dat hij nog steeds in de buurt woont, en dat hij... dat hij privédetective is geworden. Blijkbaar heeft hij dat onthouden. En toen Rachel besloot haar vader te gaan zoeken...'

'Ging ze naar Adam.'

'Ja.'

Ze zwegen. Kent dronk zijn waterflesje leeg. Geen van beiden deed een lamp aan.

'Het was zo'n prachtige meid,' fluisterde Beth. 'In alle opzichten. Te volwassen voor haar leeftijd bijna. Je weet dat ik dat altijd al tegen je zei. Alsof ze nooit kind was geweest, altijd volwassen had moeten zijn.'

'Ik weet het.'

Beth veegde met haar vingertoppen tranen uit haar ooghoeken. 'Ze had nog zoveel te doen, Kent. Ze was er zo een die... Je wist gewoon dat ze het nog ver zou schoppen.'

Haar stem brak en hij streelde haar haar en liet zijn hand weer terugvallen toen ze schokkerig inademde, haar armen strak om haar lichaam sloeg en zei: 'Morgenochtend hoort iedereen wat er is gebeurd. Misschien al voor de training.'

'Er is morgen geen training,' zei hij, en hij schaamde zich dat hij zich al zorgen maakte om de gemiste trainingsuren. 'Ik zeg een paar woorden en stuur iedereen naar huis.'

Hij leunde tegen het aanrecht, zette zijn honkbalpetje af en haalde zijn hand door zijn haar. 'Ze zullen het met de play-offs in verband brengen,' zei hij. 'Ze zullen een symbool van haar maken, wedstrijden aan haar opdragen. Ik zou willen dat ze dat niet deden.'

'Het zijn nog maar jongens.'

'Niet alleen de jongens zullen dat doen. De ouders ook, en de fans, de verslaggevers op de radio. De cheerleaders en de leraren en de conciërges, zelfs de politie. En opeens staan kinderen die een wedstrijd spelen voor iets waarvoor ze helemaal niet zouden moeten staan.'

'Misschien gebeurt dat wel helemaal niet.'

'Geloof mij,' zei hij, 'dat gebeurt wel.'

De politie was voor drie uur met hem klaar, maar tegen de tijd dat Adam thuiskwam, was de zon al op. Hij was eerst naar zijn kantoor gereden – dat lag niet ver van het politiebureau – en daarna noordwaarts, naar het meer. Daar, op de gladde keien van de golfbreker, in de schaduw van een verlaten staalfabriek die symbool stond voor een tijd die al generaties achter hen lag, maar waar nog steeds mensen om rouwden alsof de wond vers was, zat hij in de kou en dronk hij uit de whiskyfles die hij uit zijn kantoor had meegenomen. Het was uitstekende whisky, Auchentoshan Three Wood, prima scotch. Thuis en op kantoor had hij alleen goed spul. Van het goede spul dronk je minder snel – anders kon je je het niet veroorloven.

Maar nu dronk hij wel snel, al hield hij er niet veel van binnen.

Toen de maan verbleekte en ten slotte door het loden licht van de dageraad werd opgeslokt, kotste Adam Austin de dure scotch in Lake Erie. Pas toen stond hij het zichzelf toe te huilen en glibberde hij omlaag tot hij met één arm en één been in het koude water lag, de wind onverzoenlijk en onverschillig. Hij was niet op de kou gekleed en wilde niet uit het water komen, hij wilde dat hij ziek werd.

Waarom opnieuw? vroeg hij zich af. Was dit één keer meegemaakt te moeten hebben niet genoeg? Hoe kan dat niet genoeg zijn? Hij kroop terug de keien op en staarde over het meer dat op plekken die hij niet kon zien aan drie andere staten en één ander land grensde; dit meer dat altijd koud was – wanneer het koud moest zijn, maar ook wanneer juist niet. Hij keek toe hoe de horizon vorm kreeg en liep, toen het licht was of zo licht als het die dag leek te gaan worden, naar zijn auto en reed terug naar huis. Het was het enige huis dat ooit zijn thuis was geweest, het huis waar zijn ouders hem, hun eerstgeborene, de eerste van drie kinderen die ze zouden krijgen, vanuit het ziekenhuis naartoe hadden gebracht. Hij had verbouwd wat hij zich kon veroorloven te verbouwen en vervangen wat hij wilde vervangen. Afgezien van de basis resteerde er niet veel van het huis dat het ooit was geweest. Hij had bijna alles veranderd.

Op één kamer na.

Daar liep hij nu heen, en boven, in het halfduister van de overloop, bleef hij staan en zijn hand ging naar de deurknop. Hij legde zijn hand op het koude metaal en las het met de hand geschreven bordje: *Dit is de kamer van Marie Lynn Austin – Eerst kloppen, verboden zonder toestemming binnen te komen! Bedankt, jongens!*

Hij schudde zijn hoofd. Nog niet. Zo kon hij niet naar binnen, hij had haar niets anders te bieden dan een dronken man met natte schoenen, gal op zijn hemdsmouwen en bloed aan zijn handen. Meer bloed.

Hij liep verder over de overloop, stroopte zijn natte kleren van zijn lijf, zette de douche aan en keek in de spiegel terwijl de oude boiler de tijd nam om warm te draaien. Zijn ogen waren nu droog. En dat zouden ze blijven ook. Dat wist hij.

'Ik kom je halen,' fluisterde hij. Hij bedacht dat het vreemd was om dat tegen je spiegelbeeld te zeggen en draaide zich om.

7

Geruchten verspreidden zich snel in Chambers, Ohio. Er stond nog niets in de ochtendkrant, maar zijn jongens wisten het al, en dat verbaasde Kent niet. Het was een klein, hecht stadje. Een stadje waar nieuwtjes als een besmettelijke ziekte van de een op de ander overging. Hóe je het nieuws hoorde, hing af van de rol die je had. Voor de een voelde de onderlinge vertrouwdheid, het feit dat iedereen elkaar kende, als een warme omhelzing, voor de ander als een kille, wrede band. De vader van een van de jongens in zijn team zat bij de politie. Een andere had een oom die bij de patholoog-anatoom werkte, en de moeder van een derde was telefoniste bij de alarmcentrale. Bij een van die drie moest het begonnen zijn. Of bij iemand met een relatie die hij niet kende – maar wat deed het er ook toe, iemand had het nieuws op de een of andere manier opgevangen en laat in de nacht nog een sms'je of mailtje verstuurd, waarna het zich als een lopend vuurtje door het hele stadje had verspreid.

Zichtbaar onder de indruk liepen ze naar het veld, zonen én ouders, ouders die hun kind normaal gesproken in hun eentje de koude dag in gestuurd zouden hebben. Dit was een van de dingen die hij prettig vond aan Chambers. Het was zo klein dat alles als een gemeenschappelijke ervaring werd beleefd. Dat had iets positiefs. Het had ook een donkere kant. Zij die helemaal niet wisten wie Rachel was, die haar in de rij van de supermarkt niet herkend zouden hebben, zouden nu beweren dat ze zich haar snelle lach, haar genereuze glimlach en haar vriendelijke karakter konden herinneren.

En dan had je de echt duistere zielen nog. Want ook die waren er in Chambers, vergis je niet. Dat herinnerde Kent zich maar al te goed. Halverwege de dag zou het eerste gerucht de wereld in gebracht zijn – 'Ze was een sloerie, weet je.' Of nog erger, met meer nadruk op de emoties die ze in de duisternis van hun ziel aan onheil koppelden – 'Ik heb gehoord dat ze met een Mexicaanse jongen omging.' Er waren niet veel mensen die Rachel hadden gekend, maar er zouden er veel zijn die een theorie zouden ontvouwen.

Hij stond in het midden van het veld en iedereen verzamelde zich om hem heen, maar niemand sprak. Hier en daar knikten mensen elkaar toe. Sommigen fluisterden 'Morgen Coach', maar meer niet. Ze wachtten op hem.

Denk aan Walter Ward, dacht hij, en hij had ineens zo'n sterke behoefte aan zijn oude coach dat het even pijn deed, een kinderlijke behoefte, wanhopig en ondermijnend. Doet u dit voor mij, Coach Ward, doet u dit voor mij, zoals u het toen ook deed, alstublieft.

Maar Walter Ward lag al zes jaar op begraafplaats Rose Hill. Hij was meer dan zijn ex-coach geworden, hij was familie: hij was Kents schoonvader. Kent had aan het open graf gestaan en de grafrede uitgesproken. Maar dat graf zou hem zijn oude coach niet teruggeven. Kent had de baan van Ward overgenomen, met alles wat erbij hoorde. En ook dit hoorde erbij. Hij had het zich nooit kunnen voorstellen, maar toch was hij niet verbaasd. Alles herhaalde zich. Alles met tanden in ieder geval, alles wat hapte en beet en bloed deed vloeien.

Pas toen het hele team om hem heen stond en niet eerder nam hij het woord. Er stonden inmiddels meer dan honderd mensen. Veel volwassenen. Voor het grootste deel ouders, maar hij zag ook gezichten die hij niet kende.

'Het meeste zullen jullie al wel gehoord hebben,' zei hij, 'maar voor het geval dat niet zo is, zal ik uitleggen waarom er vandaag geen training is.'

En dus vertelde hij hun het nieuws dat ze al gehoord hadden. Een van hen was hun ontnomen. Die woordkeuze was cruciaal; hij zou nooit vergeten hoe het woord 'verloren' hem, toen het in verband met Marie werd gebruikt, in het verkeerde keelgat was geschoten, alsof ze ergens op een verkeerde plek lag, als autosleutels, de afstandsbediening, een paar schoenen. Nee, ze hadden haar niet verloren.

Ze was hun ontnomen.

'We weten,' zei hij, 'dat het belang van deze sport minimaal is. Deze ochtend worden wij daaraan herinnerd op een manier die ik nooit had willen meemaken. Laten we onszelf nóg iets in herinnering brengen: we geven elkaar kracht. Soms hebben we meer nodig dan we kunnen geven. Wees je daar nu bewust van, jongens. Sommigen onder ons – Rachels moeder, haar vriendinnen, jullie teamgenoot Colin – zullen meer kracht nodig hebben dan ze in zichzelf zullen vinden. Zij hebben jullie kracht nodig en die van mij. Laten we ons dat herinneren, en laten we hun die kracht geven.

We hebben het er maanden – jaren – over gehad wat deze sport voor ons betekent en wat niet. Vandaag betekent het niets. Begrijp dat goed. Laat dat heel duidelijk zijn. En vergeet één ding niet… Geen angst of verlies is zo groot dat ons geloof erdoor gebroken kan worden.'

Een koor van instemmingen, een van de luidste afkomstig van een man achter in de menigte. Op het moment dat Kents blik zijn kant op schoot, dook de man weg. Hij droeg een honkbalpetje en boog zijn hoofd, maar Kent had hem herkend. Hij was even van zijn à propos, keek weg en wist zich weer te concentreren.

'Vandaag geen training, geen football. Blijf bij je familie, blijf bij je vrienden, blijf bij je gedachten. Richt die gedachten op de mensen die ze nodig hebben.' Hij zweeg even en zei toen: 'Voor degenen die willen blijven, zal ik een gebed uitspreken.'

Iedereen bleef.

Kent hoopte dat hij erin zou slagen thuis te komen zonder een verklaring aan de pers te hoeven geven, maar Bob Hackett, de gerespecteerde lokale sportverslaggever die al drie decennia op zijn post zat, stond hem bij zijn auto op te wachten. Hij was erbij geweest toen Kent in de eerste klas kampioen van de staat werd, hij was erbij toen ze, met Kent in zijn eindexamenjaar als quarterback, de kampioenswedstrijd verloren, en hij was bij alles geweest wat daar tussenin was gebeurd.

Hij stond bij Kents Ford Explorer. Ze leunden naast elkaar tegen de auto en staarden naar het footballveld dat nog maar een paar uur geleden zo belangrijk was geweest.

'Vreselijk, ook voor jou,' zei Hackett.

'Er zijn nu een hoop mensen die medeleven verdienen, Bob, maar daar hoor ik niet bij.'

'Kent, het zal niet lang duren voordat iemand met je zal willen praten. En ik zeg je dit: het is beter als je met mij praat. Als ik het schrijf, pikt *Associated Press* het ook op. Als er dan gebeld wordt, kun je zeggen dat je je interview over dit onderwerp al hebt gegeven en het daarbij wilt laten. Geef je geen enkel interview, dan maakt iedereen er zijn eigen verhaal van.'

Ze gaan hun gang maar, had Kent hem het liefst toegebeten, het heeft er niets mee te maken, het is al zo lang geleden, zo ver weg. Maar dat was niet waar. Het was niet ver weg – dat zou het nooit zijn.

'Je kent me goed genoeg om te weten dat ik niet op details uit ben,' zei Hackett. 'Als je niets over haar wilt zeggen, zal ik…'

'Nee,' zei Kent. 'Dan hebben we het maar gehad. Laten we over mijn zus praten.'

Hackett keek weg, en Kent stelde het op prijs dat hij zich oprecht ongemakkelijk voelde. Hij was het niet altijd met de sportverslaggever eens, maar voor de manier waarop hij zijn werk deed, had hij waardering. Hij behandelde dit niet als een artikel over een coach, een speler of een wedstrijd. Hij behandelde het als een artikel over mensen.

'Gaan we naar binnen?' vroeg Hackett.

Kent schudde zijn hoofd. 'Laten we op de tribune gaan zitten.'

Het was maar iets boven nul, de ochtendzon had de grijze dag nog niet veel kunnen opwarmen en Hackett droeg geen hoed op zijn kale hoofd, maar hij knikte en ging hem voor.

8

Chelsea belde rond het middaguur.

'Ik heb het net gehoord,' zei ze zonder inleiding en zonder te vragen waarom Adam die nacht niet naar haar terug was gekomen en waarom hij nu, op zaterdag, traditiegetrouw een drukke ochtend, niet op kantoor was.

'Van wie?'

'Van de politie. Die kwamen haar dossier halen. Niet dat daar veel in stond, en dat konden ze moeilijk geloven.'

'Het zijn optimisten. Dat kun je ze niet kwalijk nemen. Ik zou zelf ook wel willen dat er meer in stond. Ik wou…' Hij haperde en hoopte dat ze zou denken dat hij dronken was. Op de een of andere manier leek dat beter. Veiliger, minder kwetsbaar. Adam? Hij is niet gebroken, alleen maar dronken. Minacht hem gerust, dat heeft hij verdiend, maar heb alsjeblieft geen medelijden.

'Waar zit je?' vroeg ze. Haar stem was heel zacht.

'Thuis.'

'Bij jou thuis?'

'Een ander thuis heb ik niet.'

'Nee?'

Hij zweeg. Hij had de afgelopen dertig dagen bij haar geslapen. De afgelopen veertig dagen misschien zelfs.

'We hebben drie man in de boeken staan na vanochtend,' zei ze. 'Dat is waarschijnlijk alles wat we zien vandaag. De vrijdagavond-zatlappen zijn al vrijgelaten. Ik ga sluiten. Als iemand ons nodig heeft, kunnen ze bellen.'

'Prima, je doet maar.'

'Mag ik naar je toe komen, Adam. Alsjeblieft?'

'Goed.'

Na het eindexamen hadden ze elkaar bijna niet meer gesproken en na een jaar of tien was het contact zo goed als verbroken. Zij was eerst naar Cleveland teruggekeerd en daarna weer naar Chambers teruggekomen en getrouwd met ene Travis Leonard. Een voormalig soldaat, oneervol ontslagen. De eerste keer dat hij in Chambers de bak in draaide, had hij gestolen goederen verkocht. Ze kwam bij Adam voor de borgtocht, haar chequeboekje in de hand, en hij was kwaad op haar geweest, woest zelfs, omdat zij zoveel beter verdiende dan die kerel, dan dat leven.

'Ziet je leven er nu zo uit?' had hij gevraagd. 'Echt waar?'

Ze sloeg haar chequeboekje dicht, keek hem scheef aan en liet haar blik door het sjofele kantoor dwalen.

'Ziet jóuw leven er nu zó uit, Adam? Echt waar?'

Het papierwerk hadden ze zwijgend afgerond. Travis Leonard kwam vrij en verscheen niet op de zitting. Adam ging langs. Travis was weg, Chelsea zat thuis.

'Je kunt maar beter even binnen wachten,' zei ze en dat was de eerste keer geweest. Of eigenlijk de tweede keer. Maar de eerste keer sinds tien jaar. Toen ze vóór het aanbreken van de dag van hem afgleed, kuste ze Adam vol op de mond; haar man kreeg een kus op zijn wang toen Adam hem, toen hij twee uur later eindelijk thuis was gekomen, achter in de Jeep zette.

Een paar dagen werd er niet gebeld. Hij wilde haar niet zien, wilde niet zien wat er van haar geworden was, wilde niet dat zij zou zien wat er van hem geworden was. Daar schoot niemand iets mee op.

Maar op een avond stond hij toch opnieuw bij haar voor de deur. Ze deed weer open. En zo bleef het gaan.

Haar huis werd zijn favoriete gehate plek. Gehaat omdat het op naam van haar man stond, terwijl zij de hypotheek en de belastingen betaalde en hij op zijn luie reet in de bajes zat. Gehaat omdat het er vergeven was van de slangen – die idioot fokte pythons, er waren er altijd wel een stuk of zestig, zeventig, en Adam had altijd al van slangen gewalgd. Gehaat omdat hij er zo graag wilde zijn, altijd. Gehaat omdat ze zoveel beter verdiende en omdat Adam vanaf het begin af aan deel van haar val was geweest.

En favoriet omdat zij er was. Dat was duidelijk, en onbezoedeld. Alleen dat.

Zij kon er niets aan doen dat ze haar herinneringen had. Maar dat maakte ze niet minder groezelig. Het maakte niet dat hij, iedere keer als hij zijn auto op de oprit zette, minder misselijk van zichzelf werd. En het weerhield hem er niet van soms, als ze hem aanraakte, zijn ogen dicht te knijpen.

Zij was zeventien toen ze elkaar leerden kennen. Ze kwam van een middelbare school in Cleveland. Haar vader zat vast, en Chelseas moeder had de huur van hun huis op Clark Avenue opgezegd en was met haar kinderen bij haar zus in Chambers ingetrokken. Op de eerste schooldag had het gerucht van haar komst zich binnen een uur verspreid, en als zij door de gangen liep, rekten de van de hormonen overlopende jongens hun nekspieren om een glimp van haar op te vangen. Chelsea, die met een Italiaanse moeder en een Porto Ricaanse vader aan het langste eind van de genetische loterij had getrokken, zag er anders uit dan de andere meisjes in Chambers. Ze zag er anders uit dan de andere meisjes waar dan ook. En ze had autoriteit – kinderachtige aandacht verveelde haar, maar ze kon je met één lang, geamuseerd oogcontact aan de grond vastnagelen en laten smelten.

Zij vormde dat jaar naast football de enige bron van afleiding. Meisjes waren tot op zekere hoogte altijd een bron van afleiding, maar op zo'n kleine school was het topsegment in de eindexamenklas allang vergeven. Met al die foto's om je druk over te maken, de thuiswedstrijden van het footballteam, het schoolbal, de diplomauitreiking en het jaarboek was het een ramp als je in je laatste jaar single was. Maar dit was anders, dit was een níeuw meisje, ze had geen verleden en kende het verleden van de anderen niet, dus iedereen kon zich verbeelden dat hij een kans maakte.

Adam won.

Het duurde wel een paar weken voordat het zover was. Dat was langer dan hij wilde. Langer dan hij gewend was ook. Adam was de enige honderd procent zekere superkandidaat in het team en met zijn volle één meter vijfennegentig, honderdachttien kilo spierbundels, bruine haar, donkerblauwe ogen en ontspannen glimlach was Adam niet gewend er moeite voor te hoeven doen. Maar hij had er wel degelijk moeite voor moeten doen, en in eerste instantie was dat een deel van de aantrekkingskracht: er zat een competitie-element in en Adam was dol op competitie. Toen hij haar beter leerde kennen ontdekte hij wat er schuilging achter haar honingkleurige huid, haar glanzende haar en dat lichaam dat alles beloofde waarover hij sinds zijn puberteit had gefantaseerd. Reken maar dat hij van dit meisje hield, en snel ook. Snel in de zin waarop je alleen snel van iemand kunt houden als je achttien bent.

Dat was in de herfst van 1989.

Hij zat sinds halverwege augustus achter haar aan, maar het was al september voor hij een eerste afspraakje had. Een week later volgde de eerste kus. Meisjes waren toen geen onbekend terrein meer voor hem, maar toen hij háár kuste, stond hij net zo te trillen op zijn benen als wanneer ze op de trappen van de tribune hadden getraind en hun spieren vloeibaar waren geworden. Hij moest zijn rechterhand in haar nek leggen om zich staande te houden. Zij herinnerde zich dat, ze vertelde hem later dat het een gebaar was waaruit zij opmaakte dat hij galant was. Hij had haar de echte reden, dat hij niet wilde dat ze kon voelen hoe hij tijdens het kussen stond te trillen, nooit verteld.

Wat volgde was minder galant. Verhit tongen en betasten op achterbanken en aan picknicktafels. Ze praatten over vrijen. Hij was geen maagd meer, zij had twee jaar eerder een mislukte poging ondernomen en het daarbij gelaten.

Het hóeft niet snel te gebeuren, grapte hij, maar reken maar dat het wel snel moet gebeuren als een meisje je 's nachts wakker houdt en ze iedere vorm van concentratie onmogelijk maakt. In gezelschap van Chelsea Salinas was hij niet de Adam Austin die naar de Ohio State-universiteit mocht, maar een knulletje wiens benen trilden als hij haar kuste.

Toen kwam 2 oktober 1989. De Cardinals trainden laat, het schemerde al, de schijnwerpers stonden aan en het rook naar bladeren en hout en herfst. Alles wasemde football, en de herinnering aan al die trainingsuren in de zomer begon te vervagen nu het echte seizoen – Adams laatste – was begonnen. Voordat Chelsea bij het trainingsveld verscheen, was het een perfecte avond geweest. Ze speelden strak en snel en gingen er stevig in, en Coach Ward was tevreden.

Plotseling stond ze daar. Ward laste een drinkpauze in, keek naar Adam en zei: 'Austin, stuur je meisje van mijn veld, anders struikel je nog over je hormonen.'

Adam jogde naar haar toe en vroeg hoe het met haar was, uitgelaten omdat ze nooit kwam kijken als hij trainde. Hij voelde zich die dag snel, op een wilde manier, een wolf in de sneeuw, een haai in donker water.

Ze legde haar hand over de zijne op het hek en zei: 'We moeten praten.' Pas toen zag hij in zijn onstuimige, door adrenaline voortgestuwde uitgelatenheid tranen in haar donkere ogen.

'Wat is er?'

'Ik ga terug naar Cleveland.'

'Wát?'

'Je bent aan het trainen. Maak je training af. Ik leg het je uit. Zal ik bij je auto op je wachten?'

Tot meer dan een knikje was hij niet in staat.

Ze liep weg en hij zette zijn helm op en jogde terug naar het veld. De herfstbries die tien minuten daarvoor heerlijk was geweest, voelde nu kil en vijandig aan.

Ze hadden de training afgemaakt, al herinnerde hij zich daar niet veel meer van, alleen dat die veel te lang duurde en dat hij Coach Ward binnensmonds had vervloekt voor iedere extra herhaling. Toen was het eindelijk afgelopen, ze gingen douchen, en hij haastte zich, hij wreef met zijn ene hand zijn borst droog terwijl hij met de andere zijn broek aantrok. Opeens stond Kent voor zijn neus. Hij zat pas in de eerste klas, maar was toch al reserve-quarterback. Iedereen zag dat hij een grote belofte was. Het halve stadje stond klaar om hun basisspeler voor dat jochie in te wisselen, ook al hadden ze met hem maar één wedstrijd verloren. Als het aan Adam had gelegen, kon iedereen de pot op met dat traditionele idee dat hij als grote broer een houding moest hebben van 'jij moet je beurt afwachten' en 'want anders strijk jij alle eer op'. Als het aan hem had gelegen, dan zou Kent center zijn geworden, zo goed was hij. Als je Kent de aanval liet leiden en Adam in de verdediging tekeer liet gaan, dan was het kampioenschap van de staat zo binnen. Maar Coach Ward zette iemand uit het eindexamenjaar niet op de bank om een jochie uit de eerste te laten spelen. Dat kon je echt uit je hoofd zetten.

'Marie staat te wachten,' zei Kent.

Adam was even van zijn stuk gebracht. Nee, Chélsea stond te wachten, maar hoe wist zijn broertje dat in godsnaam? Toen begreep hij het. Ja, ook Marie stond te wachten. Marie had paardrijles gehad en Adam had een auto en was er dus verantwoordelijk voor dat ze heelhuids thuiskwam.

'Ik kan haar niet meenemen,' zei hij.

'Hè? Ze zijn al een uur klaar, man. Ze heeft al die tijd gewacht.'

'Ik zei dat ik haar niet mee kan nemen,' zei Adam, die zijn woede niet langer kon verbergen – alleen was het geen woede, maar angst, het was nee, nee, Chelsea vergist zich, ze gaat niet weg, dat kan niet waar zijn.

'Maar ik moet hier blijven, de coaches hebben gezegd dat ze me nog nodig hebben. Ze willen dat ik video's bekijk. Dat weet je. Ik kan haar niet thuisbrengen.'

En toen zei hij Adam de woorden waarvan hij twintig jaar later nog iedere nacht wakker zou schrikken, de woorden die hem drie keer zover hadden gebracht dat hij de smaak van de loop al in zijn mond had, het koude staal en de olie op zijn tong: 'Het is maar een klein rotstukje, Franchise. Dat loopt ze maar in haar eentje.'

En hij was vertrokken. Op een drafje de kleedkamer uit, de nacht in, op weg naar de belangrijkste afspraak in zijn achttienjarige leven.

Op het moment dat Adam en Chelsea de parkeerplaats af reden, was Marie naar hem op weg. Hij reed haar in het donker voorbij. Ze liep met gebogen hoofd, haar rugzak op haar rug, in de kille avondlucht naar de auto die niet meer op haar wachtte. Hij bedacht nog dat hij dat de volgende dag wel zou oplossen. Als zijn zusje kwaad op hem was, wist hij dat altijd met een paar grapjes weg te poetsen, wist hij altijd een glimlach aan haar te ontfutselen, of ze dat nou wilde of niet. Zijn vader was een groter probleem, maar ook daar zou hij wel uitkomen. Het enige wat nu telde, was dat Chelsea van hem werd afgepakt.

Je moest prioriteiten stellen.

Hij reed met Chelsea naar de golfbreker. Daar drapeerde hij zijn leren jack om haar smalle schouders en hield haar in zijn armen terwijl zij hem vertelde dat haar vader in november vrijkwam en dat dat betekende dat zij dan weer vertrokken. Ze keerden terug naar Cleveland, en daar zouden ze blijven. Die stad lag op een uur rijden, maar die avond voelde dat als de andere kant van de wereld. Ze stonden zwijgend op de kop van de golfbreker, het water klotste onder hen en ze haalde haar gezicht uit zijn hals, keek hem aan en vroeg: 'Kunnen we ergens heen?'

Er lagen twee dekens in de achterbak van zijn Ford Taurus. Niet ver van de golfbreker, op de hellingen met uitzicht op het meer, lag een natuurpark. In de zomer kwamen daar mensen om te barbecueën en van de zonsondergang te genieten, maar die avond, de eerste koude van de herfst, met dat gemene windje uit Canada, was het er stil. Maar zij hadden geen last gehad van de kou. Twee achttienjarigen, voor het eerst samen? Nee, dan is kou geen issue. Zelfs als het had gesneeuwd zou het hun niets hebben gedaan. Op een gegeven moment, toen ze op hun zij lagen, zij met haar rug naar hem toe, en zijn vinger de contouren van haar borst, haar middel en haar heup volgde, wist hij dat dit de avond zou worden die voor altijd in hun herinnering zou voortleven, de avond waarover ze het nog zouden hebben als ze oud waren. Want er was niets op de wereld waarmee je de eerste keer met de ware, met degene met wie je de rest van je leven zou samenblijven, kon vergelijken. Die avond zou hij nooit vergeten, nooit. Dat wist hij zeker.

Om elf uur was hij thuis.

De eerste politieauto stond toen al op de oprit.

Tweeëntwintig jaar later, toen hij door de motregen naar het huis van haar man reed, herinnerde hij zich de vragen van de politie en de blik in de ogen van zijn vader, en van zijn moeder die de kamer uit liep.

Waar heb jij de afgelopen vijf uur gezeten?

Op de golfbreker en in het park.

Wat heb je daar gedaan?

Gepraat, man, gewoon.

Dus je bent vergeten je zus thuis te brengen, is het zo gegaan?

Nou, nee, daar heeft mijn broer me nog wel aan herinnerd. Maar het was een soort noodgeval.

Om drie uur was Marie er nog steeds niet en om zes uur ook niet, en tegen die tijd was de halfslachtige hoop dat ze naar een vriendin was gegaan en daar in slaap was gevallen of haar enkel had gebroken of er desnoods met een jongen tussenuit was geknepen om te doen wat Adam had gedaan, vervlogen. De vragen werden gerichter en de waarheid pijnlijker.

Ja, ik zou haar thuisbrengen.

Nee, dat heb ik niet gedaan.

Ik ben met Chelsea Salinas in de auto gestapt en weggereden. We zijn op de golfbreker geweest, en daarna naar het park gegaan. We hebben gevreeën, op een deken.

Nee, ik heb mijn ouders niet gebeld om te zeggen dat ik Marie in haar eentje naar huis liet lopen.

Ja, toen ik de parkeerplaats af kwam, ben ik haar voorbijgereden.

Nee, ik ben niet gestopt om iets tegen haar te zeggen.

Nee, toen ik thuiskwam heb ik haar niet op straat gezien.

Maar voor zijn gevoel had hij haar toen wel gezien. Sterker nog, hij had nog steeds het gevoel dat ze er was, dat hij haar, op de juiste nacht, als de juiste halvemaan vanachter de juiste koolzwarte wolken boven het meer tevoorschijn zou komen en de juiste frisse bries zou waaien, de parkeerplaats op zou zien lopen, op zoek naar de auto waarmee hij van haar was weggereden. Hij had het gevoel dat hij, als al die elementen samen zouden vallen, haar door het donker naar het helverlichte footballveld zou zien lopen, met haar rugzak, en ze zou zich omdraaien en naar de afremmende auto kijken en eerst nog behoedzaam glimlachen, en dan zou ze zich herinneren dat ze geen beugel meer had en de glimlach zou breed en stralend worden. Ze zou instappen en hem 'zak' noemen, en dan zou hij haar thuisbrengen. Terug naar haar slaapkamer, waar een bordje waarschuwde dat het verboden was om er zonder toestemming binnen te komen. Het was nog steeds mogelijk, op de een of andere manier – het móest mogelijk zijn, want anders? Nou, anders kon deze wereld de schurft krijgen.

Hij zat met zijn hoofd op het stuur, met droge maar gesloten ogen. Chelsea opende het portier en legde een koele hand in zijn nek. Hij ademde langzaam uit en wist er met moeite voor te zorgen dat zijn adem niet trilde, maar liet zijn voorhoofd op het stuur rusten en hield zijn ogen dicht.

'Het was maar een klein stukje,' zei hij.

Ze streelde zijn nek, zonder iets te zeggen.

'Nog geen kilometer,' zei hij.

Haar vingers vonden een knoop en kneedden hem.

'Rachel Bond was zeventien,' zei hij. 'Wist ik dat? Nee. Had ik dat moeten zien? Ja. Jij zou het door hebben gehad. Als jij er was geweest, als ik er niet was geweest…'

Ze stopte met kneden, legde haar vinger op de knoop en drukte erop, als een dokter die geïnfecteerd bloed naar buiten probeert te duwen. Iets leek uit hem weg te vloeien en in de aanraking te verdwijnen, maar niet het juiste of anders niet genoeg.

'Ze was zeventien,' zei hij weer.

'Kom binnen,' zei ze en haalde haar hand uit zijn nek.

Hij zette de motor van de Jeep uit en volgde haar de veranda op en de deur door, op weg naar de slangen.

9

Kent stond voortdurend op het punt om de politie te bellen en het viel niet mee om niet aan dat verlangen toe te geven. Elke tien minuten kwamen zijn gedachten op hetzelfde uit: misschien hebben ze inmiddels nieuwe informatie. Misschien kan Salter meer vertellen. Misschien kun je vragen beantwoorden die eerder niet bij hen zijn opgekomen. Misschien kunnen ze bevestigen dat Gideon Pearce hier niets mee te maken heeft.

Die laatste, krankzinnige gedachte, hoe absurd ook, bleef hem achtervolgen. De man die zijn zus in de herfst van 1989 had vermoord, was veroordeeld voor zijn misdaad en jaren later in de gevangenis gestorven; het recht had zijn beloop gekregen. Het rationele deel van Kents brein herinnerde hem daar steeds opnieuw aan, maar het hart minacht de rede maar al te vaak en het zijne bleef de vraag maar herhalen.

Twee vermoorde meisjes, door tweeëntwintig jaar van elkaar gescheiden. Hoeveel mensen waren er sinds 1989 al in de vs vermoord? En in hun staat, in hun district, in hun stad? Die stonden niet allemaal met elkaar in verband. Maar deze twee wel, in Kents hart.

Hij belde de politie niet. Als ze hem nodig hadden, zouden zij wel bellen. Tot die tijd zou hij hen alleen maar afleiden en tot last zijn. Dus concentreerde hij zich op football, op datgene wat hij het beste kon. Ze hadden in een week waarin ze een beslissingswedstrijd moesten spelen al één training gemist, en hoewel hij juist gehandeld had, was het een kostbare beslissing geweest. Op zondagen kwam het team niet bij elkaar, alleen de coaches, en dat betekende dat de spelers pas maandag aan de voorbereiding konden beginnen. Kents team lag achtenveertig uur achter op de tegenstander. Achtenveertig van de honderdvierenveertig voorbereidingsuren waren voorbij voordat ze waren begonnen. Daarop kon je een wedstrijd verliezen. Op hem rustte de taak die verloren tijd weer in te halen.

Aan het begin van zijn carrière als coach was hij uren bezig geweest wedstrijden in kaart te brengen en ze in statistieken om te zetten, net zolang tot hij Walter Ward kon laten zien dat hij de patronen van de tegenstander beter kende dan de tegenstander zelf.

'Ze hebben met de bal op de twintig-yardlijnen zesendertig charges op de quarterback uitgevoerd,' zei hij dan tegen Ward. 'Maar tussen de twintig-yardlijn en de eindzone zetten ze nooit druk bij de eerste down. Nooit.'

Ward geloofde heilig in details. Hij geloofde ook in voorbereiding, maar op Kents nauwkeurige scoutingsverslagen reageerde hij vaak met een minzaam glimlachje, waarop hij het wedstrijdplan minimaal aanpaste. Zolang ze maar Chambers-football speelden, zei hij altijd, kwam alles goed.

Inmiddels, onder leiding van Kent, stond Chambers voor het best voorbereide football van de staat. En dankzij de computers waren er meer mogelijkheden dan ooit tevoren om je tegenstander te doorgronden. Het team gebruikte het gegevensbestand Hudl, waarmee je de wedstrijdbeelden in stukken kon verdelen. Het was geen goedkoop programma, maar een van de voorstanders, een tandarts die Duncan Werner heette, had de kosten voor zijn rekening genomen. Kent was dol op Hudl. Niet alleen kreeg je van iedere situatie alle gewenste beelden, ook de statistieken waren geweldig.

Voor 'Charges op de quarterback bij veldbezetting' hoefde je maar één keer te klikken, en dat gold ook voor 'Charges op de quarterback bij down op afstand'. Wilde je weten hoe vaak de tegenstander bij de eerste down met de bal gaat lopen? Of hoe vaak ze vanuit een bepaalde formatie weglopen? Je hoefde maar één keer te klikken. Op vrijdagochtend kon Kent dat allemaal zonder aarzeling ophoesten. Dan begreep hij precies hoe de coach van de tegenstander dacht, wat hij wilde en wat hij vreesde. Van daaruit ontweek hij hun sterke punten en beukte hij op hun zwakke plekken in. Hij liet zich op het footballveld nooit verrassen, zijn team kwam nooit voor verrassingen te staan. Dat was voor iedereen vanaf de eerste training zonneklaar. Ze zouden teams ontmoeten die groter, sterker of sneller waren, maar niet één was beter voorbereid.

Nooit.

Die zaterdagmiddag zat hij in de woonkamer op de vloer met zijn rug tegen de bank, rechts van hem een laptop en links een notitieboekje. Telkens opnieuw belandde er een Nerf-basketbal in zijn schoot. Die gooide hij over met Andrew, die deze taak eerder benaderde als een dolle Duitse herder dan als een ontluikende sportman. Lisa maakte huiswerk, al hoefde dat niet. Dat was haar ding, de laatste tijd, en ze kondigde het altijd heel parmantig aan: ze ging huiswerk maken. Dat je het maar wist. Vervolgens legde ze haar boeken op tafel en ging dan zitten tekenen. Het leukst vond Kent haar rekenliniaal, tot groot vermaak van hem en Beth als hun dochter niet in de buurt was. Ze had het antieke rekenkundige instrument tijdens een garageverkoop van buren gevonden en het van haar eigen geld gekocht. Ze vond dat hij er veel beter uitzag dan een rekenmachine.

Van het ene moment op het andere vond ze het een aantrekkelijk idee om naar de middelbare school te gaan. Nadat ze recentelijk een perfecte score had behaald bij een multiplechoicetest had ze gewichtig aangekondigd dat ze hoopte een beurs te krijgen, omdat ze had begrepen dat scholen uit de Ivy League erg duur waren. Toen Kent vroeg waar ze over scholen uit de Ivy League had gehoord, kwam hem dat op een diepe zucht te staan.

'Dat zijn de goeie, pap. De écht goede.'

Oké. Hij vertelde haar dat ze, als die scholen inderdaad zo goed waren, inderdaad maar beter een beurs kon proberen te krijgen, want met zijn bankrekening ging het een stuk minder goed.

'Pap? Je let niet op.'

Dat was Andrew. Kent keek van het scherm naar hem en zei: 'De beslissingswedstrijden, kampioen. De beslissingswedstrijden. We multitasken tegenwoordig, oké?'

Het woord *multitasken* zei zijn zoon helemaal niets, maar Kent gooide de bal en Andrew vloog erachteraan, stuiterend door de gang. Kent richtte zijn blik weer op het scherm. Hickory Hills had een team dat op veel verschillende manieren kon spelen en snel genoeg was om die kwaliteit tegen de meeste tegenstanders in te kunnen zetten. Maar over de snelheid van zijn eigen team maakte hij zich geen zorgen. Ze moesten de tussenruimtes in hun linie groter maken en de bal naar de sterke kant laten gaan, want de quarterback had de neiging de bal die richting op te gooien.

'Hacketts artikel staat op de site.' Beth was uit de keuken gekomen, haar zachte blauwe ogen keken boos.

'Is het slecht?'

'Nee. Maar Adam komt erin voor.'

'Hoe bedoel je?'

'De politie heeft verteld dat ze op zoek was naar haar vader. En dat Adam... dat hij ernaast zat.'

Kent liet zijn adem ontsnappen en gooide de Nerf-basketbal een laatste keer. Andrew ging er op handen en voeten achteraan, waarbij hij bijna een bijzettafeltje omgooide. Kent kwam overeind en liep de keuken in, naar de laptop die geopend op het granieten blad van het kookeiland stond.

De hele homepage van de krant was aan Rachel Bond gewijd. Foto's van haar gingen vergezeld van foto's van een afgelegen vakantiehuisje, waar het krioelde van de rechercheurs. Bij de foto's stonden vijf artikelen, waarvan één met de kop: TRAGEDIE KOMT KENT AUSTIN BEKEND VOOR.

Hij sloot zijn ogen even en zette zich schrap. Het was altijd ongemakkelijk om over jezelf in de pers te lezen. Kent kreeg er een onaangenaam, bedreigd gevoel van. Je had geen zeggenschap over de manier waarop je werd afgeschilderd, over de context waarin je opmerkingen werden geplaatst, en zelfs niet, in veel gevallen, over de nauwgezetheid waarmee je opmerkingen werden weergegeven. Het publiek kreeg de versie voorgeschoteld die iemand anders van je had gecreëerd, en dat kon er een zijn waarin je jezelf verontrustend slecht herkende. Wij stellen een nieuwe jou samen, vriendelijk bedankt. De jou die wij willen.

Zijn hele leven had zich in het publieke oog van het stadje afgespeeld, en tot nog toe had het stadje zich niet tegen hem gekeerd. Maar hij had altijd het gevoel gehad dat dat wel zou kunnen gebeuren. Als je maar lang genoeg voor genoeg mensen ronddobberde, zou er vroeg of laat een keer iemand naar je uithalen, en als het eenmaal zover was, zou de rest volgen. Met enthousiasme.

Hij maakte zich, als het op de media aankwam, meer zorgen om zijn gezin dan om zichzelf. Hij had goede coaches gezien, prima kerels, die in een mum van tijd en met een onthutsende gretigheid voorwerp van minachting werden, en hij had altijd gevonden dat het erger voor hen was als ze kinderen hadden die oud genoeg waren om dat door te hebben. Lisa was negen, Andrew zes. Zij vonden het geweldig als hun vader in de krant stond, en dit seizoen helemaal, nu zijn team ongeslagen was. Hij wist nog niet wat hij met deze geschiedenis aan moest. Ze begrepen er wel iets van, maar nu zouden ze er meer van willen weten. Ze zouden vooral datgene willen weten wat hij voor hen weg had willen houden, altijd.

Is jouw zusje vermoord, papa?

Ja.

Heeft hij nog meer met haar gedaan?

Ja.

Hij hoorde Beth nu met de kinderen praten, iedereen op lichte toon – die van hen naturel, die van haar geforceerd – en hij sloot zich van hen af, klikte op de link en las het artikel.

Chambers – Hij heeft zes regionale titels gewonnen en zijn team ligt op schema om de zevende te veroveren, maar zaterdagochtend heeft Kent Austin de Cardinals met een gebed en zonder training naar huis gestuurd.

Het was geen dag voor football.

De gruwelijke moord op een klasgenoot vrijdagnacht heeft de leerlingen van Chambers High School verbijsterd, en een school die zich

nog maar kort geleden verheugde in overwinningen op het football-
veld, is nu ondergedompeld in een tragedie.

Een tragedie die Austin maar al te bekend voorkomt.

Toen de Cardinals-coach vijftien was, werd zijn oudere zus Marie
ontvoerd en vermoord.

Marie Austin, die op haar zestiende stierf, werd voor het laatst
levend gezien op de avond van 2 oktober 1989. Door omstandigheden
binnen het gezin had zij geen vervoer, waarop zij besloot naar huis te
lopen. Daar zou ze nooit aankomen.

Drie dagen later werd haar lichaam op de oever van Lake Erie terug-
gevonden. Haar moordenaar, Gideon Pearce, werd in januari 1990
opgepakt. Pearce, geboren in Chambers maar naar Cleveland ver-
huisd, stond al terecht voor het aanranden van een minderjarige. Die
zaak diende op 22 september voor de rechtbank, maar Pearce, die op
borgtocht vrij was, kwam niet opdagen en verscheen pas weer in beeld
toen de politie van Rocky River hem aanhield omdat hij in een pick-
up reed die als gestolen was opgegeven. Toen bleek dat er een bevel tot
aanhouding tegen hem was uitgevaardigd en bracht de politie hem
naar de gevangenis van Cuyahoga County. Daar werden zijn eigen-
dommen geconfisqueerd en vonden ze een footballplaatje dat deel
uitmaakte van een setje van de beste middelbareschoolspelers van de
staat. De speler op het plaatje was Adam Austin, de oudere broer van
Kent en Marie, die toen achttien was. Marie Austin had dat plaatje op
de dag van haar verdwijning bij zich.

Het was het eerste bewijsstuk, en het vonnis zou uiteindelijk niet
lang op zich laten wachten. Er werden ook andere eigendommen van
Marie Austin teruggevonden, en Pearce legde achtenveertig uur na
zijn arrestatie een volledige bekentenis af. Hij ontkwam aan de dood-
straf, maar kreeg levenslang en stierf in 2005 in de gevangenis aan kan-
ker.

Nu, tweeëntwintig jaar later, komt deze tragedie voor de familie
Austin weer erg dichtbij. Kent Austin kende Rachel Bond goed, en vol-
gens de politie heeft Rachel Bond contact met Adam Austin gezocht
om haar te helpen haar vader te vinden, nadat een reeks brieven haar

hadden doen geloven dat die naar de omgeving van Chambers was
teruggekeerd.

Kent vloekte binnensmonds. Hij nam het Hackett niet kwalijk – die
gaf de feiten weer en kruidde zijn overzicht met alles wat relevant
was – maar Kent had liever gezien dat de naam van zijn broer erbui-
ten was gebleven. Hackett schreef er welwillend over, maar dit was
nog maar het begin. Er zouden telefoontjes komen en er zou meer
over geschreven worden, en niet zo welwillend.

Adam Austin was niet bereikbaar voor commentaar, en dat is te
begrijpen. Coach Kent Austin spreekt niet vaak over de dood van
zijn zus. Maar als hij dat wel doet, erkent hij dat het zijn leven heeft
bepaald.

'Alles wat ik heb gedaan,' zegt hij, 'heb ik gedaan vanwege wat er met
Marie is gebeurd.'

Austins grootste hartstocht ligt in het gevangenispastoraat. Hij be-
zoekt iedere maand de gevangenis waar de moordenaar van zijn zus
zat, om leiding te geven aan een bijbelstudieclubje.

'Het was na het verlies van Marie moeilijk troost te vinden,' zegt hij.
'Twee dingen gaven me enige verlichting: football en mijn geloof.'

Negen jaar na de dood van zijn zus is Austin met haar moordenaar
gaan praten.

'Dat was niet gemakkelijk,' bekent hij. Gevraagd naar de inhoud
van dat gesprek zwijgt hij en veegt met de rug van zijn hand over zijn
mond. 'Ik heb voor hem gebeden.'

En Pearce?

'Die lachte.'

Op mijn vraag of hij spijt had van zijn bezoek, schudt Austin nadruk-
kelijk zijn hoofd. Hij heeft het er niet bij laten zitten. Austin werkt sa-
men met Dan Grissom, een dominee uit Cleveland, en heeft tientallen
bezoeken aan gevangenissen afgelegd, waar hij met gevangenen sprak
die zijn berecht voor juist die misdaad – moord – die de familie Austin
zoveel heeft gekost.

'Die beproeving is goed,' zegt hij. 'Essentieel zelfs. Ik kan haat oogsten of liefde zaaien. Ik geloof niet dat daar, voor iemand die hetzelfde heeft meegemaakt als ik, iets tussenin zit. Echt niet.'

Afgelopen vrijdagavond werd Austin nog gevraagd of de ongeslagen status van dit seizoen een beslissend moment zal zijn voor zijn carrière. Met de hem typerende mengeling van geduld en korzeligheid, die bij iedereen die de coach heeft geïnterviewd bekend is, antwoordde hij dat hij de term 'beslissend moment' niet zo interessant vindt, maar dat hij ervan uitging dat áls er al een beslissend moment in zijn leven kwam, dat niet op het footballveld zou zijn.

Maar de man die niet in beslissende momenten gelooft, noemt zijn bezoek aan Gideon Pearce wel cruciaal.

'Het heeft iets in me veranderd wat moest veranderen,' zegt hij. 'Het was het moeilijkste wat ik ooit heb gedaan. Van het nemen van de beslissing zelf tot en met de uitvoering ervan… iets moeilijkers heb ik nooit hoeven doen. Ik wist wie hij was en wat hij had gedaan. Ik wist wat mijn hart me ingaf en ik wist wat mijn geloof me ingaf, en het zat me dwars dat daar zo veel ruimte tussen lag.'

Als hij na een bezoek aan de gevangenis naar zijn team terugkeert, neemt hij altijd een verhaal mee. Een verhaal over een goed mens dat slechte keuzes heeft gemaakt.

'Mijn geloof verspreiden onder mensen die het hebben geloochend, voelt als een plicht,' zegt hij over zijn missie. 'We hebben in de loop der jaren goed werk verricht. We hebben mannen zien veranderen. Daar ben ik trots op, trotser dan op alles wat we op het footballveld hebben bereikt.'

Austin heeft altijd duidelijk gemaakt dat winnen in zijn carrière als coach niet het belangrijkste is. Football biedt hem de mogelijkheid jonge mannen te leren de juiste keuzes te maken en hen in te laten zien wat het effect van hun daden en beslissingen is.

'Dit is geen sport waarin individuen winnen, en het is zeker geen sport waarin egoïsme tot de overwinning leidt,' zegt hij. 'Wij houden ons bezig met het belang van verantwoordelijkheid. Wij houden ons bezig met het idee dat jouw individuele fout, jouw verkeerde inschat-

ting of jouw gebrek aan strijdlust effect heeft op veel meer mensen dan alleen jijzelf. We weten heel goed dat deze sport niet zo belangrijk is. Maar de lessen die je eruit kunt trekken, zijn wel betekenisvol.'

Waar Kent Austin ook verstand van heeft, is de invloed die een groot verdriet op het spel kan hebben. Het onderzoek naar de moord op zijn zus nam tijd in beslag. In die tijd speelde Kent nog niet in het team – Adam Austin zat in de eindexamenklas en blonk wekelijks uit op het veld, Kent was reserve-quarterback – en de Cardinals wonnen zes wedstrijden op rij, waardoor ze voor de laatste keer in de geschiedenis van de school kampioen van de staat werden. Vóór elke wedstrijd werd Marie Austin herdacht. De spelers droegen haar initialen op hun shirt. Op de tribunes hadden toeschouwers spandoeken met haar naam. Er werden momenten van stilte in acht genomen.

'Dat betekende natuurlijk heel veel voor ons,' zegt Austin. 'Het team, de hele gemeenschap, heeft toen erg veel voor ons gezin betekend.'

Nu, nu het huidige team ongeslagen op de eerste titel sinds dat jaar jaagt, zegt hun hoofdcoach dat hij hoopt dat de gemeenschap de wensen van Bonds moeder zal respecteren.

'Die keuze is aan haar familie,' zegt hij. 'Wij denken aan Rachel en haar ouders, we bidden voor hen. En we zullen de werkelijkheid van het football niet verwarren met de realiteit van het leven zelf. Het scorebord verandert niets, het scorebord is van geen enkel belang. Ik denk niet dat er nu iemand is die aan football denkt. Voor ons, coaches, is het niet belangrijk wat er vrijdagavond gebeurt. Voor ons is het belangrijk deze jonge mannen te helpen met een tragedie om te gaan.'

En niemand is meer bereid die hulp te bieden dan Kent Austin.

10

Na de eerste tien telefoontjes van verslaggevers had Adam zijn mobiele telefoon uitgezet. Bij zijn eigen huis wemelde het nu waarschijnlijk van de journalisten, maar dat van Chelsea hadden ze niet achterhaald – nog niet. Hij lag op zijn rug en zij had zich tegen zijn borst genesteld, met haar lange, donkere haar in golven over zijn hals en de zijkant van zijn gezicht. Hij keek door de open slaapkamerdeur naar de bewegingen van de slangen in hun terraria – goedkope plastic bakken op houten planken, precies groot genoeg om ervoor te zorgen dat ze voldoende zuurstof kregen en er niet uit konden ontsnappen. Meestal, dan. Twee keer was het misgegaan.

In de kelderkast stond een grote rattenkooi. Het lievelingsvoedsel van de pythons. Terwijl haar man in de gevangenis zat, verzorgde Chelsea de slangen. Ze hield meer van de ratten dan van de slangen, zei ze, maar de slangen waren belangrijker. Adam vond dat een nogal onaangenaam dilemma.

Zijn eigen huis, waarin hij was opgegroeid, was extreem netjes. Hij was gedisciplineerd, in dat opzicht verschilde hij niet zoveel van zijn beroemde broertje aan de andere kant van de stad. Hij liet om de tien dagen zijn haar knippen, streek zijn overhemden en verliet zijn kantoor nooit als er nog losse papieren op zijn bureau rondslingerden. In en rondom zijn huis ging het er net zo aan toe: er stond geen vuile vaat in de spoelbak, er groeide geen onkruid in de bloemperken en gemaaid gras werd teruggeblazen naar het gazon en niet op de stoep achtergelaten. Misschien zou hij het overal zo doen, maar hij had altijd op dezelfde plek gewoond: in het huis van Marie. Adam was mettertijd gaan begrijpen dat je een echt thuis nooit echt verlaat, dus was het Maries thuis gebleven. En dat van Kent. Soms vond hij het heel erg dat Kent er nooit meer kwam, maar Kent had nu een ander thuis. Marie en Adam hadden dat niet en wilden dat ook niet. Dus zorgde hij er goed voor, want hij wilde niet dat ze zich ervoor zou schamen.

Chelseas huis was een ander verhaal. Het stond op naam van Travis Leonard. De vuile borden stapelden zich op tot Adam ze afwaste, of hij ze nou zelf gebruikt had of niet. Er zaten vlekken in het tapijt en in de hoeken van het plafond hingen spinnenwebben. In de badkamer, waar de lagen kalk en mortel zo dik waren dat je ze met een beitel te lijf zou moeten gaan, hing in de zomermaanden een lange strip vliegenpapier, bezaaid met dode insecten.

Ze verzorgde de slangen en de ratten en hield hun hokken schoon, maar de rest van het huis leek aan haar aandacht te ontsnappen. Zelf zag ze er altijd als om door een ringetje te halen uit – een enkeling vond al die tatoeages en piercings misschien niet mooi, maar ieder zijn smaak, en niemand kon tegenspreken dat ze straalde – haar haar, haar tanden en haar lichaam, ze glansde van top tot teen.

Adam zag daarin de bevestiging van iets wat zijn eigen huis hem had geleerd: je liet het niet achter. Je nam het mee naar nieuwe huizen. De negenendertigjarige Chelsea leek meer op de zeventienjarige Chelsea dan ze zelf zou willen toegeven. Een schepsel van georganiseerde schoonheid in het chaotische huis van een gevangene.

Ze had niets over de politie gevraagd. Over Rachel evenmin. Ze zou hem laten praten op het moment dat hij zelf verkoos. Als het nodig was zou ze aandringen, maar voorlopig liet ze eerst de tijd zijn werk doen.

Hij wachtte tot de avondschaduwen zo lang waren geworden dat hij de opgerolde lijven en flikkerende tongen achter de melkwitte plastic bakken niet meer zag. Toen gleed hij onder haar vandaan en kleedde zich aan. Zij deed haar ogen open en keek naar hem.

'Kom je terug?'

Hij knikte.

'Moet ik weten waar je naartoe gaat?'

Hij schudde zijn hoofd.

Ze draaide zich om. Hij liep de slaapkamer uit en pakte zijn autosleutels, die bij de voordeur lagen, terwijl zij naar het hoofdeinde staarde. Het enige wat Adam van de vakantiewoning aan Shadow Wood Lane had weggehouden, was de wetenschap dat de politie daar zou zijn om de locatie te onderzoeken. Hij hoopte dat ze, nu de zon onder was, klaar waren. Ze hadden de hele dag de tijd gehad, en de cameraploegen en fotografen hadden hun beelden. Nu was het donker, net als toen zij daar aankwam. Inmiddels zouden ze wel weg zijn. Zo niet, dan kon het onaangenaam worden, maar hij moest de plek met eigen ogen zien. Hij moest weten waar hij haar naartoe had gestuurd.

Het was maar een kort ritje. De stad uit, kronkelend langs Lake Erie, en dan omlaag naar het zuiden, de bossen in. Een kleine tien kilometer verderop zag hij het bordje, net op tijd om zijn Jeep met een slingerende slip tot stilstand te brengen en de grindweg op te rijden. Shadow Wood Lane. PRIVÉTERREIN VAKANTIEOORD, pochte een oud bordje met gaten van een .22 erin.

Misschien was het ooit een vakantieoord geweest, maar dan wel lang geleden. Adam kon zich bij deze plek niet méér voorstellen dan dat het 's zomers een veilig onderkomen was voor zuiplappen die een feestje wilden houden zonder dat de politie hen kwam lastigvallen. Op het meertje dreven bladeren, en de ene oever ging schuil achter dode lisdodden terwijl langs de andere oever wat vervallen vakantiehuisjes stonden. Die waren zo te zien in de jaren vijftig of zestig gebouwd en sindsdien misschien één keer geschilderd. De steigers stonden scheef en iedereen die zich er met blote voeten op waagde, zou zoveel splinters oplopen dat een stekelvarken ervan onder de indruk zou zijn. Adam parkeerde de auto en liep over een overwoekerd pad naar de huisjes aan de oever, in zijn hand een zaklantaarn die hij uit liet omdat het schemerlicht volstond om te zien wat hij wilde zien. Hij stelde zich voor hoe Rachel Bond dezelfde stappen had gezet, naar dezelfde plek was gelopen, en hij voelde een kilte die niets met de wind had te maken. Was ze bang geweest? Natuurlijk was ze bang geweest. Maar ook vastberaden. En dapper. En gewapend met een adres.

Adam, wat ben jij een stomme zak. Stomme, stomme, stomme zak.

Het was niet moeilijk het juiste huisje te vinden. Politielint en een hangslot wezen de weg. Hij liep naar de veranda, maar stapte er niet op; hij leunde met zijn handen op het verweerde hout van de balustrade en staarde naar de deur, terwijl een briesje de takken van een lage dennenboom tegen de dakspanten duwde, wat klonk alsof een houten vloer werd aangeveegd.

Hier was ze gestorven.

Hier had hij haar naartoe gestuurd.

Hij bleef lang naar de deur kijken en vroeg zich af of hij haar had opgewacht of dat ze had moeten aankloppen. Had ze geaarzeld? Had ze geprobeerd weg te komen? Hoe lang had het geduurd voordat ze besefte dat ze een vreselijke vergissing had begaan?

Wat een vreselijke vergissing jíj hebt begaan. Jíj, Adam, en niemand anders. Geef dat toe. Geef toe.

Hij draaide zich om, stootte een diepe ademteug uit en keek naar het meertje. Hij stak een sigaret op en liet de wind de rook in zijn gezicht blazen en in zijn ogen prikken. Toen de sigaret half op was gebrand liet hij hem op de grond vallen, draaide hem uit met zijn hak en liep om het vakantiehuisje heen. Het huisje was afgesloten, maar de ramen waren niet dichtgespijkerd. Dat leek niet verstandig, het lag voor de hand om dat wel te doen – of er anders toch ten minste verduisteringsgordijnen voor te hangen – maar hij was ermee geholpen. Bij het schijnsel van de zaklamp kon hij in beide slaapkamers, het grootste deel van de kleine woonkamer, de badkamer ernaast en de keuken kijken.

Het huis was leeg. Zo leeg als de wind; er lag nog geen deken op de bedden. Tenzij de politie alles had weggehaald, moest het ook leeg zijn geweest toen zij er was aangekomen. Dan had ze geen tijd gehad om weg te rennen. Het moest snel voorbij zijn gegaan, voor haar. Ten dele, in ieder geval – de kans om te ontsnappen, die was snel voorbijgegaan.

Hij kwam weer terug bij de veranda en staarde naar de andere huisjes. Ze lagen dichtbij; twee op een meter of vijftien, de andere op hooguit zestig meter. Een schreeuw zou door de flinterdunne muren zijn gedrongen. Maar dat zou niets hebben uitgehaald, want er was niemand. Het hele oord was verlaten geweest. Een val met aas.

Maar hij heeft haar het adres niet gegeven. Ze moest het zelf vinden. Ik heb het voor haar gevonden.

De brieven waren maar een spelletje geweest.

Misschien was hij niet ongeduldig, had Salter gezegd. Misschien kreeg hij pas haast toen ze bij hem op de stoep stond.

Adam rookte in de stilte en de kou nog een sigaret en vertrok om te gaan doen wat hij doen moest.

11

In de eerste twee jaar na de dood van zijn dochter was Hank Austin twintig kilo aangekomen. Een paar biertjes na het eten werden een paar six-packs. De koffie 's morgens werd vervangen door Bloody Mary's. Een half pakje sigaretten per dag werden twee pakjes per dag, een pizzapunt werd een hele pizza. Enzovoorts. Hij werd een synoniem voor excessief. De hartaanval nam hem te grazen op een middag in augustus toen het veertig graden was en hij besloten had de veranda te gaan schuren.

Adam had hem gevonden, en naast verdriet en schaamte had hij opluchting gevoeld. Zijn vader was niet in staat geweest het verlies te dragen, maar net iets te sterk om ervoor weg te lopen.

Adam was toen tweeëntwintig en werkte als borgsteller in Cleveland. Dat ene semester aan de Ohio State-universiteit was inmiddels al een vage herinnering. Kent was tweedejaars student aan een kleine universiteit met een relatief goed team. Adam woonde nog steeds thuis – als je het tenminste wonen kon noemen. Hij sliep er van tijd tot tijd, meestal overdag, als zijn ouders weg waren. Jagen deed hij vooral 's nachts. Dat vond zijn baas geweldig, en het kwam Adam goed uit. Hij was een nachtmens.

Na de dood van zijn vader verhuisde zijn moeder naar een appartement. Dat had Adam voorgesteld. Je bent hier niet gelukkig, zei hij tegen haar, er is te veel verdriet hier. Dat weet je zelf ook.

Ze stemde in. Ze verhuisde naar een appartement in de buurt van de bank waar ze werkte, en Adam bleef in het huis wonen. Ze woonde negen jaar in het appartement, toen kwam de eerste beroerte, en een maand later de tweede; de laatste vier jaar bracht ze door in een verzorgingstehuis. Het huis ging naar Adam en Kent. Adam liet het drie keer taxeren en bood zijn broer de helft van het gemiddelde aan, een redelijke verdeling.

Maar Kent weigerde. Hij vond dat ze het huis moesten verkopen, niet om het geld, maar om verder te gaan. Daar ging Adam niet op in. Hij stuurde zijn broer iedere maand een cheque met de helft van wat hij een redelijk huurbedrag voor het huis vond. De cheques werden niet geïnd. Toch bleef Adam ze versturen. Er werd nooit meer over de erfenis gesproken.

Na het overlijden van zijn vader en de verhuizing van zijn moeder kon Adam de kamer in de oude staat terugbrengen. Hank Austin was er heel beslist over geweest – op de dag dat Maries lichaam werd gevonden en het onvermijdelijke officieel was geworden, had hij haar spullen ingepakt, in zijn eentje, zonder andere geluiden dan het piepen en scheuren van de rol plakband en nu en dan een zachte snik.

Adam begreep tegelijkertijd het idee en de nutteloosheid ervan. Het was misschien verleidelijk om het te proberen, maar het was ook kansloos. Je kon haar niet in dozen stoppen en dichtplakken.

De dozen waren naar de vliering boven de garage gegaan. Soms klom Adam ernaartoe, liet hij de voorwerpen voorzichtig door zijn handen gaan en snoof hij haar geur op, en dan verbaasde hij zich erover hoe die beklijfde. Dan was hij alleen met haar en voelde hij zich op een manier die op geen andere plek mogelijk was dicht bij haar, en hij was ervan overtuigd dat zij zich op de een of andere manier bewust was van die verbondenheid en ermee instemde. Ze praatten wat. In eerste instantie kwam daar niet veel van, de tranen vloeiden te snel. Maar gaandeweg ging het beter. Hij zei vaak dat het hem speet – te vaak naar haar zin, dat wist hij wel, maar hoe stopte je ermee? – en vertelde haar de laatste nieuwtjes. Hij vertelde haar over iedere borgschenner die hij opspoorde, over iedereen die zijn zaak niet afwachtte maar spoorloos verdween. Hij kreeg hen allemaal te pakken, zijn ijver viel op, zijn baas in Cleveland had het er al over dat hij een goede opvolger zou zijn. Maar Adam wilde naar huis. Hij wilde in Chambers zijn.

Ook daar praatten ze over. Of hij niet iets heel anders nodig had, of hij niet juist uit Chambers weg moest. Maar uiteindelijk voelde dat niet goed. Adams schuld lag in Beech Street in Chambers, in Ohio. Het stadje verlaten had voordelen – op een andere plek zou hij niet worden nagestaard, zou hij geen gefluister horen, zou niemand het zich herinneren omdat niemand het wist. Soms leek dat hem zo aantrekkelijk, zo mooi en zo wenselijk dat hij bijna door de knieën ging. Maar als puntje bij paaltje kwam, vluchtte hij niet. De blikken, het gefluister, de herinneringen? Hij had ze verdiend. Hij had het nodig eraan herinnerd te worden, hij had ze nodig, die folterende naalden die zijn hart verfristen en hem scherp hielden. Hij moest boete doen. Dat was geen pijnloze last en het was geen last waarvoor je kon vluchten.

Hij deed beloftes, daar boven op de vliering, te midden van de dozen die van een verdwenen leven getuigden. En hij was van zins ze na te komen.

Toen het huis van hem was en niemand er bezwaar tegen kon maken dat hij het anders inrichtte, verhuisde Adam Marie terug naar haar oude kamer. Dat was nog niet eens zo eenvoudig. De grote spullen waren geen probleem, daarvan herinnerde hij zich wel waar ze hadden gestaan, maar van de kleinere wist hij dat niet meer, en over de volgorde van de boeken op de boekenplanken en de plek van de posters aan de muur moest hij goed nadenken, en soms moest hij haar om goedkeuring vragen, of zich verontschuldigen; en zo plaatste hij alles terug waar het leek te horen. Toen hij er de kans voor had gehad, had hij niet genoeg aandacht voor de details gehad, maar hij was ervan overtuigd dat Marie dat wel begreep en het hem vergaf.

Na de laatste stap, toen hij haar bordje op de deur had teruggehangen, voelde hij zich schoner dan hij zich in jaren had gevoeld. Ze was niet langer in dozen weggezet, ze zou niet vergeten worden.

Maar Kent had er moeite mee. Ze hadden er een van hun weinige heftige ruzies over gehad, de op een na laatste voordat het contact tussen hen definitief werd verbroken. Hij kwam binnen, zag haar kamer en zei dat het morbide was, dat Adam hulp nodig had, dat hij moest leren verder te gaan en dat Marie niet werd geëerd met wat hij had gedaan. Ze waren het volstrekt met elkaar oneens. Daarna ging Kent op bezoek bij Gideon Pearce. Daar kwam Adam via de krant achter. Vervolgens ging hij naar Kents huis, en van wat daar gebeurde zou hij voor altijd spijt blijven hebben, want hij had zich in aanwezigheid van Beth moeten beheersen. Die ruzie was in bloed geëindigd en sindsdien cirkelden ze met een zorgvuldig bewaarde afstand om elkaar heen.

Adam wist dat Marie dat vreselijk vond, maar hij wist niet hoe hij het goed moest maken. Misschien dat de tijd de wond zou helen. Maar misschien was het ook niet voorbestemd om goed te komen.

Adam kwam met heldere ogen en nuchter terug van Shadow Wood Lane. Hij dronk een glas water en spoelde zijn mond om van de sigarettensmaak af te komen. Toen haalde hij diep adem en klom de trap op naar de kamer van zijn zus. Hij klopte twee keer. Wachtte. Draaide de knop om, opende de deur, ging naar binnen en deed de deur achter zich dicht.

Het lits-jumeaux stond in de hoek, met een wit dekbed erop in plaats van het roze dat ze een groot deel van haar jeugd had gebruikt – een stap richting volwassenheid, moe als ze was van alles wat suggereerde dat ze nog een jong meisje was. De knuffeldieren waren vervangen door kaarsen en gebrandschilderd glaswerk. De verzameling glaswerk bestond uit van alles en nog wat, deels professioneel gemaakt, deels eigen werk. Ze was er op een zomerkamp verslingerd aan geraakt en had lessen genomen. Haar favoriet was een enorme schildpad met een veelkleurig schild; ze had hem zelf gesneden en in elkaar gesoldeerd. Het was inderdaad een prachtexemplaar, alleen was het te groot om het voor het raam te kunnen hangen. Gelukkig had ze ermee ingestemd hem op de boekenplank er meteen onder neer te zetten – daar ving hij nog genoeg zonlicht om te schitteren. Ze noemde de schildpad Tito. Niemand wist waarom, en daar was zij tevreden mee.

Behalve van het glaswerk was ze in haar laatste levensjaar ook bezeten van kaarsen, een niet-aflatende en ongebruikelijke bron

van wrijving tussen haar en haar vader. Ze was altijd een vaders-
kindje geweest en had niet veel gedaan wat zijn toorn wekte, maar
hij was als de dood dat ze met die kaarsen het huis zou afbranden.
Voor haar laatste Kerstmis hadden Kent en Adam samen twee
wandkandelaars met spiegels erachter voor haar gekocht. Ze verspreidden hun licht door de hele kamer en werden in het glaswerk
gevangen, waardoor ze alles in een surrealistische, gekleurde gloed
zetten. Marie vond ze geweldig.

Hij stak alle kaarsen aan. Er stonden er drieëndertig in de kamer,
van kleine waxinelichtjes tot enorme stompen die knapperden als
een houtvuurtje. In het begin had hij zich afgevraagd of hij ze wel
moest aansteken, omdat ze op zouden branden en hij ze zou moeten
vervangen, en hij wilde niets vervangen wat voor haar belangrijk
was geweest. Maar zij had ze altijd graag aan gehad, zij had altijd van
de flakkerende gloed en de wasgeur gehouden, en dus besloot hij dat
hij het maar beter wel kon doen.

Toen ze allemaal brandden, ging Adam met zijn rug tegen de
muur en zijn gezicht naar het bed op de vloer zitten, zoals hij dat
ook altijd had gedaan als ze hem 's nachts riep om te praten of als hij
gewoon kwam om haar te pesten. Daar had ze een bloedhekel aan
gehad – vandaar het bordje op de deur – wat het voor hem alleen
maar leuker had gemaakt. Als hij bijvoorbeeld hoorde dat ze aan
de telefoon was, rende hij naar haar kamer, stormde binnen en riep
de gênantste dingen die hij kon bedenken. Zoals: Marie, de dokter
heeft gebeld om te zeggen dat die schimmel tussen je tenen besmet-
telijk is! Of: Marie, je hebt je sportbeha in de badkamer laten liggen!
Of: Marie, papa is kwaad dat je zijn seksblaadjes weer gepikt hebt!
Dan volgde er een verontwaardigde woede-uitbarsting, werd er
met een schoen of een boek of wat er verder maar voorhanden was
gesmeten en riep ze hun vader. Vervolgens kwam Hank Austin de
trap op en schopte Adam de kamer uit, met een glimlach of oprecht
geïrriteerd, dat hing van zijn humeur af. En Marie sloeg de deur
dicht, maar deed hem niet op slot – deuren op slot doen mocht niet
in huize Austin – en als ze dan eindelijk weer naar buiten kwam,

keek Adam haar aan en glimlachte hij. En dan probeerde zij wel boos te blijven, dan deed ze haar uiterste best, maar de woede smolt toch. Ze was er het type niet naar om lang boos te blijven.

Hij zat op de vloer, keek naar het bed en herinnerde zich hoe hij een footballbal met haar overgooide terwijl hij haar vroeg op wie ze verliefd was, en bij iedere naam die hij noemde werd ze roder. Hij had vaak gegrapt dat hij haar naar dansavonden zou chaperonneren en dat hij in de bioscoop achter haar zou gaan zitten. De beschermende grote broer, dat was zijn rol geweest, en die had hij met verve gespeeld.

Tot die ene avond waarop hij er echt had moeten zijn.

'Hoi,' zei hij tegen de lege kamer. Het antwoord was stilte. De kaarsen brandden tussen het glaswerk, de lichtjes dansten. 'Ik moet je iets vertellen. Je zult het niet zo leuk vinden. Het is heel erg, Marie, maar ik ga het rechtzetten. Dat beloof ik, ik ga het rechtzetten.'

Zijn stem was dik en dat vond hij vervelend, dus hij zweeg even. Hij had zin in een borrel, maar hij dronk nooit in deze kamer. Nooit. Toen hij zichzelf weer in bedwang had, zei hij: 'Eerst het goede nieuws, oké? Kent heeft gewonnen. Ze zijn nog steeds ongeslagen. Het moet ze lukken, Marie, deze keer moet het ze echt lukken.'

Hij vertelde altijd hoe het met Kent was en gaf van iedere wedstrijd de uitslag door. Dit stapje terug naar de werkelijkheid hielp een beetje, hij ademde gemakkelijker en had zijn stem weer onder controle.

'Oké dan,' vervolgde hij. 'Laat me je nu de rest vertellen. Laat me je vertellen wat ik heb gedaan en wat ik zal doen om het te herstellen.'

Hij boog zijn hoofd en sprak tegen de met kaarsen verlichte vloer. Hij vertelde alles en zei toen dat het hem speet, dat herhaalde hij steeds opnieuw, en toen stond hij op en blies een voor een de kaarsen uit. Nadat het laatste lichtje was gedoofd en de kamer weer in duisternis gehuld ging, liep hij op zijn tenen naar buiten en deed de deur achter zich dicht. Daarna ging hij op bezoek bij de moeder van Rachel Bond.

12

Adam was ervan uitgegaan dat het meisje met de glitternagellak op een mooie, veilige plek was opgegroeid. Toen hij het armoedige flatgebouw zag, waarin ook twee huidige en talloze voormalige cliënten woonden, was hij verbaasd. Maar toen besefte hij waarvoor ze naar hem toe was gekomen – haar vader had jaren in de gevangenis gezeten, ze kwam niet uit een gezin dat in een huis in een van de gegoede wijken woonde – en betrapte hij zich er weer op, op datgene wat hij niet zou moeten doen: Rachel Bond in Marie Lynn Austin veranderen.

Er stond een busje van een van de nieuwszenders van Cleveland voor de flat, maar de cameraploeg was de apparatuur al aan het inladen. Adam zette het raampje op een kier, rookte een sigaret en wachtte tot ze weg waren. Toen stapte hij uit en liep naar de deur, om zijn belofte na te komen.

Waarschijnlijk was haar inmiddels al een heleboel beloofd. Maar niet wat híj kwam toezeggen.

Nadat hij had aangeklopt, was de eerste reactie: 'Ik heb toch al gezegd dat ik verder niets heb te melden!'

'Ik ben geen journalist, mevrouw Bond.'

Het was even stil, toen klonken er voetstappen en het gerammel van het nachtslot. De deur ging open en een hondje, een bastaard met een glanzende zwarte vacht, rende naar buiten en drukte zijn neus tegen Adams spijkerbroek. Boven de hond stond Penny Gootee, een magere, vermoeid ogende blondine met roodomrande ogen. Ze droeg een spijkerbroek en een witte sweater, die onder de hondenharen zat. Achter haar, op de salontafel, zag Adam een geopend bierflesje staan. In de asbak ernaast brandde een sigaret en op de bank lagen een versleten dekbed en een enorme knuffelpinguïn.

Die laatste twee waren van Rachel, begreep hij. Penny had met het dekbed en het knuffeldier van haar dochter op de bank gezeten, met een biertje en een sigaret. Adam voelde een rood waas achter zijn ogen verschijnen, zijn hand zocht steun tegen de deurpost.

'Mevrouw Bond,' zei hij, 'mijn naam is Adam Austin. Ik kom...'

'Aha, de geweldige coach.'

'Nee, niet de coach.'

Ze keek hem schuin aan, waarbij haar nek kraakte. 'En wie bent u dan wel?'

Hij dwong zichzelf haar recht aan te blijven kijken en zei: 'Ik ben degene die haar het adres heeft gegeven. Ik ben degene die haar heeft verteld waar ze de man, die deed of hij haar vader was, kon vinden.'

'Klootzak!' zei de moeder van Rachel Bond.

Adam knikte.

Er verschenen tranen in haar ogen, maar ze hadden de massa of de energie niet om over te stromen. De hond sprong op, zette zijn voorpoten tegen Adams benen, kwispelde en likte zijn hand.

'Ze heeft over haar naam en leeftijd gelogen,' zei hij. 'Ik wou dat ze dat niet had gedaan. Maar ik had beter op moeten letten.'

Penny wreef over haar ogen en trok de hond van Adam af. Hij probeerde terug te komen, maar ze hield hem bij zijn halsband vast.

'Ik wil alleen gelaten worden,' zei ze.

'Dat begrijp ik.' Hij moest zich nu inspannen om verstaanbaar te blijven, hij had de neiging zich van de aanblik van haar verdriet af te wenden alsof het een gure winterwind was. 'Maar ik wil u heel graag even spreken.'

'Het spijt u zeker, hè? Nou, dat is geweldig. Godsamme, wat fijn zeg, dat betekent heel veel voor me, u heeft geen idee.'

'Inderdaad, het spijt me. En nee, daar heeft u geen zak aan. Maar ik ben gekomen om u een belofte te doen.'

Ze knielde en sloeg haar armen om de hond. Haar stem werd gedempt door zijn vacht.

'Dat ze nu in de hemel is? Is dat uw belofte? Of gaat u ze helpen die klootzak die mijn dochter heeft vermoord te vinden? Want dat heb ik vandaag allebei al heel vaak gehoord. Daar heb ik net zoveel aan als aan uw berouw. Geen reet, meneer Austin. Geen ene reet.'

'Ik ga hem vermoorden,' zei Adam.

Even bleef ze met de hond in haar armen zitten. Toen keek ze naar hem op, haar ogen voor het eerst op die van hem gericht. Ze leek iets te willen zeggen, maar de uitdrukking in zijn ogen legde haar het zwijgen op. Ze zat daar maar, op haar knieën, op de vuile vloerbedekking, met die hond in haar armen.

'Ik vermoord hem,' zei Adam. 'Ik spoor hem op en vermoord hem. Dat is nu het enige wat mij te doen staat. Dat is het enige wat mij te doen staat totdat het gedaan is. Hij zal sterven voor wat hij heeft gedaan. Dat is het enige wat ik u te bieden heb, en dat bied ik u. Dat beloof ik u.'

De hond jankte en probeerde naar Adam te komen. Penny Gootee verstevigde haar greep om hem heen. Ze zei niets. Adam viste een visitekaartje uit zijn zak.

'In mijn eentje vind ik hem ook,' zei hij. 'Maar met uw hulp vind ik hem misschien sneller. Aan u de keus.'

Hij reikte haar het kaartje aan. Ze wierp er een snelle blik op, toen keek ze weer naar hem.

'Ik bel de politie,' zei ze. 'Ze moeten weten dat u dit zegt. Dat u hier zomaar komt en mij lastigvalt, en dat soort dingen zegt... Dat moeten ze weten.'

'Dat mag u doen,' zei Adam. 'Als ze bij me langskomen, beloof ik hun hetzelfde. Ik beloof het iedereen die ernaar vraagt. Ik zeg niet zomaar iets. Ik spoor hem op en vermoord hem, en hij zal weten waarom ik kom.'

Ze nam het kaartje aan. Ze hield het in haar ene hand, in haar andere hand had ze de halsband van de hond. De brandende sigaret achter haar verspreidde zijn rook door de kamer, er hing een sliert boven het dekbed van haar dochter, dat daar op de rand van de bank lag.

'Hij loopt daar ergens rond,' zei Adam. 'En zolang hij daar rondloopt, zoek ik hem.'

Hij draaide zich om en liep weg, en ze riep hem niet na en deed de deur niet dicht. Toen hij zijn Jeep startte, zat ze daar nog steeds, op haar knieën.

13

In het jaar dat ze kampioen van de staat werden, was de coach van Adams linie ene Eric Scott. Er was één woord dat hij in de hersens van zijn linebackers gegrift wilde zien: beweging.

Coach Scott wist kracht op waarde te schatten, zeker, maar snelheid adoreerde hij. Spelers die onuitputtelijk achter de bal aan bleven gaan, werden geprezen. Je moest het contact niet afwachten; je moest het opzoeken. De overwinning behoorde hun toe die haar najoegen. Leven is bewegen, hield hij hun voor; als je niet beweegt, ben je dood. Sommige spelers rolden dan met hun ogen – tot ze beseften dat ze door een gebrek aan bezieling op de bank waren beland. Dan, wanneer hun footballcarrière op zijn gat lag, begonnen ze er anders tegenaan te kijken.

Die zondagmorgen stond Adam op met beweging in gedachten.

Eén ding moest hij wel bekennen – hij was geen rechercheur. Hij had nooit bij de politie gezeten, en hoewel hij een vergunning had, had hij nooit als privédetective gewerkt, hij had nooit een misdaadonderzoek ingesteld, laat staan een onderzoek naar moord. Maar hij was wél een jager – daar had hij zijn hele volwassen leven aan gewijd. En dit was een jacht. Het probleem was niet alleen dat hij iets moest doen waartoe de politie beter was uitgerust, hij moest het bovendien sneller doen.

Snelheid en druk. Hij had geleerd daar goed mee om te gaan.

Hij was beter dan wie ook in het vinden van mensen die zich probeerden te verstoppen. Het probleem was alleen dat hij normaal gesproken wist wíe hij zocht. Hij had niet alleen hun naam, maar ook nog allerlei persoonlijke informatie. Hij kende hun leven, wist wie ze waren. Dat hielp bij de jacht. In dit geval wist hij helemaal niets en daardoor dreigde hij te verkrampen, als een bloedhond die opdracht kreeg te gaan zoeken zonder dat hem een geurspoor werd voorgehouden. Waar moest hij in godsnaam beginnen?

Omdat hij gewend was achter iemand aan te zitten van wie hij de identiteit kende, en omdat de afwezigheid daarvan hem zorgen baarde, besloot hij zijn doelwit een naam te geven. Gideon werkte lekker, die naam voelde vertrouwd. Gideon Pearce was natuurlijk dood, maar het was Adam niet vergund geweest die dood zelf te bewerkstelligen. Dus moest ook zijn nieuwe doelwit de naam Gideon dragen. Het gaf dan misschien geen pas Rachel Bond en Marie Austin aan elkaar gelijk te stellen, haar moordenaar en die van zijn zus tot één laten samenvloeien was iets anders. Dat voelde goed.

Hij scande de kranten om te zien of er details over de moord in stonden die hij nog niet kende en besloot toen bij het afgelegen vakantiehuisje aan Shadow Wood Lane te beginnen, het lokkertje dat het meisje was voorgehouden, het aas met de haak erin. Het was allesbehalve een willekeurige plek.

Eleanor Ruzich woonde in een bakstenen huis van twee verdiepingen met een losstaande garage in het noordwesten van het stadje, met aan de rand van de tuin een rij appelbomen die de lucht met een zoete lucht vervulden. Haar man was arts geweest en inmiddels overleden, ze woonde daar in haar eentje. Een vrouw van in de zestig met stijlvol, goed geknipt grijs haar, een slank figuur, scherpe ogen en een intelligent gezicht. Ze accepteerde zijn privédetectivevergunning zonder de afkeer die hij had gevreesd, en al snel begreep hij waarom: ze vond het vreselijk wat er was gebeurd en wilde hem graag helpen.

'Ik kan me niet voorstellen dat ik er nu nog een keer naar terugga,' zei ze toen ze aan de keukentafel zaten, Adam met zijn notitieboekje en een pen, Eleanor Ruzich met een kop koffie. 'Het staat al een hele tijd leeg, maar ik bewaar er nog altijd goede herinneringen aan. Een enkele keer, als mijn kinderen 's zomers langskomen, gaan we er nog weleens een dagje of weekend naartoe. Maar het is erg veranderd, het is absoluut niet meer wat het was toen we het kochten en er nog kinderen rondliepen. Er komt nu een ander slag mensen. Er wordt veel gedronken en een hoop drukte gemaakt. De kinderen willen dat ik het verkoop, maar wat zou dat huisje nu nog opleveren? In deze economie, met de huidige markt, en het meertje zoals het er nu bij ligt? Ik zie het nut er niet van in. Dus zeg ik steeds dat ik het nog even aanhoud, je betaalt er niet veel belasting over, en misschien dat er op een dag weer goede mensen komen die het meertje schoonmaken, zodat het weer zoals vroeger wordt. Daarom heb ik het aangehouden, ik heb er afgelopen zomer nog een nieuw dak op laten zetten en de zomer ervoor heb ik het laten verven. Het is nog steeds uitstekend onderhouden, als enige. Treurig is het.'

'U had nog nooit van Rachel gehoord?'

'Niet totdat de politie bij me langskwam, nee.'

'En heeft u het huisje weleens verhuurd? Of was het alleen voor u en uw gezin?'

'Voor ons en voor vrienden. Maar zoals ik al zei, het staat inmiddels al een tijdje leeg.'

'De vrienden die ervan wisten...'

'Prettige mensen, allemaal. En al wat ouder, inmiddels. Voor het grootste gedeelte collega's van mijn man, hij was acht jaar ouder dan ik. Dus als u denkt dat deze gruweldaad door een bejaarde is gepleegd...'

'En de kinderen?'

Ze fronste haar wenkbrauwen. 'Pardon?'

'De vrienden die langskwamen, hadden die kinderen?'

'Sommigen. Maar dat zijn allemaal heel leuke gezinnen.'

'Dat geloof ik onmiddellijk. Maar het zou toch helpen om hun namen te hebben. Misschien dat een van die kinderen met de verkeerde persoon over het huisje heeft gepraat. Misschien heeft een van die kinderen inmiddels zelf kinderen van Rachels leeftijd. Ik zeg niet dat het erg waarschijnlijk is, mevrouw Ruzich, ik zeg alleen dat ik het moet nagaan. Je moet alle mogelijkheden openhouden.'

Ze ademde diep in en knikte. 'Wilt u een lijst?'

'Als u daarvoor kunt zorgen, graag. Van iedereen die in de loop der jaren in het huisje is geweest.'

Ze gebaarde naar zijn opschrijfboekje, en hij schoof het naar haar toe.

'Ik begrijp wat u bedoelt,' zei ze, 'maar ik kan me niet voorstellen dat u er iets aan zult hebben. En het is niet zo dat degene die dit heeft gedaan, daar woonde. Ze hebben het huisje uitgekozen omdat het verlaten was, toch? Verlaten en afgelegen. Dus het ligt veel meer voor de hand dat het iemand is geweest die het toevallig heeft gezien, die er bijvoorbeeld wilde inbreken, die er misschien wel hééft ingebroken. Hoewel er natuurlijk niets is meegenomen. Er was niets verplaatst, ze hebben het alleen gebruikt om… om dát te doen. Ze hebben het alleen maar gebruikt om dat arme kind te vermoorden.'

Adam liet haar praten en schrijven. Dat was goed. Ze vertelde hem dingen die hij niet wist, dingen die ze van de politie gehoord moest hebben.

'De brievenbussen daar,' zei hij toen ze niets meer zei en alleen nog namen opschreef, 'staan toch allemaal bij elkaar aan het begin van het weggetje? Er wordt toch geen post bij de huisjes zelf bezorgd?'

'Dat klopt. Alle brievenbussen staan bij elkaar. We gebruikten ze alleen voor een kaart of een brief. We gingen er alleen met de kinderen naartoe, als het warm was en we wilden zwemmen en vissen. Het was echt een huisje voor de ontspanning. Het is nooit een plek om te wonen geweest. En nu...'

Ja. En nu.

'Dus niemand kijkt of er post is?'

'Nee. Er ligt ook nooit post. Zelfs niet als ik er eens een keertje wél kom. Er staat een brievenbus met het adres erop, meer niet.'

De post werd waarschijnlijk door iemand uit de omgeving bezorgd, en op zo'n landelijke route was dat waarschijnlijk iemand die dat al een tijdje deed. Het zeldzame type bij wie een handvol brieven nog opvalt, vooral wanneer die voor een oude brievenbus waren die nooit post zag.

Eleanor Ruzich schoof het opschrijfboekje terug naar Adam. Vijftien namen, keurig onder elkaar.

'Ik denk dat dat ze zijn,' zei ze. 'En ik denk dat u uw tijd verdoet. Ik begrijp dat het belangrijk is om... hoe zei u dat ook weer? Alle mogelijkheden open te houden. Dat begrijp ik natuurlijk. Ik denk alleen dat er mogelijkheden zijn die meer zullen lonen.'

'Dat denk ik ook. Maar het is goed dat ik over dit lijstje kan beschikken, mocht ik het nodig hebben. Dank u voor uw medewerking.'

Ze knikte. 'Het is zo triest. Zo vreselijk. Ik geef dat huisje nog liever weg dan dat ik er ooit nog een voet in zet.'

'Dat begrijp ik. Het is heel naar voor u.'

'Het is in het grotere geheel van deze tragedie natuurlijk niet van belang, maar ik vind het inderdaad erg naar, meneer Austin.' Ze keek hem scheef aan, en stelde toen de vraag die ze had moeten vragen voordat ze hem binnenliet. 'Door wie zei u te zijn ingehuurd? Door de moeder van het meisje?'

Hij schudde zijn hoofd.

'Door wie dan wel?'

Wat hij normaal antwoordde, en wat hij eigenlijk had wíllen zeggen, was dat de identiteit van zijn cliënt vertrouwelijk was. Maar hij zei iets anders.

'Ik ben hier namens mijn zus.' Hij stond op, bedankte haar opnieuw voor haar hulp en verliet het huis.

Geen van de namen zag er veelbelovend uit. Hij controleerde ze op een strafblad en vond bij niemand meer dan een boete voor te snel rijden. Dat wilde natuurlijk nog niet zeggen dat ze onschuldig waren – Rachels moordenaar hoefde niet per se een crimineel verleden te hebben – maar er waren geen aanwijzingen die aanleiding gaven om de jacht te openen. Het grootste deel van de mensen die ze op het lijstje had gezet, waren ouder dan zestig. Ze leefden een aangenaam leventje in aangename huizen en bewandelden een weg die het pad van de Jason Bonds of Penny Gootees van deze wereld niet kruiste. Je moest de familie kennen. Er was er maar één bij die Adam kende: Duncan Werner, een plaatselijke tandarts en een van de prominente supporters van het footballteam.

Daarmee was hij weer terug bij af, maar hij wist zijn frustratie daarover te bedwingen. Je moest de motor laten draaien, je moest snuffelen, snuffelen, snuffelen, ook al maakte je niet veel kans succes te boeken. De kansen kwamen zeker niet als je niets deed.

Op maandagmiddag had hij twee uur op Shadow Wood Lane zitten wachten toen de postbode kwam.

'Toen ik zondag al die auto's zag, werd ik nieuwsgierig,' zei de man. Hij was van gevorderde leeftijd, met een grijze snor en bloedhondenhangwangen. 'Ik probeerde uit te vogelen om welk vakantiehuisje het ging, begrijpt u, want in de zomer heb je hier weleens rotzooi, maar de rest van het jaar is het uitgestorven, dan hoef ik hier eigenlijk nooit veel te bezorgen.'

'Dat kan ik me voorstellen. De laatste tijd ook niet?'

'Er waren brieven voor 7330.'

Adam knikte. Hij had zijn zonnebril op en droeg een spijkerbroek en een bruin honkbalpetje met bijbehorend jack, beide zonder logo, maar hij wist dat hij er als een smeris uitzag en hij wist ook hoe hij als een smeris moest overkomen en praten. Gezien de medewerking van de postbode was hij ervan overtuigd dat de man hem voor een agent aanzag, maar dat was geen probleem, want hij had hem niet valselijk voorgelicht. In de borstzak van Adams jack zat een recorder, en mocht zijn speurtocht uitkomen – en te zien aan de telefoontjes die hij van Stan Salter kreeg en negeerde, zou dat zeker gebeuren – dan zouden ze niet kunnen beweren dat hij zich voor een politieman had uitgegeven.

'Herinnert u zich wanneer u de laatste heeft bezorgd?'

'Woensdag,' zei hij zonder een spoor van twijfel. 'Dat was de enige post voor hier. Zoals ik al zei, valt dat nogal op. Na Labor Day is het hier zo goed als uitgestorven.'

Hier had Adam op gerekend. Hij knikte. Hij had hem op woensdag ontvangen, dus was er genoeg tijd geweest voor een antwoord per post; en waarschijnlijk had Rachel Bond ook het nummer van haar mobiele telefoon gegeven, en haar e-mailadres, of een van die communicatiemiddelen die bij tieners in zwang zijn, en dan vooral bij een tiener met haast.

'Wanneer is het begonnen?' vroeg hij. 'Of was het de enige?'

'De enige inkomende.' De postbode aarzelde niet. Dat was het mooie aan het platteland, het minste of geringste viel op. Ondanks alles ging er een flintertje trots door Adam, omdat de politie deze man duidelijk nog niet had ondervraagd.

'Maar er gingen wel brieven uit?'

'Inderdaad. Rond Labor Day, denk ik. Voor zover ik het me tenminste precies herinner. Ik had al een hele tijd niets meer in die brievenbus bezorgd en ineens lagen die brieven er, dat vergeet je niet, snapt u?'

'Zeker. Hoe vaak lag er een brief? En hoeveel waren het er, denkt u?'

'Eén keer in de week, soms misschien twee keer. Misschien dat ik er in totaal vijf of zes heb opgehaald.'

'Zou u het handschrift herkennen?'

'Het adres was getypt.'

'En u heeft nooit gezien dat ze erin werden gestopt?'

'Je ziet hier geen sterveling. Ik reed erlangs en zag dat de vlag omhoog stond – meer niet. Ik was iedere keer verbaasd. Normaal gesproken scheur ik hier altijd gewoon voorbij, weet u.' Hij zuchtte en spreidde zijn handen. 'Ik had u graag meer kunnen vertellen, agent.'

Adam liet hem daarop gaan, want hij wilde de impersonatie met de politie niet verder aanwakkeren. Toen de postwagen was vertrokken, liep Adam terug naar de vakantiehuisjes. Hij keek naar het stille met zonlicht bespikkelde meertje, kabbelend onder de wind, prachtig, en hij vroeg zich af hoe het meer eruit had gezien op de dag dat zij hier was gekomen. Het was die vrijdagmiddag koud geweest, en bewolkt. Het meertje had er waarschijnlijk donker bij gelegen, en de vervallen vakantiehuisjes moesten er dreigend en verlaten uit hebben gezien, maar toch was ze ernaartoe gegaan om haar missie te volbrengen.

Een dapper meisje, vastberaden.

'Ik werk eraan, Marie,' fluisterde Adam. 'Ik werk eraan.'

Pas toen hij de woorden had uitgesproken, besefte hij dat hij Rachel had bedoeld.

En nu? Waar moest hij nu gaan kijken? In de gevangenis wellicht, maar het viel te betwijfelen of Jason Bond hem zou willen zien. Bovendien wist hij dat hij, als hij de man benaderde, de aandacht van de politie zou trekken, wat zijn zoektocht zou vertragen. Dat gold ook als hij vrienden van Rachel vragen zou gaan stellen. Maar misschien moest hij daar toch voor kiezen. Zoveel opties had hij niet.

Hij draaide zich om en keek geërgerd naar de vakantiehuisjes. Hij wist zeker dat dit het juiste vertrekpunt was. Dat zij hier was vermoord, was geen toeval. Alles klopte aan de locatie, van de geïsoleerde ligging tot de mogelijkheid brieven te versturen vanuit een ongebruikt huisje met een actieve postdienst. Het was met zorg uitgekozen, en om dat te kunnen doen, moest je de plek kennen, maar niemand op het lijstje dat Eleanor Ruzich hem had gegeven leek iets te zullen opleveren. Wie wist er verder nog van het huisje af? De buren, natuurlijk. Achter hen was hij nog niet aan gegaan. Het zou niet meevallen te achterhalen welke van de vervallen huisjes recentelijk waren gebruikt. Eleanor Ruzich had niet gelogen toen ze zei dat ze als enige haar best deed haar huisje goed te onderhouden.

Hij had zich omgedraaid en stond weer naar de huisjes te kijken, met zijn rug naar het meertje.

Ik heb dat van ons altijd goed laten onderhouden, had Eleanor gezegd. Ja, dat had ze zeker. Hij belde haar vanaf de steiger en trof haar weer thuis. Hij vertelde haar dat hij nog steeds achter aanwijzingen op Shadow Wood aan zat en nu op zoek was naar mogelijke getuigen.

'U zei dat u onlangs onderhoudswerkzaamheden heeft laten doen,' zei hij. 'U heeft het dak toch laten vernieuwen?'

'Inderdaad. Het dak is afgelopen zomer vernieuwd, en vorige zomer hebben we de buitenkant laten verven.'

'Herinnert u zich de naam van het bedrijf? Het lijkt erop dat er in de zomer al iemand in uw huisje zat, dus ik dacht…'

'Het was geen bedrijf,' zei ze. 'Het is een man, die doet het al jaren. Mijn man kende hem uit het ziekenhuis, daar zat hij in het onderhoud.'

'Hoe heet hij?'

'Rodney Bova,' zei ze. 'Dat schrijf je B, O...'

'Ik ken Rodney,' zei hij.

'Kent u hem? Hoe dan?'

Hij aarzelde even, en zei toen: 'Ik heb football met hem gespeeld. Lang geleden. Dank u, mevrouw Ruzich. Misschien kan Rodney me verder helpen.'

14

Rodney Bova was de naam van een geest, een aanhangsel van vage, steeds verder terugwijkende herinneringen. Hij was een van die kinderen die langs de periferie van Adams leven waren geschoten en nooit scherp in beeld waren geweest.

Zijn plaats in de geheugens was op geruchten en roddels gestoeld. Adam kon zich zijn gezicht, zijn stem, zijn familie of zelfs de plek waar hij speelde niet herinneren. Hij herinnerde zich over Rodney Bova maar twee dingen – hij had korte tijd in het team gespeeld en was eruit verdwenen toen hij in een jeugdgevangenis terechtkwam. Toen hij in de zomer van Adams laatste schooljaar werd gearresteerd, was hij even hoofdrolspeler in de gesprekken van het team geweest. In augustus, als de trainingen weer werden hervat, was er altijd een kamp, met twee trainingen per dag en overnachtingen in slaapzakken op de vloer van de gymzaal. Walter Ward had die ingevoerd, om de onderlinge band te versterken. Adam herinnerde zich dat Bova dat jaar niet op het kamp was. Niemand wist precies waarom, maar sommige kinderen hadden geruchten opgevangen. Adam was er niet echt in geïnteresseerd. Bova was een paar jaar jonger dan hij en stond niet in het basisteam. Was er een basisspeler gearresteerd en hadden ze een spelmaker verloren, dan was het een ander verhaal geweest. Maar Bova was onbeduidend en dus was zijn opflakkerende roem snel gedoofd.

Rodney Bova was de man die onderhoudswerkzaamheden aan Shadow Wood 7330 had verricht.

Misschien had hij niet het gevoel moeten hebben dat dat zo belangrijk was. Misschien liet zijn brein hem geloven dat er een relatie was omdat dit het enige was wat hij had gevonden, een onverwachte link met het verleden en de misdaad. Misschien had hij

Rodney Bova gewoon even moeten bellen en hem moeten vragen wanneer hij deze zomer op Shadow Wood had gewerkt, wie hij had gezien, welke buren openhartig waren en welke zich juist verdacht hadden gedragen. Maar om de een of andere reden leek dat niet de juiste zet te zijn.

Het stemmetje dat Adam hoorde als hij achter borgschenners aan zat, het stemmetje dat het meestal bij het rechte eind had, fluisterde hem in dat hij het net rondom Rodney Bova langzaam moest aantrekken, zonder er ruchtbaarheid aan te geven.

In ieder geval in het begin.

Het team begon de maandagtraining ongeïnspireerd waar het gepassioneerd had moeten zijn, en Kent had daar begrip voor, maar moest het wel rechtzetten.

Iedereen was met zijn gedachten bij de moord op Rachel Bond, dat wist hij. Rouw en roddels, vertrouwen en vrees. De gesprekken op school zouden onophoudelijk tussen die vier kardinale richtingen heen en weer blijven vliegen. Op een paar jongens in het team – en dan vooral Colin Mears – greep het drama echt diep in. Voor de meeste anderen lag het genuanceerder en zou het nu persoonlijker gaan worden. De vreemde, onweerstaanbare aantrekkingskracht van een tragedie. Kent kende die maar al te goed, en al te lang. Klasgenoten die zijn zus nog nooit hadden gesproken haalden herinneringen op aan samen doorgebrachte momenten. Mensen die hij helemaal niet kende kwamen in de supermarkt, in de McDonald's of op straat met tranen in de ogen naar hem toe. Vaak wilden ze hem aanraken als ze hem condoleerden. Het viel hem op hoe vaak ze dat deden – een hand op zijn arm, klopjes op zijn schouder, onbeholpen omhelzingen. Op zoek naar voeling met de tragedie, maar niet te veel natuurlijk. Niet te veel. Alsof het een vaccin was. De juiste hoeveelheid contact bracht de juiste hoeveelheid angst en afschuw in hun hart en daarmee zouden ze beschermd zijn.

Je moest je toevluchtsoord weten te vinden. Een onveranderlijke plek in een doorgedraaide wereld. Voor Kent was dat het footballveld geworden. Walter Ward had dat als enige begrepen: Kent en Adam hadden een plek nodig waar alles normaal was. Kent in ieder geval wel. Voor Adam lag het anders, die begon trainingen over te slaan. Wedstrijden niet, en hij had nog nooit zo goed gespeeld als in die periode vlak nadat Marie was vermoord, maar tot de aftrap interesseerde football hem niet meer. Met Kent was het het tegen-overgestelde geweest. Hij had meer geoefend en meer video's beke-ken dan ooit tevoren. Hij had zich erin ondergedompeld. Ward had hem daarbij geholpen.

Nu, tweeëntwintig jaar later, keek Kent naar Colin Mears, in de receiverslinie, en hij zag hem over zijn schouder kijken en volgde zijn blik. Drie teamgenoten waren in een ernstig, fluisterend gesprek verwikkeld. Kent kon wel raden waar ze het over hadden, wat de details waren.

Hij draaide zich om, zijn petje laag over zijn gezicht, en kauwde furieus op zijn fluitje. Het was een zacht strandwachtersfluitje van waterproof rubber, en hij was er bijzonder op gesteld omdat hij er zo hard op kon bijten dat het bijna was alsof hij zijn mondbeschermer weer in had, alsof hij zijn helm droeg en een linie vormde achter de center, het publiek in je oren, de schijnwerpers in je gezicht.

We gaan verliezen, dacht hij. We gaan verliezen.

Byers liep achter hem te blaffen en te ijsberen en te vloeken, maar Byers liep altijd te blaffen, ijsberen en vloeken, dus daar besteedden de jongens geen aandacht aan. Kent keek toe hoe zijn achterspelers door de exercitie renden en de tackles op de automatische piloot afweerden. Niemand zou hier ook maar een blauwe plek oplopen en dat maakte hem furieus – in deze fase van het seizoen, in de fase die het zwaarst telde, vlogen ze er niet in? Hij keek over zijn schouder en keek toe hoe de aanvallers de oefening uitvoerden waarin ze werden geacht de zone af te schermen, maar het leek er meer op alsof een groep geblinddoekte kinderen door een zwerm bijen achterna werd gezeten. Ze zouden klop krijgen.

Weer.

Net als in de voorafgaande jaren.

Hickory Hills zou hen misschien nog niet verslaan, zelfs niet als Chambers in de wedstrijd net zo ongeïnspireerd zou zijn als tijdens deze training. Maar in de andere groep wachtte hen Saint Anthony's, een school waar Kent nog nooit van had gewonnen, geleid door een coach, Scott Bless, van wie Kent nog nooit had gewonnen. Er was niet één team in de staat dat hij liever wilde verslaan. Saint Anthony's had twee keer in de finale om het kampioenschap van de staat gestaan en was twee keer met de trofee van het veld gelopen.

Kents kaak begon pijn te doen van het kauwen op de fluit. Hij keek naar zijn receivers, die op de aanwijzingen van de quarterback trainden. Steve Haskins probeerde hen met wisselende tempo's in verwarring te brengen, ze mochten er pas in vliegen als dat de bedoeling was, en Colin Mears zat vol beteugelde energie, bij iedere bal scherp, dan weer terug in de linie, waar hij op helmen sloeg, focus en concentratie eiste en iedereen scherp hield.

Kent blies op zijn fluitje en op het veld werd het stil, maar niet stil genoeg. Een groepje verdedigers had zijn oefening lacherig uitgevoerd, en het was de ergste soort lach geweest die je op het football-veld kon hebben, een lachen dat hij niet kon toestaan. Een zelfin-genomen lachen. Zo'n lach die suggereerde dat ze dachten dat ze al gewonnen hadden, terwijl ze in werkelijkheid nog helemaal niets hadden gewonnen, nog nooit een seizoen hadden afgerond zonder ook maar één keer te hebben verloren.

'Denken jullie dat dit grappig is?' schreeuwde hij, en hij liep naar hen toe en iedereen deinsde achteruit. 'Denken jullie soms dat een training voor de beslissingswedstrijden een vorm van vermaak is? Is dat wat ik ervan moet denken?'

Ze riepen in koor 'Nee, sir!' maar hij had zich al vol afkeer van hen afgewend.

'Colin, Lorell, Damon! Hier komen!'

De drie eindexamenleerlingen die tot de besten van de staat werden gerekend, kwamen naar hem toe. Kent keek hen allemaal aan en ze keken allemaal terug, Colin met honger in zijn ogen, bijna alsof hij had gehoopt dat het zo zou lopen. Dat begreep Kent wel.

Het was ondraaglijk om in iedere blik een uitdrukking te lezen alsof er op je voorhoofd stond: PAS OP! BREEKBAAR! Ook al was het waar.

'Wat vinden jullie zelf van de training van jullie team, vandaag?' vroeg Kent.

Damon mompelde: 'Niet zo best,' en Lorell zei: 'Slecht,' maar Colin schreeuwde bijna: 'Waardeloos, sir!'

'Dus niemand vindt dat het lekker loopt?'

De drie jongens schudden hun hoofd.

'Heeft iemand het idee dat we de klus op deze manier gaan klaren?'

'Nee, sir!'

'Goed dan. Wij gaan hier op het veld verder; jullie zijn de aanvoerders, laten jullie op de tribune maar eens zien wat voor inspanning jullie wél van het team verlangen. Tempo!'

Ze maakten tempo – ze renden het veld af, het hek door, de tribune op, zes voeten die unisono op het aluminium roffelden.

'Als ze hebben gezien dat jullie ook aanpakken,' zei Kent, nu weer tegen het team maar zo luid dat de drie die de tribune op en af renden het goed konden horen, 'komen ze terug om met ons verder te trainen.'

Hij zag hoofden draaien en ogen afdwalen, en hij voelde een woede opkomen – letten ze nu nog steeds niet op? – maar toen zag hij het politie-uniform bij het hek en was ook hij afgeleid. Het was Stan Salter.

'Coach Byers, zorg ervoor dat die jongens het warm krijgen,' zei Kent. Hij liep naar het hek en leunde er naast Salter overheen.

'Hoe gaat het met uw team, Coach?'

'Kon beter. En met uw onderzoek?'

'Kon ook beter.'

Kent knikte en wachtte af. Salter droeg een zonnebril, en hij keek van Byers naar de tribune waar het geroffel vandaan kwam. Damon Ritter struikelde en gleed uit op de karmozijnrode bladeren die geluidloos omlaag kwamen. Dat zou helemaal geweldig zijn, als Kents beste verdediger een knieblessure opliep omdat hij hem de trappen op liet sprinten om zijn team iets duidelijk te maken.

'Is dat Mears die u daar die trappen op laat rennen?' vroeg Salter.

'Ja.'

'Hoe gaat het met hem?'

'Dit zal hem goed doen.'

'O ja?'

'Ja.'

Salter knikte, ademde diep in en zei: 'Heeft u uw broer gesproken?'

'Nee.' Kent staarde nog steeds naar de tribune.

'Ik zou uw hulp kunnen gebruiken, met hem.'

'Hij zal niet opeens met u willen samenwerken omdat ik bemiddel. Ik zou het er hooguit lastiger op maken.'

'Ik neem aan dat u niet weet dat hij de moord op Rachel Bond onderzoekt?'

Kent draaide zich weer naar Salter en zag zijn spiegelbeeld in de glazen van zijn zonnebril.

'Onderzoekt?'

Salter knikte. 'Ik ben vandaag gebeld door een vrouw – ze is mogelijk van waarde voor het onderzoek. Het lijkt erop dat uw broer gisteren bij haar langs is gegaan en haar vandaag nog een keer heeft gebeld. Hij zei dat hij privédetective was. Toen vond ze dat niet gek, omdat zijn naam haar niets zei. Maar toen ze het er vanmiddag met een vriendin over had, besefte ze dat hij haar een nogal bizar antwoord gaf toen ze hem vroeg voor wie hij werkte.'

'Voor wie werkt hij dan?'

'Voor zijn zus,' zei Salter. 'Althans, dat heeft hij tegen haar gezegd. Hij zei dat hij het voor zijn zus deed.'

Kent leunde op het hek en greep het gaas steviger vast. 'Zei hij dat?'

'Ja.'

Beiden zwegen. Achter hen schreeuwden de coaches aanwijzingen en de jongens kreunden van de inspanning en je hoorde hun schouderstukken tegen elkaar slaan. Naast hen schudde de tribune op zijn grondvesten en terwijl Colin Mears de trappen op rende, schreeuwde hij aanmoedigingen – 'Vooruit, laat ze wat zien, laat zien hoe wij dat aanpakken!' Er kwamen harde windvlagen over het veld en de grote oranje en karmozijnrode bladeren dwarrelden rond, bleven even op de goed onderhouden grasmat liggen, maakten zich weer los en zeilden verder.

'Ik zou het fijn vinden,' zei Stan Salter, 'als uw broer mijn onderzoek niet in gevaar bracht. Ik weet dat jullie niet zo'n goede band hebben. Maar u moet begrijpen dat hij daar niet mee door kan gaan.'

'Voor zijn zus,' herhaalde Kent alsof de agent niets gezegd had. 'Dat zei hij?'

'Ja.'

'En wat wilde zijn zus dan precies, inspecteur?' Kents stem klonk afgeknepen, het fluitje nu in de hoek van zijn mond, de tanden ertegenaan. 'Weet u dat?'

'Verdachten.'

'Verdachten.' Kent knikte. Hij spuugde het fluitje uit. Keek weg. 'Weet u wat, inspecteur, ik ga wel met mijn broer praten.'

'Ik dacht dat u dat niet meer deed.'

'Deed ik ook niet. Maar het is tijd om daar verandering in te brengen.'

15

In de jaren waarin Rodney Bova in de mist van het collectieve geheugen was verdwenen, was hij een tijdje uit Chambers County weg geweest, en toen hij terugkwam, had hij in drie huizen van bewaring en één gevangenis gezeten.

Hij werd voor het eerst – althans, voor zover bekend, want zijn strafblad als minderjarige was niet openbaar – opgepakt in 1994, wegens het verkopen van wiet. Hij zat dertig dagen vast in het huis van bewaring van Sandusky, kwam vrij, vertrok naar Cleveland en bleef daar lang genoeg hangen om samen met een voormalige medegevangene te kunnen worden gearresteerd voor drugshandel. Hij belandde voor drie maanden in de Cuyahoga County-gevangenis, maar toen hij weer op vrije voeten kwam, bleek de buitenlucht hem slecht te bevallen, want na een kroeggevecht verdween hij door de draaideur van de Lorain County-gevangenis en werd veroordeeld voor geweldpleging, drugsbezit en wapenbezit zonder vergunning. De rechter in die zaak was minder geduldig met de jonge Rodney en gaf hem anderhalf jaar. Hij zat van de herfst van 1998 tot het voorjaar van 2000 in de gevangenis van Mansfield.

In die jaren zat Gideon Pearce ook in die strafinrichting.

En later Jason Bond ook.

Terwijl Adam de arrestatierapporten las en een tijdlijn construeerde, begon zich iets in hem te roeren. Het was geen vervelend gevoel. Helemaal niet. Het was eerder alsof iets in hem werd aangesproken wat al heel lang naar actie verlangde, wat ernaar had gehunkerd.

Hij ging volledig op in de lijsten met in elkaar grijpende namen, data en gevangenissen toen zijn telefoon ging, en hij legde hem zonder er een blik op te werpen het zwijgen op. Pas toen de telefoon meteen daarna opnieuw ging, keek hij ongeduldig op het schermpje, en toen verstarde hij.

Kent belde.

Kent belde niet.

Zijn telefoon ging na vijf keer rinkelen over op de voicemail. Hij wachtte tot na de vierde keer voordat hij opnam.

'Ja?'

'Met mij.'

'Dat zag ik.'

Stilte. Kent: 'We moeten praten, Adam.'

'Is dat zo?'

'Ja. Ik wou je eigenlijk wel even zien.' De stem van zijn jongere broer had een scherp randje. Het was de toon van de coach, dat was het, de heerser van jonge mannen, de kapitein van het schip. Daar gingen Adams haren van overeind staan. Dat was altijd al zo geweest. Coach je jongens maar, Kent, en niet mij, had hij in de tijd dat ze elkaar nog spraken weleens tegen hem gezegd.

'Ik ben niet thuis.'

'Maakt niet uit. Zeg maar waar je bent.'

'Ik heb het druk.'

'Dat is geen plek, Adam.'

'Het is een omstandigheid, Kent, daar heb je gelijk in. Maar toch is het zo.'

'Ik heb het ook druk. Ik heb morgen een wedstrijd, ik heb thuis een vrouw en twee kinderen, en de politie belt me omdat ze jou zoeken. Maar ik maak tijd vrij en dat ga jij ook doen.'

Adam liet wat tijd en een paar mogelijke antwoorden de revue passeren, en Kent zei: 'Zeg maar waar je bent, oké?'

'Laten we dan maar in Haslem's afspreken.' Dat zei Adam alleen maar om Kent op de kast te jagen, om een speldenprik uit te delen; hij kon het niet laten, of hij het nou wilde of niet.

'Ik spreek niet af in een stripclub.'

'Thuis dan.'

Adam wist maar al te goed dat het huis waar ze hun jeugd hadden doorgebracht de enige plek was waar Kent nog minder graag kwam dan in de tietenbar. Als Kent de drempel over ging, zag je hem kippenvel krijgen. Hoe lang was hij al niet bij hem binnen geweest? Adam wist het niet precies.

'Oké,' zei Kent na een korte stilte, maar toen trok Adam het voorstel weer in, als een pokerspeler die spijt heeft van zijn bluf.

'Zoals ik al zei, daar ben ik niet. Weet je wat, Coach, ik kom wel naar de school. Ik kom wel naar jouw kamer. Dan kun je wat doen terwijl je wacht.'

'Ik wil niet wachten.'

'Dan zal ik me haasten,' zei Adam en hing op. Hij liet de telefoon in zijn hand op en neer gaan en staarde naar de muur. Na een tijdje werd hij zich bewust van de pijn in zijn kaken en realiseerde hij zich hoe hard hij op zijn kiezen beet. Hij legde de telefoon neer en opende de koelkast. Er waren nog vijf biertjes over van de twaalf die hij de avond ervoor had gekocht.

'Tot zo, Franchise,' zei hij hardop, en hij maakte een Corona open en liep met een tweede in zijn andere hand naar buiten om ze in de koude buitenlucht op te drinken.

Kent was blij dat Adam voor de school had gekozen. Hij had totaal geen zin om zijn broer op zijn weg langs armoedige uitgaansgelegenheden te volgen en wilde hem al helemaal niet in een van die twee woningen die hij 'thuis' noemde zien: de ene was het huis van een getrouwde vrouw wier man in de gevangenis zat, de andere was het huis waaraan hij slechte herinneringen bewaarde. Zorgvuldig weggestopte slechte herinneringen.

Kent wist dat Adam de tijd zou nemen. Hij kon niet anders, hij moest proberen de alfastatus te bemachtigen, het maakte niet uit op welke trieste manier. Kent had gezegd dat hij niet wilde wachten, en dus zou Adam hem laten wachten.

De kamer van de coach en de kleedkamers van Chambers lagen bij elkaar in een betonnen blok achter de oostelijke eindzone. Toen hij zijn auto op de lege parkeerplaats zette, zag hij de posters en zilver-met-rode serpentine op de muren, opgehangen door fans, ouders en cheerleaders. BESLISSINGSWEDSTRIJDEN: ALLES OF NIETS! schreeuwde een van de borden.

Hij had er genoeg van om als verliezer thuis te komen, hij trok het niet meer, hij was er helemaal klaar mee om zijn jongens te verzekeren dat hij trots op hen was, op hun karakter en op hun seizoen, hun seizoen dat weer met een nederlaag was geëindigd, dat er iedere keer weer mee was geëindigd dat zijn jongens toekeken hoe hun tegenstander feestvierde.

Dit jaar zou het anders lopen. Met dit team wel – ze waren te goed, ze hadden zich te goed voorbereid, ze hadden te veel ervaring. Ze hadden alles in huis, elk element van een kampioensploeg. Ze waren het beste wat hun stad ooit had gezien, veel beter dan het team van 1989. Maar van het team van 1989 stond een beker in de kast, zij hadden de ring aan hun vinger. Hun werk zat erop. Het zijne niet.

Hij had zelf ook zo'n ring, maar die telde niet. Hij had dat seizoen in de derde klas gezeten en in de beslissingswedstrijden geen minuut speeltijd gekregen. Hij had alleen maar met een klembord vol wedstrijdschema's aan de zijlijn gestaan, terwijl Pete Underwood uit de zesde zich behoedzaam over het veld bewoog, de aanvallen sukkelden voort, het was de saaiste aanval ter wereld, met twee running-backs die van de quarterback niet veel meer vroegen dan dat hij hun de bal doorgaf. Er was geen klap aan. Maar dat kon Walter Ward niets schelen, die was alleen in de overwinning geïnteresseerd. Ze hadden een zware verdedigingslinie en een stel slopers als backs, ze putten elk team uit. In de kampioenswedstrijd hadden ze vijftien loopacties nodig voor hun laatste drive. Vijftien. Alle verdedigers van de tegenstander stonden in de box, de dreiging van een dieptepass werd domweg genegeerd; ze waren ervan overtuigd dat ze Chambers frontaal konden afstoppen en dat ze de wedstrijd daarmee zouden winnen, want met zijn werparm zou Underwood hen niet verslaan. En Coach Ward zag dat, hij zag dat zijn team werd uitgedaagd een lange bal te gooien, maar hij liet ze met de bal lopen.

Helemaal tot aan de eindzone.

Profeet rechts.

Profeet links.

Profeet rechts.

Profeet rechts.

Profeet rechts.

Zonder ook maar een spoor van emotie, geen greintje angst, zelfs niet toen de vierde down op de twee-yardlijn lag, hij bleef gewoon met vaste stem aanwijzingen geven, en iedereen in het stadion wist precies wat er zou komen, de verdediging ook, alles op Adam, hij was de profeet die voorin alle blokken zette, de man die beloofde dat hij zou gaan uitdelen. Coach Ward stond met een uitgestreken gezicht en zijn armen voor zijn borst toe te kijken en gaf hun steeds opnieuw dezelfde opdracht, vol vertrouwen – probeer ons maar tegen te houden, dat kunnen jullie niet.

En de fans vonden het geweldig! Willen jullie weten wat beton-football is? Kijk dan maar eens naar een drive van vijftien runs waarbij de bal niet één keer diep wordt gegooid. Adam liep gewoon de hele tijd voor de man met de bal uit – hij had iedere down van de wedstrijd meegespeeld, in de verdediging en in de aanval, en nog steeds liepen er in Ohio voormalige linebackers rond bij wie de tanden los zaten en die zich hem nog goed herinnerden. Ze gaven de bal vijftien keer door en gebruikten daar vier verschillende running-backs voor, maar slechts één persoon die de man met de bal beschermde. Daar draaide hun hele spel om – 'zoals beloofd' noemden ze dat. Wanneer Adam in de aanval kwam, kreeg je een run en dan liep hij voorop. Non-stop. Normaal gesproken roteerde hij, normaal gesproken bewaarde Ward het grootste deel van Adams kracht voor de verdediging en voor situaties waarin nog een paar yard gewonnen moest worden, maar die drive niet. Hij deed er vijftien achter elkaar.

Het publiek was uitzinnig. Het was in al die jaren middelbareschoolfootball de enige keer dat Kent zoiets had gezien. En hij betwijfelde of daar ooit verandering in zou komen. Het was lelijk geweest, gemeen, vuil zelfs, maar op de een of andere manier sprak dat de mensen op de tribunes juist aan. Het duurde even voordat Kent begreep waarom, maar toen het kwartje viel kreeg hij een beter begrip van de sport zelf, van de reden dat steden als Cleveland, Green Bay en Pittsburgh er zoveel trots aan ontleenden. Net als Massillon. En Chambers.

Dat het publiek die avond zo tekeer was gegaan – er werd op de tribunes gehuild, herinnerde hij zich, dat zou hij nooit vergeten, dat sommige mensen huilden – kwam niet omdat Chambers had gewonnen; op dat moment was de overwinning nog niet veiliggesteld, ze moesten nog drie minuten, en het hoogst aangeslagen team van de staat had de bal en nog één kans om weer op voorsprong te komen. Nee, het kwam doordat ze met de rug tegen de muur waren begonnen, tegen hun eigen achterlijn aan vaststonden, met een achterstand, en de tijd tikte weg... En toen waren ze opgeschoven, met een houding van: als we zo doorgaan verliezen we, er is geen andere uitweg, en toen waren ze er tegen beter weten in voor gegaan, en blijven gaan, en was het wél gelukt.

Daarom werd er op de tribunes gehuild.

Het had lang geduurd voordat Kent dat had begrepen.

Hij kwam in zijn eentje in de kleedkamer, en toen hij de tl-lichten aan het plafond aandeed, zag hij achter in de kleedkamer de foto van het team uit 1989, de enige teamfoto die van hem in de kleedkamer mocht hangen. En dat terwijl hij de jongens er iedere dag aan herinnerde dat winnen en verliezen niet het enige was waar het om ging.

Omdat zij wel hebben gewonnen, toch, Coach? Waarom anders? En jij staat ook op die foto, maar je hebt er niets op te zoeken, en al die foto's waar je wél terecht op staat, hebben niets aan die wand te zoeken.

Hij liep door de kleedkamer naar zijn werkkamer, zette de computer en de projector aan en begon beeldmateriaal van Hickory Hills te bekijken. Iets meer dan een uur later kwam Adam binnen.

Hij liep zonder te kloppen de kleedkamer in en keek om zich

heen, op dat moment zag Kent hem. De deur naar zijn kamer stond open en het licht van de video zette hem en de kamer in een gloed, maar Adam keek niet naar hem om. Hij stond met zijn rug naar Kent toe en bekeek de kleedkamer, Kent wist dat hij oude geesten zag en dat hij in zich opnam hoe alles sinds de tijd dat ze nog geen geesten waren, was veranderd.

Kent kwam van zijn stoel en liep naar hem toe. Toen draaide Adam zich om en keek hem aan. 'Krijg ik geen hand, Franchise?'

Ze gaven elkaar een hand. Adams greep was steviger. Dat was een van de redenen dat hij het prettig vond om handen te schudden. Hij genoot van intimidatie in al haar verschijningsvormen, van bruut tot verfijnd. Kent was bepaald geen kleintje – één meter achtentachtig, vijfennegentig kilo – en bracht nog altijd meerdere uren per week in het krachthonk door – maar in aanwezigheid van Adam was hij niet alleen in leeftijd het kleine broertje. Toen Adam bij de Ohio State-universiteit tekende, was hij één meter achtennegentig en had hij een borstomvang van één meter veertien en een middel van negenenzeventig centimeter. Dat waren bizarre maten. Hij liep honderd meter in 13,2 seconden, wat niet krankzinnig snel was, niet Colin Mears-snel, maar nog altijd héél snel. Natuurlijk had hij in de tweeëntwintig jaar daarna aan snelheid ingeboet, maar Kent kon nauwelijks zien dat zijn spiermassa was afgenomen en ergens irriteerde dat hem. Misschien zat zijn broer zonder dat Kent het wist in de sportschool, maar dat leek hem sterk. Hoe deed hij dat? Hoe kon iemand zo veel drinken en zo leven en er toch nog zó uitzien?

'Hoe gaat het met je?' vroeg Kent, niet helemaal op zijn gemak, want op de een of andere manier was er na de handdruk nog maar weinig over van het gevoel van controle dat hij had gehad toen hij naar zijn broer toe liep.

'Goed. Met jou?'

'Moe.'

'Je zult wel nog moeier worden,' zei Adam. 'De play-offs duren nog maar een paar weken. Deze school is nog nooit een heel seizoen ongeslagen gebleven. Gaat het lukken?'

'We zullen het proberen,' zei Kent. 'Maar ik heb je niet uitgenodigd om over football te praten.'

'Dat had je wel moeten doen. Ik had jullie stelletje dwaze optimisten kunnen helpen. Ik had ze kunnen leren met het bloed in de ogen te spelen.'

'Adam, hoor eens, we moeten...'

'Herinner je je de laatste keer dat je me belde?' vroeg Adam. In zijn donkerblauwe ogen scheen een verre glans, en Kent rook het bier in zijn adem.

'Je hebt gedronken, vanavond, hè?'

'Ik drink iedere avond. Maar herinner jij je de laatste keer dat je me hebt gebeld?'

Kent dacht even na en zei: 'Op je verjaardag.'

'Dat telt niet. Vergeet de verplichte telefoontjes, dan.'

Dat waren dan verplichtingen die alleen voor Kent golden: hij werd op zíjn verjaardag niet door Adam gebeld. Maar de blik van zijn broer was ernstig geworden, en om de een of andere reden werd hij verleid mee te gaan en te proberen het zich te herinneren. Het lukte hem niet. Adam zag het aan zijn gezicht en lachte vreugdeloos.

'Maak je geen zorgen,' zei hij. 'Ik wist het zelf ook niet meer.'

Kent zei: 'Er is een meisje vermoord, Adam, de politie heeft me erover gebeld.'

'Ja, ik heb het ook gehoord.'

'Maar blijkbaar horen zij niets van jou.' Kent deed een stap naar voren en dwong zichzelf in Adams rusteloze ogen te kijken. Hij vroeg: 'Heb je echt tegen een vrouw gezegd dat je voor onze zús werkt?'

Het werd heel stil. In de werkkamer liep de video van de wedstrijd door, en terwijl Adam zijn broer aankeek, danste een flikkerend licht- en schaduwspel de kamer uit over zijn smalle gezicht.

'Ik zei dat ik daar namens haar was,' zei Adam traag en met kille stem. 'Dat heb ik gezegd, en dat bedoelde ik. Wou je daar met me over praten?'

'Ja,' zei Kent zonder in te binden, niet in dit geval, niet als het om

Maries naam ging. 'Daar wil ik over praten. Ik weet niet wat je op dat moment in gedachten had, maar het komt op een leugen neer en ga me niet vertellen dat dat niet waar is. Je bent geen detective en niemand heeft je ingehuurd om iets te doen. En dan treed je naar buiten onder het mom dat je er wel een bent en vertel je mensen dat Marie je heeft gestuurd? Het eerste deel is pathetisch, het tweede vat ik persoonlijk op.'

'Je vat het persoonlijk op.' Adams stem was hol geworden.

'Dat zeg ik, ja.'

Adam gaf een knikje. 'Dat is je goed recht. Want ze was jouw zus.'

'Ze was ónze zus. Ik begrijp niet dat je haar naam daarvoor hebt kunnen gebruiken, hoe je het zelfs maar kunt suggereren, dat je haar bij zo'n leugen sleept...'

'Het is geen leugen.'

'Wat zeg je?'

'Je kunt het herhalen zo vaak je wilt, Kent. Dat is prima, maar daarmee wordt het nog geen leugen. Ben ik geen detective volgens jou? Volgens de vergunning die ik heb wel. Was ik daar niet namens Marie? Neem maar van mij aan dat je je vergist. Je zou beter moeten weten.'

Kent deed een stap naar achteren, zette een hand tegen een kledingkastje en leunde ertegenaan. Hij wachtte even, in een poging om de woede die zich opbouwde weg te laten vloeien. Toen zei hij: 'Waar ben je nou mee bezig, man? Waar denk je in godsnaam mee bezig te zijn?'

Adam ging op een van de lange bankjes voor de kledingkastjes zitten. Hij leunde met zijn onderarmen op zijn knieën, keek naar de vloer en ademde diep in. Kent zag dat de rugspieren onder zijn T-shirtje zich verbreedden, en zijn enorme schouders rezen omhoog. Dokwerkersspieren, noemde Coach Ward die. 'Die leggen gewicht in de schaal, jongens. Dat willen we zien. Het interesseert me geen reet of je er goed uitziet als je in de spiegel kijkt, ik wil spiermassa zien.'

'Wat hebben ze tegen jou gezegd?' vroeg Adam.

'Waarover? Over de vragen die je aan die vrouw hebt gesteld? Of over Rachel?'

'Over Rachel.'

'Ik weet dat ze bij jou is geweest omdat ze een adres zocht. Ik weet dat ze je heeft voorgelogen over haar leeftijd, en de politie verwijt het je niet, maar jij verwijt het jezelf waarschijnlijk wel.' Het verraste hem een beetje dat hij dat zei; hij had dat tegen niemand anders gezegd. 'En ik weet dat je haar een adres hebt gegeven.'

'En je weet wat er is gebeurd toen ze daar naartoe ging.'

'Inderdaad. Ja.'

Adam knikte weer.

'Dus dat is wat ik weet,' zei Kent toen het duidelijk werd dat zijn broer niets ging zeggen. 'Vandaag werd me verteld dat je contact hebt gehad met een vrouw en dat de politie dat niet wil. Ze vertelden me wat jij hebt gezegd. En dat klonk niet goed.'

'Dat kan ik me voorstellen.'

'Vertel me dan eens waar je mee bezig bent, Adam.'

Adam tilde zijn kin op. 'Ik ga hem vinden.'

Kent staarde hem aan. Adams ogen stonden helder en koel.

'Rachels moordenaar?' vroeg Kent.

'Gideon.'

Kent dacht: nu is het gebeurd. Het is gebeurd. Vanaf het begin af aan stond vast dat hij vroeg of laat over het randje zou gaan, en nu is het zover – maar toen voegde Adam eraan toe: 'Zo noem ik hem. Ik had een naam nodig. Zijn naam werkt.'

Kent was nu bang voor hem. Zijn woede was in angst overgegaan, en hij zei: 'Zeg dat niet.'

'De naam helpt me.'

'Nee, Adam, ze zijn niet dezelfde persoon.'

'Mooi wel. De een heeft een tienermeisje ontvoerd en vermoord. De ander ook. In ieder geval hebben ze genoeg van elkaar weg om dezelfde naam te delen. Shit, wíj delen dezelfde naam, en wat hebben wij nou gemeen? Zij mogen best dezelfde naam hebben.'

Kent zei: 'Hij is dood, Adam. De man is dood.'

'Maries Gideon is dood. Die van Rachel niet.'

Kent wilde zeggen dat hij zijn mond moest houden, dat hij die namen niet mocht uitspreken en er niet meer over mocht praten, maar daar zou hij niets mee opschieten. Hij verdroeg die verontrustende, lege blik niet langer en keek naar het flakkerende licht in zijn werkkamer. 'Ga ze niet voor de voeten lopen. Alsjeblieft.'

'De politie. Je wilt niet dat ik de politie voor de voeten loop.'

'Inderdaad.'

'Want je denkt dat ik hem niet kan vinden.'

'Ik weet niet of je hem wel of niet kunt vinden, ik weet alleen dat het niet aan jou is om het te proberen. Ik weet dat je problemen gaat veroorzaken als je het toch doet, ik weet...'

'De politie,' zei Adam, 'heeft vier maanden naar de moordenaar van Marie gezocht.'

'En hem gevonden.'

'De politie van een andere stad hield een willekeurige verkeerscontrole en had geluk. En nu heeft de politie Maries moordenaar opeens gevonden? Ze waren hem zelfs niet op het spoor, Kent. Ze waren hem niet eens op het spoor. Hij had allang in de gevangenis moeten zitten. Hij werd al maanden vermist, maar wat deed de politie? Hoe lang deden ze erover om hem te vinden?'

Kent wreef in zijn ogen. Hij vond het verschrikkelijk om hieraan te denken, om zich dit te herinneren, maar Adam woonde in een tempel van herinneringen, hij had geen toekomst en zijn heden was het verleden.

'Doe dit niet,' zei hij. 'Zelfs als je al zou kunnen helpen, staan zij het je niet toe. Het maakt het alleen maar erger.'

'Omdat het niet aan mij is.'

'Omdat zij de agenten zijn, Adam. En ja, zij storen zich eraan omdat het niet jouw rol is.'

'Daar vergis je je in. Het is wel mijn rol, het is de enige rol die ik speel. Dus is het wel aan mij. Want deze Gideon? Die is voor mij.'

'Hou op hem zo te noemen.'

'Het is terecht dat ik hem zo noem.'

Kent liet zijn hand zakken, keek hem aan en zei: 'Alsjeblieft, Adam.'

'Wat wilden ze van jou? Wat zou jij moeten bereiken? Moest je ervoor zorgen dat ik een stapje opzij zou doen? Of dat ik Salter zou terugbellen? Nou?'

'Allebei, denk ik. Maar ik heb je gebeld omdat… omdat ik niet blij was met wat ik hoorde.'

Adam zei: 'Je zou die plek eens moeten zien.'

'Wat?'

'Waar ze is gestorven, Kent. Waar ik haar naartoe heb gestuurd. Je zou het moeten zien. Verlaten, leeg, gevaarlijk. Als ik de moeite had genomen er eerst even te gaan kijken, zou ze daar nooit terecht zijn gekomen. Als ik had geweten waar ik haar naartoe stuurde, zou alles anders zijn gelopen. Ik heb haar naar een plek gestuurd die ik niet kende. Daarom is het gebeurd.'

'Nee, Adam. De man die dit gedaan heeft, zou niet opeens zijn verdwenen.'

'Misschien niet. Maar weet je, Kent? Lees die stomme slogan van je maar eens.' Adam wees naar de banier boven de kleedkamerdeur waar de spelers voor iedere wedstrijd, in de rust en bij elke training onderdoor liepen: TEGEN JE VERLIES KUNNEN IS IETS ANDERS DAN HET VERDIENEN TE VERLIEZEN.

Kent schudde gefrustreerd zijn hoofd, maar hij had geen woorden meer paraat, want woorden leken nooit vat te krijgen op zijn broer. Kents woorden in ieder geval niet.

'Gek dat je nog steeds in deze kleedkamer komt,' zei Adam. 'Dat houdt de herinneringen vast en zeker levend. Voor mij is het lang geleden. Ik herinnerde me nauwelijks wat hier allemaal is gebeurd. Maar nu ik hier weer sta, komt het allemaal terug, snap je?'

Kent was blij dat hij het niet meer over Gideon Pearce had, dus hij zei: 'Ja, dat snap ik zeker.'

'Er was een jongen, dat was zijn kastje…' Adam wees naar de hoek. 'Rodney Bova. Werd uit het team gezet wegens problemen met de politie. Herinner je je hem?'

'Zeker.'

'Wat had hij eigenlijk gedaan?' Adam had zijn ogen nadenkend samengeknepen. 'Een auto gestolen, misschien?'

'Een auto in de fik gestoken.'

'Je meent het!'

Kent knikte. 'Hij heeft in een jeugdgevangenis gezeten.'

'Was hij net zo oud als jij?'

'Ja.'

'Was hij goed?'

'Nee. Hij wilde receiver zijn, maar hij liet elke bal uit zijn handen glippen. Ward zette hem in de verdediging, maar hij heeft geen wedstrijd gespeeld.' Waarom hadden ze het in godsnaam over Rodney Bova? Er waren zo veel dingen met zijn broer te bespreken, zo veel mensen over wie ze konden praten, en ze raakten verstrikt in een gesprek over een of ander joch met wie ze meer dan twintig jaar geleden hadden gefootballd? Hij probeerde het gesprek terug te brengen naar wat belangrijk was. 'Adam, je moet begrijpen dat Stan Salter nog een keer met me komt praten, en als dat gebeurt…'

'Als dat gebeurt,' zei Adam, 'kun je hem de waarheid vertellen. Vertel hem dat je je handen van me aftrekt. Wens hem succes en zeg hem dat jij er verder niets mee te maken hebt. En laat het daarbij.'

'Ik wou dat je…'

'En laat het daarbij,' zei Adam nog een keer. Hij stond op van het bankje en liep de kleedkamer uit. Hij deed de deur open, en even liet het veld zich zien, donker en winderig. Toen viel de deur met een klap dicht en stond Kent in zijn eentje in het bleke licht, te midden van zijn leuzen en posters en stukjes inspiratie. Buiten liep Adam weg, hij verdween in de nacht, en Kent vroeg zich af waar hij naartoe zou gaan. Hij had geen idee.

Hij vroeg zich af of hij het had moeten vragen.

16

Toen Adam terugkwam, was Chelsea in de achtertuin een voederbakje aan het vullen; ze stommelde rond in het donker en probeerde met het zakje in haar ene hand het voederbakje in de andere in evenwicht te houden, waarbij de helft van het zaad tussen de bladeren viel. Hij nam het bakje van haar over en vroeg: 'Waarom kan dat in godsnaam niet tot morgen wachten?'

'Er is er een doodgegaan.'

'Wat?'

'Hij lag in het portiek. Hij was tegen het raam gevlogen. Je weet wel, dat doen ze soms.'

'Dus hij is tegen het raam gevlogen. Hij is niet van de honger gestorven.'

Ze haalde haar schouders op, onverschillig voor die logica. 'Dat doet er niet toe, ik vond dat ik de voederbakjes moest bijvullen.'

Ze droeg een wijde trainingsbroek en een topje, verder niets, ze had voordat ze de koude avond in liep niet de moeite genomen een jas aan te trekken. Dat was niet ongebruikelijk. Ze hield van de kou, omarmde die. Hij had haar een keer 's ochtends in de winter in alleen een spijkerbroek en een beha in het portiek aangetroffen, toen stond ze lange ademstoten uit te blazen en toe te kijken hoe ze mist vormden. Hij had haar gevraagd wat ze in godsnaam aan het doen was en of ze soms probeerde een longontsteking te krijgen, maar ze had geglimlacht en gezegd dat ze zich niets van het longadvies van een roker aantrok.

Ze vulde het voederbakje, hing het op, keek hem aan en vroeg: 'Waar ben jij geweest?'

'Ik heb mijn broer gesproken.'

'Echt?'

Hij knikte en keek naar haar, zoals ze daar op haar blote voeten in de dode bladeren stond, haar tepels pront tegen de dunne stof van het hemdje. Hij werd overmand door verlangen, zoals het eigenlijk altijd al was geweest. Dat had in de loop der jaren toch moeten vervagen, die puberale hormonenstorm? Niet als hij bij haar was. Maar als hij zich als tiener had weten te beheersen, als hij eerst zijn verplichtingen was nagekomen...

'Wat had Kent te zeggen?' vroeg Chelsea.

'Niet veel.'

Ze keek hem sceptisch aan, en Adam deed een stap naar voren en nam haar in zijn armen.

'Hij wilde zeker alleen even bijpraten?'

'Ja.' Hij kuste haar. Even beantwoordde ze zijn kussen, toen stopte ze.

'Wat wilde hij echt, Adam?'

'Me vertellen dat ik problemen uit de weg moest gaan,' zei Adam. Hij nam haar zijdezachte haar in zijn handen en duwde haar hoofd zachtjes naar voren, hij dwong haar, op een manier die ze fijn vond, en drukte zijn lippen op haar hals.

'Niet doen,' zei ze.

'Wat?' fluisterde hij terwijl hij met zijn tong het spoor van haar sleutelbeen volgde en zijn handen over haar rug naar haar heupen gleden, haar lichaam tegen dat van hem gedrukt.

'Proberen me af te leiden. Dat werkt niet.' Maar haar stem was lager en dieper geworden, en ze had haar armen ook om hem heen geslagen, haar nagels klauwden in zijn rug en trokken hem dichter tegen haar aan.

'Ik dacht dat je wilde dat ik mijn gedachten zou verzetten. Dat zei je vannacht.'

'Wat ik nu wil, heeft niets met je gedachten te maken,' zei ze. 'Die komen later wel.'

Hij tilde haar op, en ze sloeg haar benen om hem heen en kruiste haar enkels achter zijn rug en hij droeg haar naar binnen. Ze was licht en hij had haar met gemak naar de slaapkamer kunnen dragen, maar zo ver kwamen ze niet. De woonkamervloer was dichterbij.

Uiteindelijk belandden ze wel in bed, en daar, bezweet en hijgend, legde ze haar hand op zijn borst en bracht ze haar gezicht boven het zijne, en haar lippen waren zo dicht bij die van hem dat hij haar adem voelde toen ze zei: 'Wat is er veranderd?'

'Hoe bedoel je?'

'Je humeur. Ik klaag niet, neem dat maar van mij aan. Maar wat is er veranderd?'

Ik heb nu een doel, dacht hij. Ik weet waar ik heen ga. Maar hij zei: 'Ik heb jou gewoon nodig. Oké? Vraag er verder maar niet naar.'

Ze gaf geen antwoord, maar ze nam hem onderzoekend op.

'Je bent normaal gesproken gespannen als je je broer hebt gesproken. Waarom nu niet?'

'Misschien omdat ik zo slim was eerst wat te drinken,' zei hij, en hij stond op, want iets te drinken klonk aantrekkelijk. Hij schonk een glas whisky in en kroop weer in bed.

'Laten we het nog een keer proberen,' zei ze. 'En wat zou je ervan denken als je me deze keer de waarheid vertelt?'

Het bleef even stil. Ze pakte het whiskyglas uit zijn hand en nam een slok. Hij zag de tatoeage waarvan het laatste stukje haar heup raakte, onder op een buik die bij de meeste vrouwen van achter in de dertig niet meer zo plat en strak was. Het was een diep zwart kattenoog met een gouden schaduw. Ze haatte katten. Ze was gek op honden en haatte katten, maar ze had een tatoeage van een kattenoog. Zelf zag ze daar de logica wel van in. Ze vond het gewoon mooi, zei ze. Het biologeerde hem, maar niet op een goede manier. Hij kende de tatoeagekunstenaar die het had gedaan – haar man – en dat oog keek 's nachts naar hem. Het herinnerde hem er voortdurend aan dat hij met een getrouwde vrouw in bed lag, en dat Travis Leonard uiteindelijk terug zou komen. En dan? Moest Adam dan rustig afwachten tot hem het goede nieuws bereikte dat Leonard met een gestolen auto was gepakt en weer in de nor zat, maar dan voor lang? Wat een leven had hij. Wat een prachtig rotleven.

Chelsea zei: 'Jíj hebt dat meisje niet vermoord, Adam.'

'Rachel.'

'Wat?'

'Gebruik haar naam. Ze is niet "dat meisje", ze is niet een of ander lijk in het mortuarium, ze is...'

'Jij hebt Rachel niet vermoord,' zei ze met een zachte, lage stem, voordat hij echt van de kook raakte. Hij sloot zijn ogen. Het tatoeage-oog ging nooit dicht, maar de zijne kon hij natuurlijk gewoon sluiten.

'Dat weet ik. Maar ik heb haar niet geholpen.'

'Dat is iets heel anders. En wat doe je daaraan? Verdwijnen?'

'Ik verdwijn niet,' zei hij. 'Ik zorg er alleen voor dat híj niet verdwijnt.'

'Hij?'

'Degene die haar dood op zijn geweten heeft.'

'Laat de politie haar werk toch doen.'

'Ik ga hun werk niet doen. Ik pak het net even iets anders aan.'

'Adam...'

'Gideon Pearce had de dag waarop hij Marie heeft vermoord al achter de tralies moeten zitten.'

'Dus ga jij nu de burgerwacht uithangen? Denk je nou echt dat dat de goede aanpak is?'

'Als ik de trekker overhaal, heb ik liever dat de loop in zijn mond zit dan in die van mij.'

Ze keek hem lang aan en zei: 'Hij zal tegelijkertijd in die van jou én in die van hem zitten.'

'Dat liever dan in een van ons.'

Ze zette haar wijsvinger onder zijn kin, zodat hij haar moest aankijken. Maar het was donker in de kamer en het enige wat ze uitwisselden, waren bewegende schaduwen.

'Zoek hulp, Adam. Ga met iemand praten.'

'Ik spoor hem op.'

'Dat bedoel ik niet met hulp. Ik bedoel dat je op zoek moet naar...'

'Een zielenknijper, een priester, een arts die recepten uit mag schrijven? Ik weet wat je bedoelt.'

Ze liet haar hand zakken en zweeg even. Toen zei ze: 'Het duurt niet lang voordat de politie weet wat je van plan bent, en dan heb je een probleem.'

'Dat weet ik.'

'En toch kun je er niet mee ophouden? Ook niet voor een paar dagen, voor zolang je nodig hebt om afstand te nemen en te beseffen dat...'

'Nee, Chelsea. Ik kan er niet mee ophouden.'

Hij nam de whisky uit haar hand en dronk hem op, en ze lagen samen in de duisternis.

Een warme adem op zijn oor, een koele hand op zijn borst. Er werd iets gefluisterd. Adam wilde antwoorden, maar zijn brein klampte zich slaapdronken vast en bracht hem in herinnering dat hij het de volgende dag zou bezuren dat hij op het laatst te veel whisky had gedronken. De whisky had hem op een ruimhartige manier zijn slaap gegund, maar zou hem de volgende dag toch de rekening brengen, met rente.

Slaap maar verder, dan. Graaf je dieper in, in uithoeken die nog donkerder zijn.

De hand lag nu op zijn schouder, en er groeiden vingers aan, en aan de vingers zaten nagels, en die knepen. De fluisterstem weer, iets harder, bijna een gewone stem.

'Schatje! Adam!'

Hij probeerde zich van Chelsea weg te draaien, maar ze schudde aan zijn schouder, en zij won, de slaap was op de weg terug.

'Laat me,' zei hij, of probeerde hij te zeggen. Hij praatte met een hese, dikke stem.

'Het is de moeder van Rachel.'

Hij deed zijn ogen open, draaide zich om en zag dat Chelsea de telefoon tegen haar borst hield, het blauwachtige licht van het schermpje vloeide over haar borst.

'Wat?'

'Ze heeft al vijf keer gebeld. Uiteindelijk heb ik maar opgenomen. Ze wil jou spreken.'

Hij ging zitten, de kater begon al wat verkennende tikken uit te delen hoewel het voor de ring eigenlijk te vroeg was, er zat nog genoeg alcohol in zijn bloed.

'Hier,' zei hij terwijl hij zijn hand uitstak. Zijn stem kraakte weer en hij schraapte zijn keel en proefde de nasmaak van zijn laatste sigaret. Ze gaf hem de telefoon, en hij kwam uit bed. De wekker gaf aan dat het tien voor halfvier was. Hij liep naar de woonkamer, waar de duisternis week voor de warmtelampen voor de slangen.

'Hallo,' zei hij, en hij was ingenomen met zijn stem – hij klonk redelijk helder en nuchter, het kon ermee door.

'Ik wilde u eigenlijk niet wakker bellen,' zei Penny Gootee, 'maar als u meent wat u zegt, dan maakt dat u niet uit. Dan bel ik misschien juist op het goede tijdstip. Op precies het goede tijdstip.'

Háár stem was allesbehalve helder en nuchter genoeg om ermee door te kunnen.

'Het tijdstip is prima. Gaat het wel met u?'

'Nee, het gaat niet met mij. Hoe kunt u dat nou vragen?'

'Sorry.'

Hij zweeg, wachtte af.

'Mijn dochter wordt deze week begraven,' zei ze. Haar stem deed hem aan haar ogen denken: doorlopen met bloed dat er niet thuishoorde.

'Ik weet het.'

Ze liet die opmerking even voor wat zij was voordat ze verderging. Deze keer leek ze beter haar best te doen, het voorzichtige koorddansen over trouweloze woorden van een dronken vrouw, een dikke, onhandige tong als balanceerstok.

'U meende wat u zei, hè?'

'Inderdaad.'

'Denkt u dat u het kunt?'

'Ik ga het doen.'

'Gaat u hem echt vinden? En hem vermoorden?'

'Ja. Ik ga hem vermoorden.'

Hij zag een schaduw bewegen en wist dat Chelsea vanuit de deuropening van de slaapkamer naar hem stond te kijken, maar hij draaide zich niet naar haar toe. Hij keek naar de sluimerende trossen slang en wachtte af wat de moeder van Rachel Bond verder nog te zeggen had.

'Beloof me nog iets,' zei ze. 'Beloof me dat u het me laat weten als u hem te pakken heeft. Wilt u dat doen? Vertelt u het me?'

'Ik krijg hem te pakken,' zei Adam. 'En als het zover is, zult u het weten.'

Ze hing op voordat hij nog iets kon zeggen. Toen Adam naar de slaapkamer terugliep, stond Chelsea er niet meer en was de deur dicht.

17

Rodney Bova woonde in een huurhuis niet ver van het ziekenhuis, waar hij in het onderhoud werkte. Hij was niet thuis, die dinsdagochtend, en Adam liep de straat twee keer door en bekeek iedere auto, want er kon een wagen met agenten in burger staan. Dat bleek niet het geval te zijn. Niemand had uitzicht op de achterkant van het huis, dus naderde hij het vanaf die kant, sprong over de schutting en gebruikte een dunne metalen timmermansliniaal om het slot van de glazen schuifdeur te openen.

Adam trok latex handschoenen aan en wist met een systematische werkwijze in korte tijd een heleboel aan de weet te komen over wat er van Rodney Bova was geworden nadat hij de Cadillac van zijn stiefvader in de fik had gestoken en uit de gangen van Chambers High was verdwenen. Hij volgde de paardenraces, keek porno en deed impulsaankopen – er stond een breed arsenaal aan fitnessapparaten in het appartement, allemaal van die namaaktroep die op nachtelijke commercials voor 19,99 dollar werd aangeboden: *En als je meteen aan de slag gaat, kun ook jij er als een marinier uitzien!* De Rodney Bova op de foto's die in het huis rondslingerden, had de buik van een vrouw die in het tweede trimester van haar zwangerschap zit, dus zo te zien kócht hij de apparaten liever dan dat hij ze gebruikte. Dat was de valkuil als je na porno naar fitnesscommercials keek: voor je het weet ga je denken dat jij ook kans op zo'n vrouw maakt als je dagelijks twintig minuten met dat goedkope rotapparaat aan de slag gaat...

Bova's computer was met een wachtwoord beveiligd. Adam had geen idee hoe je zelfs maar een simpele computerbeveiliging kon kraken. Dat was doodzonde, want die computer had goed van pas kunnen komen. Even overwoog hij hem gewoon mee te nemen en iemand te zoeken die er wel raad mee wist, maar uiteindelijk verwierp hij dat idee, in ieder geval voor het moment. Voorlopig was het beter dat Bova zich nergens van bewust was. Adam wilde dat hij zich veilig en op zijn gemak bleef voelen.

Daarom deed hij een technologische stap terug en stortte zich op stapels oude post en ander papierwerk en onderzocht allerlei onbetekenende en irrelevante spullen in de hoop iets te vinden wat met Rachel Bond in verband stond. Hij begon de moed al te verliezen, maar toen opende hij een Visa-rekening uit juli en zag dat er honderd dollar was afgeschreven ten gunste van een rekening in de Mansfield-gevangenis.

Hij stond in Bova's keuken naar de rekening te staren en probeerde te bedenken waar dat bedrag voor had gediend. Voor een borgsom was het te weinig, zelfs voor een huis van bewaring, en dit was een staatsgevangenis. Als je eenmaal in een staatsgevangenis zat, kwam je niet op borgtocht vrij, al betaalde je een miljoen dollar. Toen viel het kwartje: het was de rekening voor de commissie. Je kon geld naar een gevangene sturen, dus je zou zeker ook geld kunnen overmaken. Lang nadat Rodney Bova zelf was vrijgekomen, had hij geld op een gevangenisrekening gezet om iemand te steunen.

Wie?

De rest van de rekeningen vertelden hetzelfde verhaal – honderd dollar per maand, iedere maand weer, zolang als Bova zijn rekeningen had bewaard, wat meer dan twee jaar was. Hij had niet één maand overgeslagen. Dat was nog eens loyaliteit. Dat was trouw.

Deze trouwe betalingen liepen door tot augustus. Daarvoor konden logischerwijs maar twee redenen zijn: of Rodney Bova had besloten zijn toegewijde betalingen voor gezien te houden, of de ontvanger had Mansfield verlaten.

Het einde van de zomer; toen had Rachel de eerste brieven ontvangen. Misschien was de gedetineerde bij Rodney ingetrokken. Misschien had hij met hem gewerkt, waren ze samen naar Shadow Wood Lane gereden voor de dakspanten.

'Wie ken jij, Rodney?' fluisterde Adam.

Hij legde alle rekeningen netjes terug, maakte nog een laatste ronde om zich ervan te verzekeren dat alles op zijn plaats lag en verliet het huis. Hij liep terug naar zijn auto en belde Penny Gootee om te vragen of hij bij haar langs mocht komen.

'Prima,' zei ze. Ze klonk nuchter, maar uitgehold. 'Dan kunt u meteen net als ieder ander op de tv naar de politie kijken.'

'Wat bedoelt u?'

'Er komt een persconferentie,' zei ze. 'Ze gaan iedereen vertellen hoe mijn lieve meisje is gestorven. Hoe ze is vermoord.'

Ze droeg een te grote sweater met capuchon, waarin ze leek te verdwijnen. Ze moest op een gegeven moment in slaap zijn gevallen, maar niets wees daarop. Toen hij binnenkwam, stond de televisie aan, er was een leeg podium in beeld. Penny zei: 'Kijkt ú maar. Ík wil het niet zien.' Ze liep naar de badkamer en deed de deur achter zich dicht. Adam begreep wel dat hij niet achter haar aan moest gaan. Hij ging naast het dekbed van Rachel Bond op de bank zitten en keek toe hoe Stan Salter naar voren kwam en op het podium plaatsnam, de microfoons met een grimmige blik in de juiste stand zette, eerst naar zijn aantekeningen en toen in de camera's keek en de details leverde die het publiek zo graag wilde horen – de details waarvan het publiek het gevoel had dat het ze verdiend had. Er was misschien een tijd geweest waarin Adam er begrip voor had dat mensen zich het slachtoffer van een drama toe-eigenden, dat ze er deel van uitmaakten omdat ze meeleefden, maar die tijd lag ver achter hem.

Die dag, in de zaak Rachel Bond, luisterde hij echter met net zoveel belangstelling als de rest, die de moordzaak als een kijksport zag. Maar bij hem zou het niet bij kijken alleen blijven.

De autopsie was afgerond, vertelde Salter. Rachel Bond was de verstikkingsdood gestorven, met op de huid van haar hals sporen die op het gebruik van een met duct tape dichtgebonden plastic zak wezen. De zak was niet op de plaats delict teruggevonden, maar ze vermoedden dat hij van doorzichtig plastic was geweest.

Adam dacht daarover na, en over wat dat inhield. Die vuile smeerlap had willen zien hoe ze stierf. Dat was belangrijk voor hem geweest: dat hij het kon zien. Er was geen pistool, mes of knuppel aan te pas gekomen. Zelfs geen bloed.

Eén langzame, afschuwelijke laatste ademtocht, een allerlaatst zuurstofloos snakken, het wegnemen van die universele behoefte: je moet kunnen ademen.

En ten slotte had zij geen adem meer gehad. Die was haar afgenomen.

Salter verklaarde dat het om een leegstaand vakantiehuisje ging en dat de eigenaar van het huisje niet werd verdacht. Hij legde uit dat Rachel ernaartoe was gegaan in de verwachting herenigd te worden met haar vader, van wie ze was vervreemd, maar dat in werkelijkheid iemand zich via een reeks brieven voor haar vader bleek te hebben uitgegeven. Hij vertelde verder dat het onderzoeksteam aanwijzingen verzamelde en forensisch bewijs analyseerde, en pas meer informatie naar buiten zou brengen als dat de zaak ten goede kwam. Adam vond de afstandsbediening en zette de televisie uit. Toen het geluid was weggestorven, ging de badkamerdeur weer open en kwam Penny Gootee tevoorschijn.

'Genoeg gehoord?' vroeg ze.

'Ja...'

Ze liep de gang door, ging naast hem op de bank zitten en sloeg Rachels dekbed om zich heen.

'Ik wil dat u het doet,' zei ze.

'Dat weet ik. Ik zal uw hulp nodig hebben.'

'Zeg het maar.'

'Weet u meer dan wat ze net hebben verteld? Hebben ze u gevraagd of u iemand verdacht?'

'Ze hebben me gevraagd of ik enig idee heb. Dat heb ik niet. Namen hebben ze me niet gegeven.'

'Geen vragen over gevangenen die met uw man in Mansfield hebben gezeten?'

'Jason is nooit mijn man geweest. Noemt u hem niet zo. Ik draag zijn naam niet.'

'Hebben ze u gevraagd met wie Jason in de gevangenis zat?'

Ze schudde haar hoofd.

'Zegt de naam Rodney Bova u iets?'

Ze fronste haar wenkbrauwen en schudde haar hoofd. 'Nee. Hoezo? Wie is dat?'

'Iemand die Jason heeft ontmoet,' zei Adam. 'Meer waarschijnlijk niet.' Hij wilde niet dat ze zich op die naam zou focussen, nog niet, dus vertelde hij niets over de connectie tussen Bova en het zomerhuisje waar haar dochter was vermoord. Hij vroeg of ze de brieven had gezien.

'Ja... Dat is het enige wat ze me hebben laten bekijken. Ik heb kopieën.'

Waarschijnlijk hoopten ze dat ze de brieven goed zou lezen en tegen het licht zou houden, misschien dat er dan alsnog een verdachte uit naar voren zou komen.

'Mag ik ze zien?' vroeg hij.

'Ja.' Ze stond weer op en kwam terug met een stapeltje papieren. 'Deze zijn van Jason,' zei ze, en ze haalde er twee gekopieerde brieven uit en verschoof de asbak om ze naast elkaar op tafel te kunnen leggen. 'Ik herkende ze meteen, moeiteloos. De geur van die klootzak spat van elke bladzijde af.'

De eerste brief was tamelijk onschuldig:

Fijn dat je me hebt geschreven. Je moeder weet er waarschijnlijk niet van, of wel? Ik wed dat je nog nooit een goed woord over me gehoord hebt, in ieder geval niet van haar, dus ze zal het wel niet weten. Ik ben blij dat je zo'n geweldige meid bent geworden. Ik hoop dat het je mee blijft zitten. Verspil geen tijd aan zorgen over mij. Dit is geen plek waar ik je graag zie komen, en ik zou niet weten wat ik je moet vertellen wat je niet al van andere mensen gehoord zult hebben. Ik ben niet trots op mezelf en het spijt me als je je voor je vader schaamt. Maar ik kan het verleden niet ongedaan maken, Rachel, ik kan niet terugkeren om

mijn fouten ongedaan te maken, dus ik zeg alleen dat het me spijt en dat je goed voor jezelf moet zorgen. Volgens mij maak je veel goede keuzes, blijf dat doen.
Jason

'De klootzak,' herhaalde Penny.

De tweede brief was nog korter. Een kort bedankje, een paar woorden om Rachel eraan te herinneren dat haar moeder niet zou willen dat er contact tussen hen was, een herhaald verzoek hem niet te bezoeken en vervolgens het advies op school goede cijfers te halen en op te passen met jongens.

De derde brief was volgens Penny het werk van iemand anders.

'Zie je hoe hij zich plotseling oprecht voordoet?' vroeg ze. 'Jason kan geen oprechtheid veinzen. Jason geeft geen bal om wie dan ook, en omdat hem dat niets kan schelen, kan hij ook niet doen alsof.'

De toon was anders, ja, maar het verschil was nauwelijks waar te nemen. Er werd geen haast gemaakt met de suggestie van mogelijk contact, de relatie werd zorgvuldig opgebouwd. Geduldig, dat woord bleef naar boven komen, degene die het schrijven van Jason Bond had overgenomen, was heel geduldig geweest.

In de volgende brief werd voorzichtig gewag gemaakt van een mogelijk ophanden zijnde vrijlating.

Je moeder zal het je wel niet verteld hebben, en misschien moet jij het haar evenmin vertellen. Het is beter als zij en ik elkaar niet meer zien. Dat moet je goed begrijpen. In haar belang, en in dat van mij.

Dat was de eerste test. Als Rachel had opgelet of als iemand anders dat voor haar had gedaan, dan zou ze hebben kunnen weten dat haar vader nog niet voor voorwaardelijke vrijlating in aanmerking kwam. Wat ze had teruggeschreven, moest duidelijk hebben gemaakt dat ze dit in haar eentje deed en dat ze het nieuws over zijn vrijlating voor waar had aangenomen zonder het te controleren.

Over de brieven die zij had verstuurd, hadden ze geen beschikking. Jason Bond had de twee die hem hadden bereikt weggegooid, wat alles over hem zei wat Adam wilde weten. De andere brievenschrijver had ze misschien wél bewaard – sterker nog, dat was zelfs waarschijnlijk, want wie de moordenaar ook mocht zijn, hij was het type dat souvenirs bewaarde – maar wat Rachel had geschreven konden ze onmogelijk weten, je kon er alleen naar gissen, aan de hand van de antwoorden. Blijkbaar had ze er alleen met haar vriendje over gesproken. En met Kent.

In latere brieven werd zelfs aan zijn broer gerefereerd, wat Adam verraste.

Ik ben zo blij dat je hebt besloten me te gaan schrijven, Rachel. Dat was een heel goede beslissing. Zeg maar tegen de footballcoach dat ik heel blij ben met zijn begrip, zijn aanmoediging. Er zijn niet veel mannen die dat zouden doen. Hij is een speciale kerel.

'Hij had het me kunnen vertellen,' zei Penny. 'Die vervloekte broer van u had moeten bedenken dat hij eerst met haar moeder had moeten praten voordat hij haar aanmoedigde zoiets te doen.'

Adam sprak haar niet tegen. 'Heeft ze er verder met niemand over gesproken? Afgezien van Colin Mears en mijn broer? Wie kan ze verder nog in vertrouwen hebben genomen?'

'Ze had míj in vertrouwen moeten nemen. Maar dat heeft ze niet gedaan, en dat is mijn schuld. Ze weet wat ik van Jason vond. Misschien had ik minder streng moeten zijn, begrijpt u? Misschien had ik... Begrijp me goed, hij is een kwetsende man. Hij heeft me meer pijn gedaan dan wie ook, tot dit gebeurde. En ik wilde haar alleen maar... in bescherming nemen. Ik wilde niet dat hij de kans zou krijgen haar pijn te doen; ik wist zeker dat dat vroeg of laat zou gebeuren. Maar misschien had ik moeten zeggen: Kom, Rachel, laten we je vader opzoeken. Laten we praten over al die redenen om bij die man uit de buurt te blijven. Misschien...'

Haar stem ging omhoog en de tranen volgden. Ze liet haar hoofd zakken en friemelde met haar vinger aan de rits van haar sweater.

'Ik had er met haar over kunnen praten, weet u? Maar ze verstopte de brieven. Omdat ze wist dat ik er niet blij mee zou zijn. Zo was Rachel, ze wilde me nooit verdrietig maken.'

Adam keek toe hoe een traan op de rug van haar hand viel. Hij maakte geen aanstalten haar te troosten.

'Wilt u de waarheid horen?' vroeg ze, weer opkijkend, haar ogen glanzend van de tranen. 'In best veel dingen ben ik echt waardeloos. Ik drink te veel, ik rook te veel, ik kan geen fatsoenlijke baan houden, ik doe het huishouden niet zoals het hoort. Maar weet u wat ik wel altijd goed heb gekund? Van dat meisje houden. Misschien zijn er een hoop mensen die daar anders over denken, die vinden dat ik geen goede moeder ben, maar...'

'Ze hield van u,' zei Adam. 'Dat weet u. U heeft het zelf net gezegd. Ze probeerde u te beschermen, en u probeerde haar te beschermen. Er is geen schuld binnen deze muren. Wat er tussen jullie is gebeurd, is gebeurd omdat jullie voor elkaar probeerden te zorgen. Onthou dat, mevrouw Bond. Dat moet u onthouden.'

Ze veegde met de punt van het dekbed tranen weg en zei: 'Ik denk steeds dat er niet meer is. Ik denk steeds dat ik ben uitgedroogd, dat mijn tranen op zijn.'

Hij zei niets. Ze zou niet uitdrogen. Ze dacht het misschien, maar dan zou ze bij het aanbreken van weer een kille dag in het ijskoude water van Lake Erie huilen. Hij liet haar huilen, stak een sigaret op en rookte zwijgend.

18

Matt Byers was de eerste die zijn zorgen over de manier waarop Colin trainde uitsprak. Ze waren halverwege een oefening toen de coach van de verdedigers Kent opzocht en zacht tegen hem zei: 'Hij jaagt zichzelf zo volledig over de kling, Coach. Kijk maar.'

Kent had al naar hem staan kijken. Ze liepen een *no contact*-oefening – naarmate ze verder in de beslissingswedstrijden kwamen, en hij hoopte dat dat zou gebeuren, zouden er steeds minder contactoefeningen gedaan worden om de vermoeide lichamen te ontzien – maar de jongen leek evengoed op raketbrandstof te gaan. Hij vloog door de patronen, rende terug naar zijn plek achter in de rij en begon zich op te drukken of als een trekpop op en neer te springen. Het was een kille namiddag, maar het zweet droop uit zijn helm.

'Misschien heeft hij het nodig zichzelf over de kling te jagen, Matt.' Sterker nog, Kent wist zeker dat hij het nodig had. Colin had na het horen van de details over de moord op zijn vriendin vast een slapeloze nacht achter de rug. Zijn klas- en teamgenoten hadden die dag op fluistertoon gesproken over de dingen die ze hadden gehoord. Ze wisten allemaal hoe ze was gestorven. Misschien was Kent wel opgelucht geweest als Colin niet op de training was verschenen, maar Colin was er wel en probeerde het uit te zweten, eruit te werken wat hij in zich meedroeg – en ook al was dat onmogelijk, misschien hielp het toch een beetje. Al slaagde hij er maar in zichzelf zodanig af te matten dat hij 's nachts kon slapen, dan was hij al iets geholpen.

'Hij jaagt de jongens angst aan,' zei Matt.

Kent keek hem aan, de klep van de pet van de een dicht bij die van de ander, hun stem nog steeds gedempt. 'Hij jaagt hun geen angst aan, Matt. Ze begrijpen het. Ze weten het. Laat hem vandaag alles geven. Als het genoeg is, stop ik hem. Oké?'

Byers knikte.

Nu stond Colin, normaal gesproken niet iemand die verbaal de leiding nam, tegen de rij met receivers te schreeuwen. Hij eiste sneller voetenwerk, beter handenwerk, meer inspanning. Hij sloeg op de helmen van teamgenoten die langs hem renden, en, ja, ze zagen er inderdaad een beetje beduusd uit. Vooral Lorell McCoy, die wierp een paar onbeholpen passes en zijn altijd goedverzorgde loslaatmoment was te gehaast, alsof hij op Colins razende energie reageerde.

Kent liet hen achter en liep naar de andere kant van het veld, waar de aanvals- en verdedigingslinies aan gespleten-T-formaties werkten. Hickory Hills viel heel opportunistisch aan en deed niet veel meer dan de bal naar de snelste van het team gooien en als een gek proberen een gat voor hem te creëren, meestal zonder veel succes. Daarom speelden hun aanvallers ver uit elkaar, om de frontlinie van Chambers te dwingen ook met veel tussenruimtes te spelen; vervolgens hoopten ze sneller dan de Cardinals-verdedigers te zijn.

Maar dat zou hen niet lukken. Daar was hij van overtuigd, en hij wist ook zeker dat zijn verdedigers dezelfde mogelijkheden zouden zien, dezelfde ruimte, en dan zou er veel meer snelheid in komen. Hickory Hills was in allerlei opzichten een ideale tegenstander, want ze gaven Chambers de kans om hun basis op te poetsen voordat ze het tegen de teams zouden opnemen die Kent hoger aansloeg.

Kent ijsbeerde langs de lijn toen hij Steve Haskins, de coach van de receivers, om een trainer hoorde roepen.

Kent keek om en zag dat Colin Mears op handen en voeten op de veertig-yardlijn zat over te geven.

Hij haastte zich niet om bij hem te komen. Alle spelers keken bezorgd toe, en Kent probeerde met zijn rustige tred kalmte aan hen door te geven. Tegen de tijd dat hij het middenveld had bereikt, was er al een trainer bij Colin die zijn gezicht met een handdoek schoonveegde en hem een flesje Gatorade aanbood. Colin nam een slok, spoelde zijn mond en spuugde op de grasmat. Zijn borstkas ging snel op en neer.

Kent knielde bij hem en legde een hand op zijn rug.

'Gaat het?'

Colin knikte. Hij kokhalsde weer, maar er kwam niets meer uit. Tussen twee ademteugen door zei hij: 'Ik kan weer verder, Coach. Ik kan weer verder.'

'Ga zitten. Ik zeg wel wanneer je verder kunt.'

'Nee, sir. Het gaat prima. Ik ben...'

'Jongen, kun je herhalen wat je net zei?'

Colin spuugde nog een keer en keek hem weer aan. 'Ik zei dat het prima gaat, ik ben klaar om te...'

'Laten we even kijken wat hier precies aan de hand is, maar dan iets langzamer. Ik vertelde je wat je moest doen. En toen?'

Colins ademhaling werd rustiger, maar hij keek verward uit zijn ogen.

'Wat deed je net?' vroeg Kent weer, die ervoor zorgde zo hard te praten dat ook de anderen hem konden horen en de jongen met zijn blik intimideerde, zoals hij dat iedere andere training zou doen, welke dag dan ook.

'Ik sprak u tegen,' zei Colin.

'Inderdaad. Je zit in het laatste jaar, toch?'

'Ja, sir.'

'Heb jij weleens meegemaakt dat het iemand goed heeft gedaan mij op mijn footballveld tegen te spreken?' Hij sprak nu nog luider. Ze moesten allemaal weten dat dit een dag als alle dagen was, zowel voor Colin als voor zijn teamgenoten – laat hem iets vertrouwds in deze training vinden, zodat hij niet volkomen van zijn verstand zou worden beroofd.

'Nee, sir.'

'Zo is dat. En daar komt vandaag geen verandering in. Ga achter de lijn zitten. Ik vertel je wanneer je weer verder kunt.'

Colin kwam onvast overeind en liep naar de zijlijn. Ook Kent stond op, en hij keek over het veld naar al die ongemakkelijke gezichten en schreeuwde: 'Dat is pas je stinkende best doen, heren! Denk daaraan. Als jullie nóg een paar footballwedstrijden willen winnen, zullen jullie je stinkende best moeten doen!'

De rest ging weer aan de slag. Colin zat op het gras vlak langs het veld, zijn helm nog steeds op zijn hoofd. Kent liep naar hem toe, knielde neer en sprak vanuit zijn mondhoek, met zijn blik op het veld.

'Zeg eens eerlijk, knul, wat helpt meer – hier zijn of thuis zijn?'

'Hier zijn, sir.'

'Je weet toch dat dit hier niet belangrijk is,' zei Kent. Hij maakte een gebaar naar het veld. 'Dat begrijp je toch wel?'

'Het is wel belangrijk. Ik heb het nodig.'

Kent knikte. 'Ik ben hier, Colin. Ik kan je niet beloven dat ik je kan helpen, maar ik kan je wel beloven dat ik er ben. Als je me iets moet vertellen of wilt vertellen, aarzel dan niet.'

'Dank u, Coach.' Hij huilde nu, en Kent liet niet merken dat hij dat wist.

'Zodra je er klaar voor bent,' zei hij, 'ga je verder.'

Hij stond op en liep weg. Op het middenveld had Colin Mears hem weer ingehaald.

Kent kon zich zo voorstellen dat er tijdens het seizoen weinig minder benijdenswaardig was dan de vrouw met de twee kinderen van een footballcoach te zijn. Hij deed zijn best te helpen, hij probeerde de last zo veel mogelijk te verlichten, maar de waarheid gebood hem te erkennen dat hij maanden achter elkaar iedere avond weg was. En nu, met de beslissingswedstrijden? Het geringe aantal uren dat overbleef werd steeds geringer.

Hij kwam die dinsdag iets na tienen thuis – en dat was veel minder laat dan andere coaches het maakten. Ook Kent kwam in de verleiding langer door te gaan, veel langer zelfs, maar zijn programma was gebaseerd op discipline en die discipline gold ook buiten het veld, in de werkkamer van de coach. Bij Kent werd er geen minuut verspild – geen seconde zelfs. Focus en concentratie, focus en concentratie, focus en concentratie. Het werd er voortdurend bij de jongens ingestampt, maar ze beseften niet dat de assistenten van de coach dat ook te horen kregen, en misschien zelfs vaker dan zij. Andere coaches keken samen met hun staf tot in de kleine uurtjes met een half oog wedstrijdbeelden terwijl ze bier dronken en moppen tapten, maar daarvan was in Chambers geen sprake. Ondanks de stabiele en consequente houding waar hij om bekendstond, was Kent in de loop der jaren al een hoop assistent-coaches kwijtgeraakt omdat het bij hem niet echt leuk was. Hij zat daar niet mee.

Hij kwam thuis, sloop op kousenvoeten het donkere huis in, kuste zijn slapende zoon en dochter op het voorhoofd en liep naar zijn slaapkamer om daar van zijn vrouw te horen dat Lisa op school dingen over haar tante had gehoord.

'Ze vroeg vandaag naar Marie,' zei Beth. Ze lag in bed, op haar borst een boek van Pat Conroy, de tv aan de andere kant van de kamer aan. Dat was iets waar ze altijd en goedgehumeurd over kibbelden. 'Hoe kun je nou lezen en tv-kijken tegelijk?' vroeg Kent dan. 'Dat is gewoon onmogelijk. Doe óf het een, óf het ander.' En dan zei zij: 'Gek, soms staat de tv aan en doe ik iets anders dan lezen, maar daar klaag je nooit over.' Waarmee ze natuurlijk een punt had.

Hij zat naast haar op bed. 'Wat zei ze?'

'Kinderen hebben gezegd dat Marie is vermoord. Ze wilde weten of dat waar is. Toen zei ze dat ze had gehoord dat het in de krant had gestaan. Ze wilde het lezen.'

Ze klonk moe, en Kent legde een hand op haar been, medeleven en een verontschuldiging ineen. Het gesprek dat zij met hun dochter had gehad was onvermijdelijk geweest, maar het was aan hem geweest het te voeren, en zíj had het moeten doen omdat híj er niet was. Terwijl hij zich had geconcentreerd op videobeelden van tieners die football speelden, had Beth voor twee kinderen gekookt en aan een van hen uitleg gegeven over een moord. Op sommige momenten werd hij bekropen door het gevoel dat hij zich met iets belachelijks bezighield, dan kwamen het 'wij bouwen aan karakter, het gaat om meer dan het spelletje, deze kinderen doen op het veld levenslessen op' hem volkomen belachelijk voor.

'Hoe nam ze het op?' vroeg hij. Hij hoefde niet te vragen wat Beth tegen haar had gezegd, hij wist dat ze geen verstoppertje had gespeeld maar ook niet in details was getreden, ze was gewoon op een zachte manier eerlijk geweest.

'Ze wilde weten waarom je nooit over Marie praat. Waarom je het haar nooit hebt verteld. Ik geloof dat dat haar een beetje heeft gekwetst.'

'Dat lijkt me geen onredelijke reactie.'

'Ik heb haar verteld dat het je pijn doet om erover te vertellen, dat een zus net zoiets is als een dochter, en dat het daarom des te pijnlijker is om erover te praten.'

Hij voelde zijn keel dik worden en keek weg van haar blik, door het donkere raam naar buiten, naar de kale takken die door het licht in de kamer werden beschenen. Hij ademde uit, ging naast haar liggen, legde zijn hoofd op het kussen en keek haar aan. In haar ogen vond hij vrede, dat was altijd zo geweest, in al die jaren waarin hij in haar ziel had gezocht, in al die jaren waarin hij zoveel in haar ziel had gevonden.

'Het spijt me,' zei hij.

'Misschien was het wel goed dat ik het haar vertelde.'

'Heeft Andrew het gehoord?'

'Nee.'

'Denk je dat ze er met mij over wil praten? Moet ik erop terugkomen?'

'Ja, je moet met haar praten. Ik weet niet of ze erop zal aandringen, maar ze is nieuwsgierig. Het verbaasde haar dat ze van niets wist. Ze vindt zichzelf veel te oud en groot om van zoiets buitengesloten te zijn. Ik heb alleen gezegd dat het je pijn doet en dat je er heel goed in bent iets wat je pijn doet voor jezelf te houden.'

Terwijl ze dat zei, kneep ze in zijn linkerknie, de slechte. Hij keek toe hoe haar slanke vingers het zachte, beschadigde weefsel onder de knieschijf masseerden.

'Ik praat wel met haar,' zei hij. 'Ze vindt het niet eerlijk en waarschijnlijk heeft ze gelijk. Ze verdient het dat zij meer over haar eigen familie weet dan die kinderen op school. Dat heb ik nooit gewild.'

Beth zei: 'Ze had nog een vraag die ik jou laat afhandelen.'

'O ja?'

'Ze wilde weten of dat ermee te maken heeft dat we niet van oom Adam houden.'

Zijn blik ging van haar hand terug naar haar ogen. 'Wat?'

Beth knikte. 'Dat is precies hoe ze het zei: dat we niet van hem houden. Alsof het iets is wat iedereen weet. Een familiewet. Wij houden niet van de Pittsburgh Steelers. Wij houden niet van oom Adam. Heel gewoon.'

Hij haalde zijn hand over zijn gezicht en wreef over zijn voorhoofd.

'Goed,' zei hij. 'Ik praat wel met haar.'

'Goed,' zei Beth. 'En met Adam?'

'Hè?'

'Ga je nog een keer met hem praten?'

'Nee.'

'Echt niet?'

'Ik heb gezegd wat ik kon zeggen. Verrast het je? We praten niet zo vaak met elkaar, Beth.'

'Dat weet ik, Kent. Dat weet ik. Maar nu?' Ze schudde haar hoofd. 'Ik kan gewoon niet geloven dat geen van jullie tweeën de telefoon pakt.'

'Om wat te zeggen?'

'Geen idee. Er is een meisje vermoord, jullie praten daar met de politie over, jullie kenden haar allebei en de hele stad heeft het over jullie zus. Je hebt gelijk, Kent. Niets om over te praten.'

Ze liet zijn knie los, draaide zich om en pakte haar boek. Hij keek gefrustreerd naar haar en zei: 'Ik probeer me op de toekomst te concentreren, Beth. Ik probeer mijn team te helpen hetzelfde te doen. Dat zijn niet Adams sterke punten. Hij draait in cirkels, cirkels, cirkels. Daar wil ik niet in verstrikt raken. Dat kan ik niet.'

19

Adam hoopte dat Rodney Bova niet alleen woonde. Dat er tegen de avond nog iemand naar zijn huis kwam, iemand die in de zomer voorwaardelijk uit Mansfield was vrijgelaten.

Maar zo gemakkelijk ging het niet.

Bova bleef die dinsdagavond alleen, en die woensdag- en donderdagavond ook. Hij reed naar het ziekenhuis, zette zijn auto in de parkeergarage, deed zijn werk, reed acht uur later weer naar huis en zette de tv aan. Heel vredig, zich van niets bewust.

En ondertussen verspilde hij Adams tijd.

Adam hield zich niet aan zijn eigen protocol: hij was niet in beweging, zijn zoektocht stagneerde, hij wachtte af tot zijn doelwit iets deed in plaats van zelf actie te ondernemen. Dat kon hij zich niet veroorloven, maar hij wilde nog geen contact. Nog niet. Het was cruciaal om te achterhalen naar wie Bova al die tijd geld had gestuurd, maar Adam kon niet het risico nemen dat hij de bron van die informatie zou wegjagen. Hij moest proberen op een andere manier gegevens te verzamelen – naar de gevangenis gaan, met Jason Bond praten, kijken of hij iemand in de gevangeniswinkel kon omkopen, wat dan ook. Alleen in dat geval zou hij Bova los moeten laten.

Maar er waren nog andere mogelijkheden.

Net als in de meeste andere staten heeft een borgsteller in de staat Ohio unieke bevoegdheden. Adam mocht iemand voor wie hij zich borg stelde met een zendertje uitrusten, onder bepaalde omstandigheden mocht hij zonder bevelschrift huiszoeking doen en hij mocht meer in het algemeen een inbreuk op de privacy maken die verderging dan wat het gewone publiek mocht, maar ook dan wat de politie was toegestaan. Als je je eenmaal borg had gesteld, bezat je die verdachte gedeeltelijk, en het deel dat je van die persoon bezat was groter dan hij, in zijn haast om de papieren te tekenen die de sloten op de gevangenisdeuren open lieten springen, besefte.

Adam had vaak over de monetaire waarde van de borgtocht nagedacht, maar zelden over de macht die hij verwierf zodra de verdachte zijn handtekening had gezet. Jij hebt het recht mij in de gaten te houden, erkende de verdachte. Ik ben van jou.

Op donderdagmorgen, precies één week nadat hij in Haslem's op Jerry Norris had zitten wachten, vervolgde Adam zijn speurtocht naar hem. De eerste twee keer dat Jerry Norris zijn borg had geschonden, was hij bij zijn neef op de bank gecrasht, en al was hij daarna met dat patroon gestopt, Adam was ervan overtuigd dat Rick Tieken, de neef, wist waar hij hem kon vinden. In het verleden had hij weleens geprobeerd Tieken om te kopen – en met succes. Familie was belangrijk voor Tieken, zeker, maar geld was belangrijker. Een kwestie van prioriteiten dus.

Tieken werkte in een winkel voor auto-onderdelen, en toen Adam binnenliep, stond hij achter de kassa. Hij keek op toen het belletje boven de deur ging, herkende Adam en grijnsde. Waarschijnlijk verwachtte hij hem al een week.

'Hoe gaat-ie, Tiek?'

'Prima man, prima. Heeft de Jeep je weer in de steek gelaten?'

'Het is de multiriem,' zei Adam. 'Ik heb het gevoel dat die naar zijn grootje is. Heb je die voor me?'

'Dat denk ik wel. Welk jaar was het ook weer?'

'2004.'

Tieken roffelde op de computer, schreef een nummer op en verdween in de ruimte achter de toonbank. Hij kwam terug met de riem in een plastic verpakking.

'Dit zou het 'm moeten doen, chef.'

'Te gek. Zou je even met me willen meelopen om er een blik op te werpen?' vroeg Adam terwijl hij een nadrukkelijke blik op de andere medewerker in de winkel wierp. 'Ik wil zeker weten dat ik mijn geld goed besteed. Een professionele mening zou kunnen helpen.'

Tiekens grijns werd nog breder. Hij wist wat er van hem werd verwacht.

'Heb je je neef nog gezien, de laatste tijd?' vroeg Adam toen ze de hoek van de winkel omsloegen en naar de Jeep liepen. Die had hij achter een bestelbusje van de winkel geparkeerd, zodat je hem vanaf de straat niet kon zien.

'Hillary? We hebben gisteravond nog gekaart.'

'Geestig. Maar je weet best dat ik het over Jerry heb. Waar is hij?'

'O, Jerry?' Tieken haalde een hand door zijn rode haar en tuitte zijn lippen. 'Man, ik dacht dat die ouwe reus in de gevangenis zat. Is dat dan niet zo?'

'Daar hoort hij wel thuis,' zei Adam. Hij maakte het portier open en ontgrendelde de motorkap. 'En daar heb ik tien mille in geïnvesteerd. Denk je dat je zou kunnen helpen?'

'Tien mille? Wauw, dat is veel geld.'

'Inderdaad.' Adam opende de motorkap en zette de steunhaak eronder. 'En weet je, Tiek? Het moet snel geregeld worden. Als in vandaag.'

Datgene wat geregeld moest worden had niets met Jerry Norris te maken; Jerry was een middel om zijn doel te bereiken, en Adam kon het zich niet permitteren daar tijd mee te verspillen. Hij nam de zak uit Tiekens handen, scheurde het plastic open en trok de riem eruit. Een lange lus van sterk rubber, met een v-vormige voor erin. Hij trok aan de uiteinden; er stond een bevredigende spanning op.

'Wil je je met deze flauwekul vermaken, of wil je wat bijverdienen?' vroeg hij. 'Snel kiezen, Tiek. Ik heb er tweehonderd dollar voor over, en over dertig seconden ben je te laat. Dus snel kiezen.'

'Tweehonderd? Ik dacht dat hij jou tienduizend waard was. Ik bedoel, als je vijf mille zou uitgeven om hem terug te krijgen, speel je quitte, dat zou al helpen, toch?'

Adam sloeg de multiriem over Rick Tiekens hoofd, trok hem naar achteren en draaide hem een slag. Tiekens verbaasde gegrom was het laatste wat uit hem kwam voordat hij zonder lucht kwam te zitten. Hij probeerde zijn vingers onder de riem te krijgen, maar

Adam draaide hem nog een slag, ramde hem naar voren, met zijn gezicht op het motorblok dat misschien niet heet genoeg was om te schroeien, maar wel heet genoeg om uiterst onaangenaam te zijn. Adam boog voorover en sprak met zijn mond vlak bij Tiekens oor.

'Ik heb geen tijd voor je geintjes, Tiek. Ik heb er gewoon echt geen tijd voor.'

Hij sloeg hem nog een keer op het motorblok. Tieken probeerde er een snik uit te krijgen, maar had daar de lucht niet voor – hij raakte alleen maar meer in ademnood. Adam zette een stap naar achteren en deed de riem wat losser. Tieken probeerde hem uit alle macht af te krijgen, wat Adam toestond; hij trok hem over zijn hoofd en hield hem om zijn hand. Tieken liet zich snakkend naar adem op de parkeerplaats zakken. Adam haalde de riem naar achteren, sloeg Tieken op zijn ribben en keek toe hoe hij dubbelsloeg en met zijn gezicht in het grind viel.

'Klootzak,' piepte Tieken. 'Ik bel de politie, gore…'

'Als je dat doet, kom ik terug en sla ik al je tanden uit je bek. En vertel me nu waar die hersendode neef van je uithangt. Ik beloof je, de volgende keer dat je me ziet, loopt het minder goed met je af.'

Tieken keek naar hem op, en Adam glimlachte, maakte van de riem in zijn vuist een strop en liet die voor Tiekens ogen heen en weer bungelen.

'Als je me wilt laten arresteren, zorg ik ervoor dat ik het heb verdiend, neem dat maar van mij aan.'

Tieken gaf hem, naar adem happend, een adres.

'Ik mag hopen dat het klopt,' zei Adam.

'Het klopt.'

'Dat ga ik nu uitzoeken.' Adam liet de riem in een losse knoop op zijn borst vallen. 'Die riem heb ik eigenlijk toch niet nodig. Neem hem maar weer mee, oké?'

Het adres bleek inderdaad te kloppen. Jerry Norris lag in een stacaravan aan de rand van Chambers op een bank naar SportsCenter te kijken en gooide Dorito's naar een vette mopshond die bij hem op de bank zat. Toen Adam aanklopte, keek hij naar het raam, maakte oogcontact, sprong op en schoot het gangetje in. Meteen stortte de hond zich op de Dorito's, hij zat in een mum van tijd met zijn kop in de zak. Op elk ander moment had Adam erom kunnen lachen. Je had borgschenners waar je je echt zorgen om maakte, kerels die je niet op straat maar achter de tralies wilde zien, en je had borgschenners zoals Jerry. Die om negen uur 's ochtends met een mopshond Dorito's zaten te eten.

'Jerry?' riep Adam. 'We hebben elkaar net gezien. Ik heb je gevonden. Of ik wacht buiten en bel de politie, of jij opent die fucking deur.'

Stilte. De mopshond was met de zak chips op zijn kop van de bank gevallen. Adam kneep in de brug van zijn neus en sloot zijn ogen.

'Jerry! Kom op!'

Hij hoorde het klikken van een deur en zag dat Jerry de woonkamer weer in liep. Hij keek door het raam naar Adam, spreidde zijn handen en glimlachte gelaten.

'Da's m'n instinct,' zei hij.

Adam knikte. Instinct.

'Laat me even binnen.'

Jerry deed de deur van het slot en zwaaide hem open. Adam liep de trailer in en keek om zich heen, naar de mopshond die de zak Dorito's door de woonkamer naar de keuken duwde, en vroeg: 'Van wie is dit?'

'Ze heet Christine. Ze werkt aan de tolweg. Ik heb haar in het tolhuisje leren kennen.'

Eén ding moest Adam Jerry nageven: iemand in een tolhuisje oppikken was indrukwekkend. Waarschijnlijk was er niet veel verkeer geweest.

'Weet zij dat je je borg hebt geschonden?'

Jerry schudde zijn hoofd.

'Hebben jullie het goed samen? Denk je dat het wat kan worden als je niet in de bak belandt?'

'Misschien.'

'Denk je dat het wat kan worden als je wél in de bak belandt?'

'Dat lijkt me sterk.'

'Goed,' zei Adam, 'dan moeten we praten.'

Jerry keek hem verbaasd aan. Normaal gesproken werd er niet gepraat; normaal gesproken deed Adam hem de boeien om en rekende hem in.

'Je zit minstens negentig dagen, als ik je aflever,' zei Adam. 'Minstens. Ze kunnen ook voor een jaar gaan. Zeg maar dag tegen Christine. Klinkt waardeloos, toch?'

Jerry wachtte, nieuwsgierig of verbaasd, of allebei.

'Maar als je iets voor me kunt doen, rij ik zonder jou weg,' zei Adam. 'Ik heb drugs nodig.'

'Je neemt me in de maling.'

'Nee.'

Jerry lachte. 'O, man, dat kun je niet menen! Wat heb je nodig?'

'Iets van heroïne, crack of coke zou geweldig zijn,' zei Adam. 'Maar als dat lastig wordt, ben ik ook tevreden met OxyContin, als de kwaliteit tenminste wel een beetje goed is.'

De glimlach op Jerry's gezicht verbleekte, en hij kneep zijn ogen tot spleetjes. 'Rot op, man. Dit soort bullshit noem ik uitlokking.'

'Alleen de politie kan je uitlokken, Jerry. En ik ben bloedserieus. Ik ben met alles tevreden. Maar dan moet ik het wel nu meteen hebben. Anders rijden we naar de gevangenis. Nu meteen.'

Het bleef lang stil. Jerry bestudeerde zijn gezicht bij de geluiden van een sportzender en de mopshond die ergens buiten hun zicht in de keuken met de zak chips worstelde.

'Ik kan je wel wat OxyContin geven.'

'Ik wil er meer dan honderd.'

'Wat? Waarvoor?'

'Jerry, ik zeg het nog één keer: we hadden allang op weg naar de gevangenis kunnen zijn. Ik vind het bloedirritant dat ik dat steeds moet herhalen. Dit is de boodschap: ik laat de borgtocht zitten als jij minstens honderdenéén pillen voor me hebt. Begrepen?'

Jerry begreep het uitstekend. Die ene pil extra maakte het verschil tussen een aanklacht wegens verboden bezit en een aanklacht wegens handelen. Tussen een districtsbajes en een staatsgevangenis.

'Vergeet het maar,' zei hij hoofdschuddend. 'Ik laat me er echt niet in luizen, man.'

'Jou erin luizen? Jerry, ik héb je al. Ik bied je een uitweg. Jij mag het zeggen.'

Jerry Norris zuchtte, keek Adam ongelukkig aan – hij vond het maar niets, maar zeven maanden brommen vond hij ook niks, en hij zei: 'Wacht even,' en hij liep door het gangetje naar de slaapkamer en deed de deur dicht. Toen hij terugkwam, had hij vier oranje medicijnflesjes in zijn hand.

'Het zijn er honderdtwintig,' zei hij. 'Het gaat wel om een hoop geld. Valt daar ook nog over te praten?'

Het had weinig gescheeld of Adam was in de lach geschoten. Die klootzak had wel lef, dat moest je hem nageven.

'Jerry,' zei hij, 'jij en die hond die op dit moment in een zak chips vastzit waren net zo gezellig spitsvondigheden met elkaar aan het uitwisselen. Daar laat ik jullie nu weer fijn mee verdergaan.'

Hij stak de flesjes met pillen in zijn zak, verliet de trailer en reed naar de parkeergarage van het ziekenhuis, waar Rodney Bova elke dag zijn pick-up parkeerde.

Hij had na het opmaken van een risico-versus-beloningbalans besloten naar de parkeergarage van het ziekenhuis te gaan. Aan de ene kant was de kans op succes in de parkeergarage veel groter dan in Rodney Bova's huis, aan de andere kant zouden er in de parkeergarage zeker beveiligingscamera's hangen. Dat probleem pakte Adam aan door een jack, een hoed en autosleutels uit Bova's huis te lenen. Tot zijn blijdschap had Bova een tweede beveiligingspasje, compleet met foto. Het was verlopen, maar Adam hij of het ontwerp in de tussentijd was veranderd. Adam was een stuk groter dan Bova, maar als hij zijn hoofd boog, het petje over zijn voorhoofd trok en zich snel en zelfverzekerd bewoog, zou het voor iemand die de opnames bekeek op zijn minst lastig worden om het onderscheid te zien.

Hij parkeerde zijn eigen auto op een veilige afstand, zodat die niet door camera's in beeld gebracht zou worden, liep met zijn blik omlaag naar binnen en zorgde ervoor dat hij niet naar de camera's keek. Eenmaal binnen vond hij een toilet zonder camera's, waar hij een uur bleef zitten, zodat er na zijn binnenkomst een groot tijdgat in de opnames van de beveiligingscamera's zou zitten. Een slimme rechercheur zou zich hier niet door om de tuin laten leiden, maar het was onwaarschijnlijk dat die zoveel geloof hechtte aan het verhaal dat 'iemand dat spul in mijn auto heeft gelegd' dat hij op onderzoek zou uitgaan.

Hij liep snel via de verbindingsgang naar de parkeergarage. Eenmaal in de slecht verlichte ruimte daalde hij meteen af naar de tweede verdieping, waar Bova de dag ervoor zijn auto had geparkeerd. De F150 stond op precies dezelfde plek als toen. Hij trok handschoenen aan, opende het portier met Bova's reservesleutel, legde de flesjes OxyContin in het handschoenenkastje en haalde een Colt .38 uit de zak van zijn jack. Die had Adam van een eerdere borgschenner – hij had hem van hem afgepakt nadat de jongen hem eerst had bedreigd maar vervolgens toch inbond. Het serienummer van de revolver was weggevijld, en hij was zonder enige twijfel in de loop der jaren van hand tot hand gegaan. Nu was hij geladen, en vingerafdrukken waren er afgeveegd. Ook het wapen legde hij in het handschoenenkastje, en hij sloot de auto weer af.

In minder dan twee minuten was hij weer boven; weer tien minuten later was hij terug in Bova's huis en legde hij het jack, de pet en de autosleutels precies terug op de plek waar ze gelegen hadden.

Het duurde nog twee uur voordat Rodney Bova ging lunchen. Adam, die zijn auto zo had geparkeerd dat hij de ingang van het ziekenhuis goed in de gaten kon houden, glipte achter hem aan, volgde hem naar een Burger King, belde de politie met een mobiele wegwerptelefoon – 'branders' noemden zijn borgschenners die dingen, die jongens wilden niet dat er een nummer bij hun naam stond – en gaf de locatie en het kentekennummer door met de mededeling dat de bestuurder dronken en gewapend was.

'Ik toeterde, weet u, omdat hij zo slingerde, en toen trok hij een revolver,' zei Adam met een hoge stem en een dunne handdoek tussen de telefoon en zijn mond. 'Hij richtte dat ding op me, ik dacht dat hij ging schieten.'

Vanzelfsprekend vroegen ze naar zijn naam.

'Echt niet!' zei hij. 'Vergeet het maar! De vent heeft zijn wapen op me gericht, begrijpt u wel wat ik zeg? Ik wil er verder niets mee te maken hebben. Ik moet niet hebben dat hij naar mijn huis komt en mijn vrouw en kinderen bedreigt – je weet nooit hoe zo'n kerel reageert. Houdt u hem nou maar gewoon aan, dan merkt u snel genoeg of ik lieg of niet. En als u niet opschiet, is hij al uit de Burger King op Lincoln Avenue verdwenen. Die gast is lam of stoned en hij loopt met een wapen te zwaaien. Doe er iets aan.'

Hij hing op. Een advocaat kon zich op zo'n anoniem telefoontje uitleven, maar wat er in een rechtszaal zou gebeuren, interesseerde Adam niet – hij wilde alleen maar een plausibele aanleiding aandragen voor het doorzoeken van de auto.

Toen de f150 de parkeerplaats van de Burger King verliet, passeerde Adam hem in tegenovergestelde richting en sloeg twee keer links af, zodat hij er parallel aan reed. Het duurde misschien anderhalve kilometer voordat hij in een zijstraat zwaailichten zag.

Hij belde nog een keer, deze keer met zijn eigen telefoon, naar de gevangenis van Chambers, en vroeg naar een agent die hij goed kende, een man die in ruil voor een kleine commissie weleens iemand naar aa-Borgtochten stuurde. Er waren maar drie borgtochtverstrekkers in het district, maar Adam nam geen enkel risico – hij mocht deze zaak niet mislopen.

'Ik hoor net op de scanner dat jullie zo een gast binnenkrijgen die is opgepakt voor drugsbezit,' zei hij. 'Wapens, misschien ook. Klinkt lucratief. Ik heb het nodig. Snap je?'

'Zeker.'

'Eén mille als je hem mijn kant op stuurt. Je krijgt het vanavond. Ik heb hem nodig. En als iemand meer biedt, gaat mijn bod mee omhoog. Maar als je hem mij aanraadt, niet mijn naam gebruiken. Alleen aa-Borgtochten.'

'Duizend dollar? Shit, Austin, deal!'

'Bedankt,' zei Adam. Hij verbrak de verbinding en reed naar zijn kantoor. Chelsea zat achter het bureau. Ze keek hem aan en spreidde haar handen.

'Zit Jerry Norris weer achter de tralies?'

'Nee,' zei Adam. 'Maar ik heb voor vandaag genoeg achter hem aan gezeten. Zijn er telefoontjes binnengekomen?'

Ze fronste haar wenkbrauwen. 'Niet één. Het is rustig.'

'Misschien trekt het nog aan,' zei hij.

20

Iets na drieën hoorde Adam dat Rodney Bova vanuit de Chambers County-gevangenis voor een borgtocht belde. Chelsea nam de standaardvoorwaarden met hem door en beloofde dat ze er over een kwartier zou zijn om de borgtocht te regelen.

'Goed nieuws,' zei ze toen ze had opgehangen. 'Een borgtocht van vijftig mille voor ene Bova, opgepakt voor drugs- en wapenbezit. Dan hebben we vandaag toch maar mooi vijf mille verdiend.'

'Heel mooi,' zei Adam. 'Ik ga het wel regelen.'

'Dat kan ik wel doen.'

Hij schudde zijn hoofd en stond op. 'Ik moet er toch mijn gezicht weer eens laten zien.'

'Weet je het zeker?'

'Absoluut,' zei hij. Hij pakte het benodigde papierwerk en liep de deur uit, naar de gevangenis.

De gevangenis beschikte over een speciale kamer voor borgtochtgesprekken. Adam liep naar binnen, en even later werd Rodney Bova binnengeleid. Zeggen dat de man verbijsterd was, was een understatement. Hij was lijkbleek, en toen hij de papieren van Adam aannam, trilden zijn handen. Eigenlijk zag hij eruit alsof hij ieder moment kon overgeven of flauwvallen. Als hij Adam al herkende, liet hij dat niet merken.

'Dit is echt bezopen!' zei hij tegen Adam. 'Die spullen zijn door iemand in mijn pick-up gelegd. Ik weet niet wat ik moet doen. Ik heb een advocaat gebeld, maar ik weet niet of hij me geloofde. Ik heb geen...'

'Herken je me niet?' vroeg Adam.

Bova keek hem verbaasd aan. 'Watte?'

'Adam Austin. We hebben op...'

'O, shit. Ja, natuurlijk. De middelbare school. Jij was de grote footballster.'

'En jij werd overgeplaatst, toch?'

Bova's uitdrukking veranderde even, toen knikte hij. 'Ja, precies, ik werd overgeplaatst. Maar luister, man, wat moet ik doen? Ik ben erin geluisd.'

'O ja?' vroeg Adam. Hij besloot voor verveeld en meewarig te gaan, wat niet moeilijk was, want de helft van de gasten die in deze kamer belandden, beweerden dat ze erin geluisd waren. 'Waarom dan?'

'Ik heb geen idee, man. Geen flauw idee. Maar dit is geen toeval. Iemand heeft het op me gemunt.'

Toen Adam niet reageerde, wreef Bova over zijn gezicht. Zijn hand kwam er bezweet van af. 'Laten we de papierhandel maar invullen, oké? Ik deal er wel mee als ik weer op vrije voeten ben.'

'Prima,' zei Adam. Het kostte hem moeite om achteloos over te komen. Hij wilde alle geheimen van deze man horen, en hij had met plezier zijn hoofd tegen de muur geramd om ze eruit te slaan, alsof de waarheid er tegelijk met het bloed uit zou stromen, maar dat was niet de juiste manier om dit aan te pakken. 'Je borgtocht is op vijftigduizend dollar gesteld. Het werkt als volgt: ik stel me garant voor de borgsom en garandeer daarmee dat jij voor de rechter verschijnt; zo niet, dan draai ik voor de schuld op. Begrepen?'

'Ja.'

'Ik verdien mijn geld met de premie die jij betaalt voor het risico dat ik neem door jouw borgtocht te verzekeren. Dat bedrag is niet terug te vorderen. Het is het geld waarmee ik mijn energierekening betaal. Het maakt niet uit of de zaak voor de rechter komt en jij wel of niet wordt veroordeeld; de premie die je mij betaalt, krijg je niet terug.'

'Tien procent?' Dit was de stem van een gewone verdachte, van iemand die de kneepjes van het vak kende.

'Ja. Dus dat is vijfduizend dollar.'

Bova huiverde. 'Dit is onzin. Ik ben erin geluisd, man, en...'

'Dat is mijn zaak niet. Ik ben er alleen verantwoordelijk voor dat je voor de rechter verschijnt. Om uit de gevangenis te komen, betaal je mij een premie, en gewoonlijk is dat tien procent. Maar... ik kan er flink wat af doen als je bereid bent mij tegemoet te komen.'

'Hoe bedoel je?'

'Ik kan het me niet veroorloven dat je de borg schendt, begrepen?'

'Dat zou ik nooit...'

'Dat denk ik ook niet,' zei Adam. 'Je krediet lijkt me decent, je hebt een baan en dat soort dingen. Daarom bied ik je een premie van één procent in plaats van die tien procent aan als je bereid bent om een enkelband te dragen. Dan vullen we de papieren in alsof het de standaard tien procent is, maar breng ik je een lager bedrag in rekening.'

Bova leek te twijfelen. 'Ik weet niet of ik dat wel wil.'

Interessant, dacht Adam. Je geeft liever een paar duizend dollar uit dan dat je een zendertje draagt? Waarom, Rodney, ouwe maat van me?

Hij zei: 'Je gaat er toch van uit dat de aanklacht wordt afgewezen?'

'Absoluut. Ja, absoluut.'

'Oké. Als ik dat hoor, word ik blij, omdat ik me dan geen zorgen hoef te maken dat ik achter je aan moet gaan. Maar ik maak me nóg minder zorgen als jij een enkelband draagt. Daarom kan ik zoveel minder rekenen. Onder je broek zie je er niets van, dus niemand heeft het in de gaten. En je spaart vijfenveertighonderd dollar uit. Aan jou de keus.'

Het enige wat hij niet had voorzien was dat hij de prijs zou laten zakken. Adam stelde de enkelband soms als voorwaarde voor verdachten met een geschiedenis van borgschennig, of in het geval van een buitengewoon hoge borgtocht. Zijn tarief reduceren in ruil voor het dragen ervan had hij nog nooit gedaan; het was niet eens legaal.

Bova twijfelde nog steeds.

'Misschien moet je ook in je overweging meenemen dat je bereidheid om een enkelband te dragen je voor de rechter kan helpen,' zei

Adam. 'Het laat zien dat je geen vluchtrisico vormt.'

Het interesseerde de rechter geen bal wat een verdachte met een borgsomgeldschieter afsprak, maar het klonk goed, en hij was onmiddellijk blij dat hij die kaart had gespeeld, want hij leek Rodney Bova over de streep te trekken.

'Goed dan,' zei hij. 'Goed. Ik draag wel een enkelband. Hij gaat toch niet af, als een alarm of zo? En niemand kan hem zien, toch?'

'Niet zolang jij geen korte broek aantrekt. Het lijkt mij een goede keuze. Het scheelt je een hoop geld.'

Ze vulden alle papieren in, Adam accepteerde een creditcardbetaling van vijfhonderd dollar en liep, nadat de cipiers de gevangenisdeur open hadden gezet en Rodney Bova weer op vrije voeten was, met hem naar zijn Jeep voor de enkelband die hij had meegenomen.

'Kijk eens hoe smal hij is,' zei hij. 'Hij levert je geen enkel probleem op, en als je deze puinhoop eenmaal hebt opgeruimd, ben je blij dat je al dat geld hebt uitgespaard, waar of niet?'

Bova trok de pijp van zijn spijkerbroek op en liet Adam de band iets boven zijn sok om zijn enkel vastklikken.

'Dus… het volgt me?' vroeg hij.

'Nee. Het laat alleen zien of je het district verlaat.' Dat was een leugen – de band stuurde een gps-signaal naar Adams computer en telefoon, waar het op een digitale plattegrond verscheen; hij kon Bova stap voor stap volgen. Hij had nog voordat Bova belde nieuwe batterijen in het zendertje gedaan en gecontroleerd of hij op de digitale plattegrond te zien was.

'En denk niet slim te zijn en hem eraf te halen,' zei hij, 'want dat heb ik meteen door, en dan zit je *in no time* weer in de gevangenis, voor het breken van de voorwaarden voor je vrijlating.'

Ook dat was complete onzin – het toezicht was Adams eigen regeling, niet door de rechtbank opgelegd, maar hij wilde dat de toch al bange Rodney Bova zo bang mogelijk bleef en het niet in zijn hoofd zou halen om de enkelband eraf te halen. Dat viel sowieso niet mee, maar het kon wel. Hij wilde vooral de indruk wekken dat het hem niets uitmaakte waar Bova naartoe ging. Dat was van cruciaal belang.

'Ik laat hem zitten waar hij zit.'

'Mooi.' Adam kwam weer overeind, keek hem aan en zei: 'Mijn rol in dit alles is simpel: ik hoef er alleen maar voor te zorgen dat jij voor de rechter verschijnt. Maak het me niet lastig. Afgesproken?'

'Afgesproken. Deal. Bedankt.'

Adam knikte. 'Oké, Rodney. Je bent nu vrij om te gaan en staan waar je wilt. Kan ik je een lift aanbieden? Ik neem aan dat je pick-up in beslag is genomen.'

'Dat klopt,' zei Bova. Het was duidelijk dat hij dat was vergeten. 'Daar moet ik ook achteraan. Maar ik... ik neem wel een taxi. Of ik ga lopen. Maar bedankt.'

'Zoals je wilt. Succes dan maar.'

Adam stapte in de Jeep, haalde zijn iPhone uit zijn zak en logde in op de applicatie van de monitoring. Even later keek hij naar een plattegrond van Chambers met een langzaam bewegende rode stip erop.

'Heel goed, Rodney,' zei hij. 'Zoek hem maar voor me.'

21

Vrijdagmiddag, toen de hele school bijeen was voor de peptalk, nam Lorell McCoy de microfoon en deed datgene waar Kent al dagen bang voor was: hij zei dat het seizoen nu aan de nagedachtenis van Rachel Bond was gewijd en dat de Chambers Cardinals, als ze die avond het veld op gingen, haar initialen op hun schoenen en op hun helmen zouden dragen.

De menigte applaudisseerde, het docentenkorps sloot zich bij de leerlingen aan en Kent had zijn blik af willen wenden, maar hij stond daar voor de hele school en er waren veel ogen op hem gericht, dus knikte hij kort en hield zijn armen voor zijn borst gevouwen, met zijn kin omlaag.

Kent was blij dat Colin Mears de fans niet toesprak, maar het Lorell had laten doen. Lorell ging de school voor in een moment van stilte ter nagedachtenis van Rachel, waarbij hij in herinnering bracht dat de Cardinals weliswaar van plan waren kampioen van de staat te worden, maar dat niet dat, maar Rachel het belangrijkste was.

Hij zei alle juiste dingen. En hij klonk goed: evenwichtig, volwassen en verstandig. Kent had trots op hem moeten zijn, waarschijnlijk. Maar hij voelde zich ongemakkelijk.

Ze hielden een minuut stilte, daarna begon de pepband te spelen. Zomaar. Een vermoord kind herdacht, een wedstrijd voor de boeg. Op naar de volgende. Er was niets mis mee. Hoe zouden ze het anders moeten aanpakken? Je zet de ene voet voor de andere, je eert het verleden en treedt de toekomst tegemoet – een andere manier was er niet. Want anders… want anders werd je zoals Adam.

Daarmee was de schooldag ten einde, over een kwartier zou de laatste bel gaan. Kent stuurde hen de gymzaal met zijn luchtjes van zweet en geboend hardhout uit om hen de dingen te laten doen die ze altijd voor de aftrap deden. Tot halfzes, het tijdstip waarop ze in de kleedkamer moesten zijn, waren ze vrij. Zelfs zijn assistenten hadden tot halfzes vrij. Want, zoals hij ieder jaar herhaalde, als ze op vrijdagochtend nog niet klaar waren, dan waren ze op vrijdagochtend al verslagen.

Zijn eigen wedstrijddagrituelen waren simpel. Hij ging een stukje hardlopen, douchte en zat tot halfzes op zijn werkkamer. Hij liep naar de kleedkamer, trok een korte broek, een sweater met een capuchon en zijn hardloopschoenen aan, deed een knieband om zijn linkerknie en liep de herfstdag in.

Het was een perfecte dag voor football. Perfect. De hemel was kobaltblauw, met een donkergrijs randje in het noordwesten, en de wolken dreven hoog, schoon en wit door de lucht. Een briesje voerde herfstgeuren uit de aangrenzende bossen langs de school naar het veld. Het was een graadje of twaalf, fris genoeg om de strijdlust aan te wakkeren. Kent deed wat rekoefeningen in de eindzone, liep naar de zijlijn om niet over het speelveld te lopen en begon te rennen.

Tussen de tribunes en het veld in lag een renbaan, maar daar liep hij nooit. Hij gaf de voorkeur aan gras onder zijn schoenen, hij hield van de herinneringen die iedere stap losmaakte. De baan had bovendien lange bochten, en door over de zijlijnen van het rechthoekige veld te lopen, was hij gedwongen scherpe hoeken van negentig graden te maken, waarbij iedere hoek hem een felle pijnscheut in zijn linkerknie bezorgde. Dat had hij nodig.

De knie had het einde van zijn footballcarrière ingeluid. Hij had voor een kleine universiteit in de eerste divisie gespeeld. De knie begon al in het eerste jaar op te spelen, toen hij nog op de reservebank zat. In de zomer bezocht hij een orthopeed in Cleveland; die zei dat hij een ingescheurde knieband had, en wat beschadigd kraakbeen, dat weggeschraapt moest worden. Na de operatie zou hij een paar maanden moeten herstellen, daarna kon hij het veld weer op, zo goed als nieuw.

Maar die paar maanden zouden precies in het begin van het seizoen vallen. Die paar maanden zouden hem misschien wel een jaar terugzetten.

Hij liet de orthopeed niet in de knie schrapen. Hij bedankte hem en zei dat hij een afspraak zou maken, maar dat deed hij nooit. In de herfst meldde hij zich weer bij zijn team, en hij kwam in de basis, en ze wonnen vier van hun eerste vijf wedstrijden. Toen begon hij mank te lopen. De coach adviseerde een MRI-scan, en de schade aan het kraakbeen bleek ernstiger geworden; het had allang weggehaald moeten zijn, de kruisbanden waren gaan rafelen omdat ze de extra druk van de verzwakte knieband moesten overnemen. Ze gaven hem een brace en spoten hem vol cortisonen, maar in het derde kwartier van de laatste wedstrijd van het seizoen scheurden allebei de kruisbanden helemaal af. Het herstel duurde een vol jaar, en toen stond er een grote, sterke gozer op zijn plek en die gaf hem nooit meer prijs. Kent beëindigde zijn carrière langs de zijlijn met een klembord in zijn hand en zag bevestigd wat hij altijd had geweten: hij had geen tijd voor een behoorlijke behandeling genomen omdat er altijd iemand klaarstond die beter was.

Na de universiteit was hij terug naar huis gegaan. Walter Ward had een plek voor hem, en het was de bedoeling geweest dat het een tijdelijke klus was, want Kent had het gehad met football. Maar hij was bereid om nog een paar maanden aan het spel te geven en ondertussen na te denken over de vraag welke route hij voor de toekomst uit moest stippelen.

En toen leerde hij Beth kennen. Althans, hij leerde Beth opnieuw kennen. Hij kende haar al uit zijn middelbareschooltijd, maar de dochter van Walter Ward was drie jaar jonger dan hij, en niemand haalde het in zijn hoofd om al te lang naar de dochter van de coach te kijken. Tegen de tijd dat Beth naar de universiteit ging, was hij een van Walters assistenten, en Walter Ward vond het goed, op één voorwaarde – Kent moest naar de kerk. En dat was dat.

In de kerk en in Beth vond Kent datgene waarmee hij de gaten kon vullen die football openliet. Terwijl zijn eigen gezin om hem heen uit elkaar viel, eerst door de dood van zijn vader, daarna door de langzame, trieste, met drank doordrenkte aftakeling van zijn moeder en Adams onvermogen – nee, wéigering – Maries dood achter zich te laten, vond Kent nieuwe pilaren. Het felle verdriet maakte plaats voor iets doffers dat beter was te hanteren en de woede ging over in rouw, en hij was voor het eerst in staat naar het verlies van zijn zus terug te keren in plaats van ervan weg te lopen. En ten slotte om verder te gaan, getekend door het verlies, maar er niet door gedefinieerd.

Het was Walter Wards idee om Kent mee te nemen naar een gevangenis. Het was Walter die met Kent naar buiten liep toen hij het, die eerste keer, niet aankon. Maar ze keerden er terug. Steeds opnieuw. Net zo lang tot Kent tegenover Gideon Pearce zat en voor hem bad, en de man in lachen uitbarstte.

Maar de wedstrijden bleven in zijn leven. De taak die hij zichzelf op zijn twintigste had opgelegd – een leven vinden waarin football níet de zuurstof was – had hij nooit volbracht. Hij hamerde erop dat sport niet het belangrijkste was en slaagde er zelf een groot deel van de tijd in dat ook echt te geloven. Het lukte hem zelfs zijn pathologische behoefte om te winnen om te zetten in iets wat gezond was. De jongens die na hun vertrek terugkwamen met een academische titel of een goede baan of een fijn gezin, of gewoon met een goede levenshouding; zij waren het resultaat dat er écht toe deed, de enige beloning die telde.

Hij vergrootte zijn stappen, begon al lekker te zweten en probeerde zichzelf aan te praten dat de noodzaak om te winnen minder groot was dan hij hem voorkwam. Hij probeerde zichzelf wijs te maken dat een overwinning niets over hemzelf zei. Winnen of verliezen was niet belangrijk. Chambers had een goed jaar gehad en hij stuurde goeie jongens de wereld in, klaargestoomd om goede mannen te worden.

Meer winnen was niet belangrijk.

Maar, o, wat wilde hij graag winnen.

Ik word niet gedefinieerd door een beker, zei hij vaak. Maar het was gemakkelijk te zeggen dat je niet werd gedefinieerd door iets wat je niet had, of niet soms?

De tribunes waren afgeladen, en omdat Adam en Chelsea laat waren, was de kans op een comfortabele plek met goed zicht verkeken. Adam hield hoe dan ook niet van veel mensen, en daarom gingen ze gewoon bij het hek achter de eindzone staan. Als Chelsea het al vervelend vond om te staan, dan klaagde ze er niet over. Gewone fans willen graag in de buurt van het midden van het veld zitten – tickets voor professionele footballwedstrijden worden per tien yard tussen de eindzone en de vijftig-yardlijn duurder, en de plaatsen bij de vijftig-yardlijn worden als de beste van het huis gezien. Maar volgens Adam was het verschil tussen iemand die gewoon footballfan was en iemand die de sport echt begreep, dat iemand die de sport begreep, wilde toekijken vanaf een plek waar hij synchroon met de actie was. De wedstrijd bewoog zich verticaal over het veld, dus waarom zou je op een plek gaan zitten waar je je in een loodrechte hoek op de actie bevond? Dan stond je er zo ver van af. Adam was altijd linebacker geweest en wilde de wedstrijd zien vanuit het perspectief waaraan hij toen gewend was – met je blik op de quarterback en de aanvalslinie, zodat je zijn tekens kon zien en kon proberen te horen welk spel ze wilden spelen.

Op de tribunes van het Walter Ward-veld was plaats voor twaalfduizend toeschouwers. Misschien niet gek voor zo'n klein stadje, maar het was geen Massillon: daar hadden ze, met ongeveer evenveel inwoners, een stadion waar twintigduizend toeschouwers in pasten en een fanfare zoals bij de nationale finale, en er liep een echte tijger langs de zijlijn. Massillon was in een periode van twintig jaar tijd vijftien keer kampioen van de staat geworden. Hun rivaliteit met Canton-McKinley was in de ogen van Adam en een groot deel van Amerika de mooiste middelbareschoolrivaliteit uit de geschiedenis van American Football. Beide scholen lagen in Stark County, en in een periode van tweeëndertig jaar waren de twee scholen samen achtentwintig keer kampioen van de staat geworden. Ze vormden de gouden standaard van het middelbare-schoolfootball, en zijn broer was altijd al geobsedeerd geweest door hun wedstrijdverleden. Maar hun velden hadden hem geen geluk gebracht.

De pepband speelde erop los, de cheerleaders gilden en de twaalf-duizend mensen klapten en schreeuwden. Adam stond met zijn armen over elkaar achter de noordelijke eindzone en keek naar de ploeg van zijn broer. Ze hadden de aftrap gekregen, maar waren de bal kwijt; ze hadden hem naar voren geschoten. Kents scenario, natuurlijk. De tactiek van Walter Ward. Adam had er een hekel aan. Football moest snel en losjes gespeeld worden, en scenario's waren de vijand van snel en losjes.

De verdediging van Chambers speelde solide, al vond Adam dat ze in de 4-3-opstelling moesten spelen, en niet in de 3-4 waar Byers altijd voor koos. In een 4-3 was je flexibeler, en kon je, met de manier waarop Adam de wedstrijd zou benaderen, agressiever spelen. Chambers had genoeg atleten en zware mannen om meer druk op de quarterback te zetten. Dat gezegd hebbende, de jongens maakten geen fouten. Ze wisten wat hun taken waren en voerden ze goed uit. Niemand wist zijn team zo goed neer te zetten als Kent. Als hij tegen zijn jongens zou zeggen dat het oké was om het te willen, om met de absolute wil om te winnen te spelen, dan kwamen er prijzen in de kast. Maar om dat te kunnen, zou hij het eerst zelf moeten toegeven. En dat zat er niet in.

Ook Hickory Hills trapte de bal naar voren. Chambers kreeg hem op een uitstekende positie terug en Colin Mears liep een stick-pa-troon – hij sprintte tien yard naar voren en draaide zich plotseling om, anticiperend op de bal. De bal was inderdaad onderweg, hij vloog recht op hem af; alleen ving Colin hem niet. Adam zag hoe hij zich tegen zijn helm sloeg en was niet blij met wat hij zag. Te veel spanning.

In de rest van de eerste helft kreeg Mears nog vijf ballen. Hij ving er één – en maar net aan; hij liet hem bijna uit zijn handen glippen, wat ook zeker gebeurd zou zijn als hij niet een oplawaai van de cornerback had gekregen waardoor hij naar de door de lucht zwevende bal werd geduwd, en hij zijn rechterhand eronder kreeg en hem naar zich toe kon trekken terwijl hij tegen de zoden kwakte. Het publiek gaf hem een staande ovatie en Adam wist dat de jongen dat haatte. Applaus uit mededogen. Dat voelde dat joch maar al te goed, en het deed hem pijn.

Maar het loopwerk was goed verzorgd en de verdediging liep steeds beter, ze onderschepten twee passes en maakten het een aanvaller bij een derde pass zo moeilijk dat hij de bal losliet. Met de rust stonden ze 20-10 voor. Het zag er rooskleurig uit voor de Chambers Cardinals.

Op één ding na.

'Rachels vriendje ziet er niet goed uit,' zei Chelsea.

'Nee,' antwoordde Adam. Hij sprak niet veel tijdens wedstrijden, en zij drong zich nooit op. Maar nu de wedstrijd stillag, draaide ze zich naar hem toe en vroeg: 'Mis je het? Op het veld te staan?'

'O, absoluut!'

'Heb jij nooit coach willen worden?'

'Ik had het leuk gevonden om samen met mijn broer te coachen,' zei hij. 'Dan had ik de verdediging willen doen.'

'Zou je dan kunnen accepteren dat Kent je baas is?' vroeg ze alsof ze haar oren niet kon geloven.

'Natuurlijk. Ik moet er niet aan denken om de hoofdcoach te zijn. Alle onzin die daarbij hoort, de schoolcommissie en de ouders, de fans, de media, dat is niets voor mij. Kent is goed in dat soort dingen, hij heeft er het juiste temperament voor. Maar hij heeft een goede coach voor de verdediging nodig. Niet dat Byers nou zo slecht is, maar ik zou het veel beter doen. Hij ziet niet genoeg. Je zult in het derde kwartier zien dat er weinig in de verdediging wordt aangepast. Daarom moeten ze ook zo godvergeten veel punten scoren. Kent vindt dat wel leuk natuurlijk en hij is er ook goed in. De passing, daar is hij verliefd op. De meeste mannen dromen van vrouwen en rijkdom. Mijn broer droomt van quarterbacks die een schijnbeweging naar de ene kant maken en dan een perfecte pass op een receiver aan de andere kant gooien.'

Ze keek hem nieuwsgierig aan en hij vroeg: 'Wat?'

'Het verbaast me dat je voor hem had willen werken.'

Hij haalde zijn schouders op. 'Was wel leuk geweest, denk ik. Hij is de juiste hoofdcoach. Maar ik had hem kunnen helpen. Ik weet zeker dat ik hem had kunnen helpen.'

In de kleedkamer gaf Kent zijn achterste verdedigingslinie een compliment en kafferde hij de voorste linie uit omdat ze in de scrimmagelijn niet genoeg druk op de quarterback zetten. Hij hield hun voor dat Hickory Hills met passes zou proberen terug in de wedstrijd te komen, en hoe minder tijd de quarterback voor zijn pass zou krijgen, hoe beter. Hij deed een paar aanpassingen in de aanval, gaf Lorell opdracht de ruimte te benutten die tussen de end en de tackle ontstond doordat de safety van Hickory Hills hielp Colin te verdedigen. Lorell knikte, maar hij keek niet naar Colin, en Colin keek naar niemand. Ze dachten allemaal hetzelfde – waarom zou de safety in de tweede helft nog bij het verdedigen van Colin gaan helpen als die toch geen bal wist te vangen?

'Maak het af,' zei Kent. 'Als je dit team de kans geeft, zetten ze punten op het bord. Die kans mogen we hun niet geven.'

Er werd in de handen geklapt en geschreeuwd en op de helmen geslagen, en toen stonden ze weer en liepen ze naar buiten. Kent legde in het voorbijgaan een hand op Colins schouder.

'Kijk me aan, knul. Kijk me aan.'

Colin tilde zijn kin op. 'Het spijt me, Coach. Ik maak het goed.'

'Dat weet ik. Doe het iets rustiger aan, oké? Je loopt patronen alsof er scouts met stopwatches langs de lijn staan. Loop liever patronen alsof het een footballwedstrijd is. Als jij eenmaal in de vierde versnelling gaat, kunnen die kerels je toch niet houden. Doe het iets rustiger aan, begin met de bal en ga daarna pas aan de eindzone denken. Oké?'

'Ja, sir. Ik maak het goed.'

Daarna liepen ze de kleedkamer uit, en Kent hield even in en wendde zich tot Steve Haskins en vroeg of hij wist wat de ruststand in de wedstrijd van Saint Anthony's was. Haskins wist altijd wat de andere standen waren, en Kent had hem daar eerder voor op zijn donder gegeven, dus het verraste hem niet dat hij een twinkeling in de ogen van zijn assistent zag.

'Ze staan tien punten voor.'

Kent knikte.

'Ze komen eraan, hè?' vroeg Haskins.

'Nee.' Kent schudde zijn hoofd. 'Wíj komen eraan.'

Chambers scoorde nog twee keer in het derde kwartier en speelde het vierde uit.

Vier keer vond McCoy Colin Mears. Niet één keer wist Colin Mears de pass te vangen. Het verbaasde Adam niet. Hij had het al zien aankomen toen Colin de eerste bal liet glippen, toen hij zag hoe de jongen reageerde op een bal die hij normaal gesproken altijd had gehad. Na de laatste losgelaten bal begonnen Mears en de cornerback van Hickory Hills een robbertje te vechten en werd hij afgevlagd wegens onsportief gedrag. Kent haalde hem eruit. Mears stond in zijn eentje aan het einde van de zijlijn en deed zijn helm niet af.

Bij een stand van 34-13 begon Lorell McCoy op tijd te spelen, en Adam liep de tribune af terwijl het publiek de overwinning vierde. Hij kwam op weg naar buiten langs de bank van het thuisteam, maar Kent stond met zijn rug naar hem toe.

22

En dus kwamen ze inderdaad dichterbij. Een duidelijke overwinning op een goede tegenstander, de perfecte voortzetting van het seizoen, geen issues.

Tenzij je de wedstrijd had gezien.

Er was namelijk wél een issue en zijn naam was Colin Mears. Kent wist niet goed wat hij ermee aan moest. De jongen liep dezelfde patronen als altijd, Lorell McCoy bezorgde hem de bal feilloos als altijd. Alleen was Colins vermogen om de bal te vangen veranderd. Niet dat Kent daar raar van opkeek – voor sommige jongens was de wedstrijd een vorm van therapie, die waren in staat hun hoofd tussen de lijnen leeg te maken, maar andere namen hun problemen mee het veld in. Het lag voor de hand dat Colin, het product van een veilige, zorgeloze jeugd, in de tweede categorie viel. Het probleem was: hoe maakte je hem duidelijk dat dat niet erg was? De jongen had besloten dat zijn prestaties op het veld een betekenis hadden, een vorm van boetedoening waren.

'Hij heeft te lang te veel ballen gevangen,' zei Kent toen hij die avond met de coaches bijeen zat. 'Ze blijven niet uit zijn handen vallen. Het komt wel goed.'

'Misschien moet je iets veranderen,' zei Matt Beyers.

'Zoals wat?'

'Zijn handschoenen uittrekken, misschien.'

'Wordt het makkelijker de bal te vangen als hij geen handschoenen aanheeft?'

'Technisch gezien niet. Mentaal misschien wel.'

Kent dacht erover na en knikte. 'Laten we het maar proberen. Verandering is goed voor hem. Afleiding is goed.' Hij keek naar Haskins. 'Heb je de eindstand van de wedstrijd van Saint Anthony's?'

'Ze hebben met 20-4 gewonnen.'

'Geen verrassing, daar,' zei Byers. 'Maar dit jaar nemen we ze te grazen. Dit jaar vegen we de vloer met ze aan. Als Mears die godvergeten bal tenminste weer gaat vangen.'

'Hij zal er klaar voor zijn,' zei Kent. 'En wíj moeten er klaar voor zijn. Het gaat er nu echt om spannen.'

Chambers had dit jaar het betere team, maar Kent hoefde maar aan Saint Anthony's te denken of hij kreeg al een droge mond. Hij wist dat Scott Bless nu al het beeldmateriaal zat te bekijken, al nadacht over manoeuvres die hij dit seizoen nog niet eerder had gemaakt, over manieren om Chambers op het verkeerde been te zetten. De coaches keken naar Kent, ze wisten allemaal wat er in hem omging. Scott Bless was Kents rivaal. Kent was een van de succesvolste coaches van Ohio van dat moment, maar tegen Scott Bless stond hij op nul.

'We komen om negen uur bij elkaar,' zei hij. 'Zorg dat je het beeldmateriaal hebt gezien en dat je je verslag klaar hebt. Het gaat er nu echt om spannen.'

Dat was een ding dat zeker was, maar hij was opgetogen, opgetogen omdat hij vond dat hij het betere team had, opgetogen omdat ze deze week door waren gekomen en een winnende uitslag op het scorebord hadden gezet en alles, eindelijk, weer goed aan begon te voelen.

Net toen Kent de lichten van zijn werkkamer uit wilde doen, kwam Matt Byers binnen met een envelop in zijn hand. Een dichtgeplakte envelop, met op de voorkant: *Voor Coach Austin*.

'Dit lag op de vloer,' zei Matt. 'Iemand heeft hem onder de deur door geschoven.'

Kent gooide hem in zijn tas tussen de wedstrijdschema's en aantekeningen. Waarschijnlijk was het fanmail of een klacht van ontstemde ouders die vonden dat hun zoon harder moest trainen – het had geen haast.

Hij had eerder aan de brief moeten toekomen, maar werd de volgende ochtend afgeleid door een telefoontje van Colins moeder, die over Colin wilde praten.

'Robin,' zei hij tegen Colins moeder, 'je kunt niet van hem verwachten dat hij net zo speelt als normaal. Hij is niet in zijn normale doen. Hij kan de gebeurtenissen niet bij de zijlijn van zich af laten glijden. Ik zou het heel fijn vinden als hij dat wel kon en ik weet dat hij het probeert, maar de realiteit is anders. Wedstrijden zijn voor hem altijd vanzelfsprekend geweest, maar nu is voor hem niets meer vanzelfsprekend. Alles is uit balans.'

'Hij was zo ontdaan, Coach Austin. Volgens mij heeft hij vannacht geen oog dichtgedaan. Vannacht zat hij om drie uur in de achtertuin aan de picknicktafel te huilen. Ik heb geprobeerd met hem te praten, maar hij zei niets. Hij kon geen woord uitbrengen.'

'Zo blijft het nog wel even,' zei Kent vriendelijk. 'Voor een deel heeft hij ruimte nodig. Voor een ander deel zal hij jou nodig hebben. Je doet het helemaal goed. Sta klaar als hij je nodig heeft en doe een stapje terug als hij ruimte nodig heeft. Voor zo'n verlies, zo'n verdriet, bestaat geen snelle oplossing. Je doet het helemaal goed.'

En zo ging het door, drie kwartier lang, en toen hij ophing voelde hij zich uitgewrongen, omdat hij het haar wel had kunnen uitleggen, maar het haar niet kon laten voelen, hij kon niets anders voor haar doen dan woorden aanreiken, en de woorden voelden leeg aan. Dus bad hij daarna, omdat een gebed nooit hol is, en daarna probeerde hij met een fris hoofd aan het werk te gaan.

We proberen hem zonder handschoenen te laten spelen, dacht hij op weg naar school. Misschien heeft Matt gelijk, misschien dat het helpt.

Maar toen hij de auto op de parkeerplaats zette, walgde hij van zichzelf, want zijn bezorgdheid om de mentale en emotionele gezondheid van de jongen was in een mum van tijd omgeslagen naar bezorgdheid over wat de verdediging van Saint Anthony's zou doen als ze beseften dat hij niet meer dezelfde dreiging vormde. Die dag zouden hun coaches de beelden van de wedstrijd bekijken en tot hun stomme verbazing zien hoe hij de ene na de andere bal uit zijn handen had laten glippen. Als hij er komende vrijdag nou nog een paar liet vallen? Als ze vroeg in de wedstrijd doorhadden dat Colin

Mears geen dubbele dekking meer nodig had en hun verdedigings-blok dichttimmerden? Dan hadden de Cardinals een serieus pro-bleem.

Zo mag je niet denken, hield Kent zichzelf voor. Het is treurig met je gesteld, Austin, ga je schamen.

Maar hij dacht wel zo. Want hij wilde de wedstrijd winnen, en de wedstrijden erna ook. Hij wilde het meer dan hij durfde te beken-nen, hij wilde het zo graag dat hij er 's nachts niet van kon slapen en het ademen hem zwaar viel en hij nauwelijks dacht aan wat hij wél zou moeten denken, namelijk dat nu alleen Colin Mears' ziel en zaligheid telden en niet zijn handen. Maar in de donkerste diepte van zijn hart waren het wél zijn handen die Kent het eerst hersteld wilde zien. Vang die bal toch, knul, dan zetten we je daarna wel ver-der op de rails. Maar begin ermee die verdomde bal te vangen.

Hij moest daarmee ophouden. Hij moest een manier vinden om zichzelf in bedwang te krijgen.

De zaterdagtrainingen waren niet zozeer trainingen als wel voor-bereidingssessies. Ze bekeken wat beeldmateriaal, de jongens werk-ten een lichte training af – wat op en neer rennen, wat strekken, alles erop gericht snelheid terug te krijgen en de pijnlijke, gekwetste spie-ren na de strijd van de avond ervoor los te maken. Daarna keerden ze meestal terug naar de kleedkamer, voor meer beeldmateriaal. Hij was, vertraagd door Robins telefoontje, aan de late kant, maar altijd nog een halfuur vroeger dan de rest van het team, dus hij had genoeg tijd om alles op een rijtje te zetten. Hij liep zijn werkkamer in, deed de lichten aan en sloot de deur. De deur van Kents werkka-mer stond vijfennegentig procent van de tijd open, dus als hij dicht was, begrepen zowel de spelers als zijn assistenten dat hij zijn reden had om zich af te zonderen, en als je hem dan stoorde, kon je er maar beter een verdomd goede reden voor hebben en kon je maar beter eerst even aankloppen.

Toen hij zijn aantekeningen schikte, ontdekte hij de brief tussen de scoutingverslagen. Hij sneed hem open, met zijn gedachten nog steeds bij de wedstrijd tegen Saint Anthony's.

Achteraf verwonderde het hem dat hij meteen aan vingerafdrukken dacht; hij hield de envelop alleen bij de randen vast en legde hem heel voorzichtig neer, al was het daar waarschijnlijk al te laat voor. Er was geen verbazing, alleen een misselijkmakend inzicht.

Er zaten drie dingen in. Het eerste was een dubbelgevouwen vel papier, met een kort bericht erop.

Prachtige overwinning, Coach. Prachtig. En dat op zo'n mooie herfstavond. Hoewel ik zelf, als ik eerlijk ben, de overwinning van vorige week nog mooier vond. Die was specialer. Daar zal ik u binnenkort meer over vertellen, dat beloof ik.

U heeft ooit tegen me gezegd dat ik altijd contact met u mocht opnemen. Ik hou u aan uw woord. Bent u een man van uw woord, Coach? Verwelkomt u dit contact? Ik ben noch uw bezoekjes, noch uw boodschap vergeten. Geen vrees kan oprecht geloof breken, zo was het toch? Ik heb altijd bewondering voor uw overtuiging gehad. Voor uw dwaasheid. Vergeeft u mij ook, Coach? Bidt u ook voor mij? Blijft u ongebroken?

Ik vraag me weleens af of u al spijt heeft van dat verhaal over dat meisje dat haar vader had vergeven. Ik vraag me af of uw geloof nog net zo sterk is als van de zomer. Ik vraag me af of u het echt geloofde toen u mij in de ogen keek en zei dat u al voor de grootste test geslaagd was, dat het vergeven van de man die uw zus heeft verkracht en vermoord die test was. Ik was het toen niet met u eens. Ik ben het nog steeds niet met u eens, Coach. Er komen nog zwaardere tests.

Kent las de brief drie keer en een kilte verspreidde zich door zijn borst en door de rest van zijn lichaam, tot zijn slapen en vingertoppen tintelden. Behalve de brief zaten er een visitekaartje en een plaatje in de envelop: het visitekaartje van AA-Borgtochten en een verweerd sportplaatje met geperforeerde randen waarop Adam Austin in vol ornaat, op één knie, met zijn helm naast zich, ontspannen grijnzend in de camera kijkt.

De portefeuille van Gideon Pearce. De toevallige verkeerscontrole, de eerste aanwijzing: het footballplaatje dat hem de gevangenis opleverde, het footballplaatje dat Kent jaren later aan hem had gegeven, toen hij had gezegd dat hij hem had vergeven, toen hij had gezegd dat hij samen met hem wilde bidden, en Pearce had gelachen – uitbundig, honend – terwijl Kent met gebogen hoofd en gesloten ogen bad, met trillende stem, zijn handen zo stevig gevouwen dat zijn nagels bloedeloze halvemaantjes achterlieten.

Zijn blik ging terug naar het visitekaartje. Het was een nietszeggend kaartje – goedkoop, grauw papier, met de naam, het adres en twee telefoonnummers. Hij gebruikte de briefopener om het kaartje om te draaien. Er stond niets op. Daarna draaide hij het footballplaatje om en bleef toen lange tijd roerloos achter zijn bureau zitten. Toen de deur opensloeg, kwam hij snel overeind en liep ernaartoe. Steve Haskins, met in zijn ene hand het tactiekboekje en in de andere een kop koffie, knikte hem toe.

'Ben je zover? Ik wilde beginnen met...'

'Ik wil dat je hier even niet binnenkomt,' zei Kent. 'De jongens ook niet. Niemand. Zorg ervoor dat er niemand binnenkomt. Jij doet de training.'

'Coach?'

'Jij doet de training,' herhaalde Kent. 'En zorg ervoor dat niemand door die deur komt totdat de politie hier is.'

Hij liep terug zijn kamer in en belde Stan Salter om hem te vertellen dat hij wist wie Rachel Bond had vermoord.

DEEL 2

De laatste week van de herfst

23

Adam was onderweg naar de Mansfield-gevangenis om Jason Bond te gaan bezoeken, toen de telefoon ging. Het was Chelsea, vanuit het kantoor, dus hij verwachtte dat het zakelijk was. Zijn zaken interesseerden hem nu niet, dus liet hij haar oproep drie keer naar de voicemail doorschakelen. Pas de vierde keer capituleerde hij, met een zucht.

'Ja?'

'Waar hang jij verdomme uit?'

'Ik ben aan het werk. Wat is er?'

'De politie doet een huiszoeking, Adam.'

'Dat verbaast me niet. Salter is niet blij. Laat ze hun gang maar gaan.'

'Niet hier. Bij jou thuis.'

Hij reed honderd, tweehonderd, driehonderd meter door, tot Chelsea vroeg: 'Adam? Ben je er nog?'

'Doorzoeken ze mijn huis?'

'Dat hebben ze me net verteld. Op grond van nieuw bewijs.'

'Wat voor nieuw bewijs?'

'Daar delen ze niets over mee, Adam. Ze laten alleen het huiszoekingsbevel zien. Ze hebben hier ook een mannetje naartoe gestuurd.'

'Hebben ze mijn voordeur ingeramd?'

'Nee. Je broer heeft ze de sleutel gegeven.'

'De sleutel gegeven.'

'Ja. De eigendomsakte staat op jullie beider naam. Officieel mag hij ze toegang verlenen.'

Chelsea praatte nog, maar zijn hoofd was leeg, de wereld was leeg, er was niets anders dan het grijze wegdek en het geluid, in de verte, van Chelseas stem.

'Adam? Wil je dat ik ernaartoe ga? Of een advocaat bel?'

'Nee,' zei hij. 'Nee, ik handel het zelf af.'

Hij verbrak de verbinding. Hij dacht aan de gesloten deur met het bordje erop, aan hoe de politie daar binnenging, en de snelweg voor hem leek te versmallen tot een tunnel en hem onder water te trekken, vlug en stil.

In zijn hele carrière als coach had Kent Austin maar één training gemist, namelijk op de dag dat zijn zoon werd geboren – de ochtend erna had hij alweer op zijn post gestaan.

Vandaag miste hij zijn tweede; hij bracht hem door in het gezelschap van een agent van de politie van Chambers en een FBI-agent, die Robert Dean heette. Het verbaasde Kent dat de FBI er al bij was betrokken, want hij herinnerde zich maar al te goed hoe lang het had geduurd voordat die zich met de verdwijning van Marie ging bemoeien. Zijn vader had geschreeuwd dat ze hen erbij moesten halen, hij had erom gebruld, alsof het mythische probleemoplossers waren die binnen zouden komen, naar de situatie zouden luisteren, zijn vermiste dochter tevoorschijn zouden toveren, hun pet aan zouden tikken en weer op pad zouden gaan. Maar tegen de tijd dat de FBI er inderdaad bij betrokken raakte, was er van Hank Austin nog maar weinig over en zijn gebrul was in stilzwijgend peinzen overgegaan, alsof hij zijn leven al achter zich had gelaten en het verdrietig vanaf een afstandje bekeek.

Hij hield het de rest van zijn leven bij peinzen – alleen Adam kon tot hem doordringen, Kent niet. Maar dat had zijn broer zo besloten, niet zijn vader. Ze gingen met zijn tweeën met een fles whisky en een asbak aan de keukentafel zitten en dan vertelde zijn vader verhalen over wraak. Maries naam viel nooit. De verhalen waren vaak historisch, en soms anekdotisch of ronduit ongeloofwaardig. Hij vertelde bijvoorbeeld hoe de Apachen hun vijanden tot aan hun nek in het zand begroeven, hun ogen met zoet cactussap insmeerden en wachtten tot de mieren kwamen. Hij praatte over spionnen van wie de tong werd afgesneden, over soldaten in Vietnam die op palen werden gespietst.

Er was een tijd geweest dat Kent het gevoel had gehad dat hij bij hen moest zitten. Maar Adam stond het niet toe.

'Ga naar het krachthok, jij,' zei hij als hun vader op stoom kwam, de fles vaker naar het glas ging en er al tegenaan begon te stoten. 'Of naar Coach Ward.'

Kent gehoorzaamde, maar altijd met een schuldgevoel, met het gevoel dat hij dáár hoorde te zijn, bij de mannen die de alcohol en de pijn deelden, en dat hij er als een lafaard van wegsloop. Eén keer, niet vaker, probeerde zijn vader hem erbij te houden. Hij schonk een derde glas in, schoof het over de tafel naar hem toe en zei hem te gaan zitten. Maar Adam pakte het glas en zei tegen Kent dat hij naar Coach Ward moest gaan.

'Ach, laat hem blijven,' zei Hank Austin. 'Het hoeft niet altijd football te zijn.'

'Voor hem wel,' zei Adam, en hij had zijn vader recht in de ogen gekeken en zijn stem was hard. Het was een hele tijd stil gebleven en er was gefronst maar niet geruzied, en toen sprak Adam opnieuw, zonder Kent aan te kijken. 'Niet dat hij nou zo goed speelt. In de pocket staat hij te trappelen van de zenuwen, hij gooit de bal de eerste de beste keer dat hij een goede beuk heeft gekregen zo snel mogelijk weg en hij heeft geen idee welke opdracht hij voor de snap moet geven.'

Dat deed het 'm, dit was het teken dat hij moest vertrekken. Kent deed de deur open en schoot de nacht in. Hij liep naar Wards huis, waar hij vaker zijn avondeten at dan thuis, en waar hij luisterde hoe het gezin voor iedere maaltijd dank zei, naar de wedstrijdbeelden keek en met de coach praatte en probeerde te doen alsof hij niet aan Beth dacht, niet alles overhad voor een kort oogcontact met haar.

Tot op het allerlaatste moment had zijn vader zich door de wraakverhalen laten meeslepen. Ze waren niet allemaal even duister, maar hij bleef onophoudelijk en onwrikbaar op dat thema terugkomen. Had je het over een honkbalwedstrijd, dan vertelde hij een herinnering aan een pitcher die een slagman een bal naar zijn hoofd had gegooid omdat hij met zijn spikes omhoog op een honk af was gegleden. Had je het over football, dan kwam hij op de proppen met een verhaal over een woeste, veel te laat uitgedeelde dreun ter vergelding van de aanpak van een teamgenoot. Dat was de geest van alle verhalen die indruk op hem maakten, zelfs zijn dagelijkse scan van de krant werd een zoektocht naar herinneringen over een evenwicht in een wereld die voor hem voorgoed uit balans was geraakt.

Boontje komt om zijn loontje, zei hij altijd, of het nou om sport, oorlog of een frauderende zakenman ging. Iedereen moet zijn tol betalen. Er zat een tragische hoop in die aanname. Hij had het nodig te geloven dat pijn een boemerang was. Degene die pijn veroorzaakte, kreeg pijn terug.

Inmiddels geloofde Kent zelf ook dat pijn een boemerang was. Het probleem was alleen dat hij hem niet van zich af wierp maar alleen maar terugkreeg. Hij besefte, terwijl hij de vragen beantwoordde, dat hij blij was dat zijn vader dit niet meer mee hoefde te maken.

'Clayton Sipes?' vroeg Robert Dean.

'Ja. Ik denk dat de brief van hem afkomstig is.'

'En waar kent u hem van?'

'Ik heb hem in de gevangenis ontmoet. Afgelopen zomer. Ik praat met gevangenen.'

'Vertel eens hoe dat verliep, alstublieft.'

Iets in de vraag trok Kents aandacht; het leek alsof hij dit had verwacht. Hij waardeerde het als iemand goed beslagen ten ijs kwam. Maar Dean had deze naam niet verwacht moeten hebben.

'U kent die naam, hè?' vroeg Kent.

'Waarom vraagt u dat?'

'Omdat u er niet door verrast lijkt te zijn.'

'We hebben een lijst van iedereen die rond de tijd dat de brieven werden geschreven voorwaardelijk uit Mansfield is vrijgekomen. Iedereen die toegang had tot Jason Bond of van het contact met zijn dochter afwist. Sipes staat op die lijst. Hij is niet de enige, maar hij staat erop.'

'Heeft u hem gesproken?'

Dean tikte met zijn pen op de tafel, zijn blik omlaag, en schudde zijn hoofd.

'Waarom niet?'

'Omdat hij wordt vermist.'

'Vermist?'

'Hij is voorwaardelijk vrijgelaten, maar hij heeft geen contact opgenomen met de reclassering. Er loopt een aanhoudingsbevel tegen hem omdat hij de voorwaarden voor zijn vrijlating heeft geschonden.'

Kent sloot zijn ogen. 'Wanneer is hij vrijgekomen?'

'In augustus.'

'Toen Rachel weer brieven begon te ontvangen. De geïmiteerde brieven.'

'Ja.'

Kent wreef over zijn gezicht en vroeg: 'Hij zat voor aanranding, toch?'

'Hoe weet u dat?'

'Ik heb navraag gedaan bij de directeur van onze hulpverlenende instantie, Dan Grissom. Hij zei dat hij voor aanranding was veroordeeld. Klopt dat?'

'Ja. Voor seksueel misbruik, stalking en het overtreden van een straatverbod. Waarom weet u zo zeker dat hij de brief heeft geschreven?'

'Omdat het een herhaling is van een gesprek dat ik eerder met hem heb gevoerd.'

'Pardon?'

'Ik heb veel bezoeken aan gevangenissen afgelegd,' zei Kent. 'Sommige mannen luisteren, andere niet. Sommige mannen drijven de spot met je, andere knielen en bidden mee. Ik dacht dat ik ze allemaal had leren kennen. Maar hij was een geval apart. Hij was... strijdlustig, dat is het woord, geloof ik. Maar niet op een boze manier. Ik kan het nog het best omschrijven met... heel geïnteresseerd.'

Focus en concentratie, dacht hij, maar dat was zijn mantra als coach en dat ging hij niet met Clayton Sipes in verband brengen, dat weigerde hij.

'Was hij in uw boodschap geïnteresseerd?' vroeg Dean.

'Hij was geïnteresseerd in het op de proef stellen van mijn boodschap. Geïnteresseerd in het op de proef stellen van het idee dat ik in God geloof, zonder daar theologische argumenten voor te gebruiken.'

'Legt u dat eens uit.'

'Het was persoonlijk,' zei Kent. 'Vanaf het begin. Als ik naar een gevangenis ga, vertel ik natuurlijk altijd een persoonlijk verhaal, want ik vertel over mijn zus, over hoe ik met het verdriet om dat verlies heb moeten leren omgaan. Ik praat over mijn reis. Maar zijn reactie...' Kent zweeg en schudde zijn hoofd. Hij herinnerde zich de man heel levendig: zijn kaalgeschoren hoofd, zijn pezige spieren, de felgekleurde tatoeages in zijn nek en op zijn linkerarm. 'Zijn reactie was provocerend. Het was alsof... alsof ik iets in hem wakker had gemaakt. Eerst keek hij mat en verveeld uit zijn ogen, maar langzaam maar zeker werd zijn blik steeds... fanatieker. Ik weet niet precies hoe ik het moet omschrijven. De manier waarop zijn belangstelling groeide terwijl ik sprak was heel verontrustend. Alsof er op het moment dat ik de zaal binnenliep een zwak licht scheen dat bij ieder detail dat ik gaf feller ging schijnen. Op een heel ongezonde manier.'

'Was dat alleen uw observatie? Of reageerde hij ook?'

'O, en óf hij reageerde. Toen ik was uitgesproken, vroeg hij of hij mij alleen kon spreken. In dat gesprek wilde hij iets specifieks. Het was heel belangrijk voor hem om mij te horen zeggen dat mijn geloof niet gebroken kon worden.'

'En u had niet het gevoel dat hij daar een geruststelling in zag?'

'Nee. Ik had eerder het gevoel dat hij er een uitdaging in zag. Inmiddels weet ik dat wel zeker.'

'Heeft u Rachel Bond genoemd?'

'Nee. Dat zou ik nooit doen. Ze was een kind.'

Dean fronste zijn wenkbrauwen. 'De brief wekt een andere indruk.'

'Goed, ik bedoel: ik heb haar náám niet genoemd.'

'Maar u heeft het over haar situatie gehad?'

'In zekere zin.'

'In welke zin?'

'Summier.' Kent besefte dat hij een verdedigende houding aannam, dat hij zich gedroeg alsof hij van iets werd beschuldigd, en voor het eerst begreep hij waarom: hij vóelde zich schuldig. Dean speculeerde niet, hij sprak de waarheid: Clayton Sipes was via Kent bij Rachel Bond uitgekomen.

'Kunt u me daar iets meer...'

'Ik had het over vergevingsgezindheid,' zei Kent. 'En familie. Dat zijn vaste waarden voor me. Normaal gesproken hou ik het bij mijn eigen ervaringen. Maar afgelopen zomer was daar de situatie van Rachel en haar vader. Ze was zo blij dat ze contact met hem had, ze had iets terug wat ze lang kwijt was geweest, begrijpt u? Dus gebruikte ik...' – hij haperde daar, haatte zijn keus voor het woord gebruikte – '... dat als... eh... als anekdote. Bijna al die mannen daar hebben een verstoorde verhouding met hun familie. Soms uit eigen keus, vaak ook niet. Veel van hen hebben zich uit schuldgevoel en schaamte van hun familie afgezonderd. Ik wilde daarover praten, en... haar situatie was recent. Het was relevant.'

Dean krabbelde iets in zijn opschrijfboekje en zei: 'Dat footballplaatje en het visitekaartje, waarom denkt u dat hij die naar u heeft gestuurd?'

'Om mij te laten bloeden. Hij vond het fascinerend dat ik zei dat ik me met de moord op mijn zus had verzoend. Hij ging daarover in discussie.'

'U denkt niet dat hij u aan het twijfelen wilde brengen?'

Kent zweeg. 'Twijfelen waaraan?'

'Aan Gideon Pearce' schuld.'

De stilte zwol aan. Kent slikte, leunde naar voren en zei: 'Ik twijfel er niet aan dat Gideon Pearce schuldig is.'

'Ik vroeg u niet of u twijfelt. Ik vroeg of het mogelijk is dat hij u aan het twijfelen wilde brengen.'

'Misschien.' Het tweeëntwintig jaar oude footballplaatje kwelde hem, omdat het maar van twee plaatsen afkomstig kon zijn: uit het bewijs in de zaak van Gideon Pearce en uit het huis waarin Kent was opgegroeid. Er waren in 1989 een paar duizend van die plaatjes gedrukt, maar er waren er op de hele wereld maar twee waar op de achterkant in het handschrift van zijn dode zus '18' was geschreven. Achttien was het nummer van Kent. Er bestond in 1989 geen footballplaatje van hem, omdat hij niet tot een van de beste spelers van de staat was uitgeroepen – hij stond toen nog niet eens in de basis van hun eigen team – maar zij wilde niet dat hij zich buitengesloten zou voelen, dus schreef ze Kents nummer op twee plaatjes van Adam. Toen ze verdween, lag er één op haar kamer. De tweede werd na haar dood in het bezit van Gideon Pearce aangetroffen.

'Dus de herinneringen in de brief kloppen?' vroeg Dean. 'U denkt niet dat het een imitatie is?'

'Absoluut niet. Ze kloppen. Ik praat altijd over vergevingsgezindheid en geloof, over alles wat in de brief wordt genoemd. Ook over Gideon Pearce. En ik nodig gevangenen altijd uit contact met me op te nemen als ze denken dat ik ze kan helpen.'

'En uw broer?'

'Pardon?'

'Praat u tijdens uw bezoekjes ook over hem? Het kaartje en het plaatje staan in direct verband met hem.'

'Ik weet niet of ik zijn naam heb genoemd. Ik vertel altijd wat mijn familie heeft doorstaan. En over het plaatje heb ik het ook gehad. Hoe het voor ons was toen we over Pearce hoorden.'

'Heeft u enig idee of uw broer vijanden heeft? Heeft hij problemen, is hij bedreigd, dat soort dingen?'

'Ik zou niet weten wat dat met Clayton Sipes heeft te maken.'

'Niets, waarschijnlijk,' zei Dean. 'Waarschijnlijk niets. Maar het is te vroeg om alle andere opties uit te sluiten. Clayton Sipes is verdachte, maar vooralsnog hebben we alleen uw herinnering aan een gesprek dat vreemd verliep. Dus wij houden voorlopig alle opties open. Weet u of uw broer problemen heeft?'

'Nee. Maar ik ben ervan overtuigd dat die er in zijn branche wel zijn.'

'Waarom zegt u dat?'

'Hij brengt mensen naar de gevangenis. Ik kan me zo voorstellen dat niet iedereen dat even leuk vindt.'

'Dat is waar. Maar dat is niet persoonlijk, toch?'

'Nee. Ik zeg alleen... Hoor eens, het is niet aan mij om over het leven van mijn broer te oordelen.'

'Ik heb begrepen dat jullie niet zo close zijn.'

'Nee.'

'Waarom niet?'

Kent voelde dat hij zijn kiezen op elkaar klemde. 'Karakterverschillen.'

'Heeft zich een speciaal conflict voorgedaan? Met betrekking tot Gideon Pearce?'

De klank van de naam joeg een rilling door Kent. Dat was altijd al zo geweest en zou altijd zo blijven.

'Gideon Pearce is dood.'

'Dat weet ik.'

'Waarom vraagt u dan...'

'Iemand stuurt u het footballplaatje dat na de moord op uw zus in zijn bezit werd aangetroffen. Dat lijkt me wel relevant.'

'Oké. Goed. Ja, het had met Pearce te maken. Ik heb hem opgezocht in de gevangenis, lang nadat hij was veroordeeld. Dat keurde mijn broer af. Hij kwam naar mijn huis om me dat te vertellen, en... dat liep uit de hand.'

Een litteken langs de linkerkant van Kents lip, een witte lijn die extra opviel als hij glimlachte, getuigde ervan hoezeer dat uit de hand was gelopen. Er moesten negen hechtingen in. 'Hij had je wel kunnen vermoorden, Kent,' had Beth gezegd. 'Ik dacht echt dat hij je zou vermoorden.'

'Dus Sipes kon op de hoogte zijn van het footballplaatje en van de gevoelens van uw broer over uw bezoek aan Pearce? Spreekt u daar ook in de gevangenis over?'

'Ja. Ik beschrijf hoe Pearce het weg lachte.'

Kent zag de klootzak nog haarscherp voor zich, zijn grijns met de uiteenstaande tanden.

'Ik vergeef je,' had Kent tegen hem gezegd. 'Ik wil dat je beseft wat je mij en zo veel anderen hebt afgenomen, maar voordat we het daarover gaan hebben, wil ik dat je begrijpt dat ik je vergeef, en wil ik graag met je bidden.'

Op dat moment was Pearce in lachen uitgebarsten, en Kent herinnerde zich het gevoel dat hij op drift raakte, dat het anker werd gelicht en hij zonder houvast op een stroom van ongeremde woede dreef. Hij had zijn hoofd gebogen en gebeden en gewacht op het moment dat zijn anker weer houvast vond terwijl Pearce lachte en lachte, werkelijk verrukt.

'Coach?' vroeg Robert Dean. 'Meneer Austin?'

Hij tilde zijn hoofd op, nadat hij het zonder het te beseffen had gebogen, en knikte. 'Ja. Het gaat goed.'

24

Er stonden vier auto's op straat – drie politiewagens en een gewone auto, van een rechercheur. Op de stoep zat een fotograaf, op zijn knieën. Hij bleef op gepaste afstand van de agenten. Pers. Op het moment dat Adam uit de Jeep stapte en door de tuin naar de voordeur liep, riep een van de agenten iets naar hem, en de fotograaf flitste, maar Adam negeerde hen allebei en liep naar binnen. Stan Salter stond hem met het bevel tot huiszoeking in zijn hand op te wachten.

'We hebben geprobeerd je te bereiken. We moeten praten.'

'Praten? Je staat in mijn huis.'

'Met toestemming van de rechter, en met een goede reden. Laten we het over die reden hebben.'

'Beschouw je me als een verdachte?' vroeg Adam. 'Ben je gek geworden?'

'Ik zei niet dat je verdacht wordt. Ik zei dat we een goede reden hadden. Als je de telefoon had opgenomen of had teruggebeld, hadden we het telefonisch kunnen afhandelen. We moeten…'

In de keuken en de woonkamer liepen nog twee agenten rond. Adam had hen met zijn blik gevolgd, maar nu hoorde hij ook geluiden van boven komen, en hij verstond Salter niet meer en voelde de druk achter zijn ogen toenemen.

'Wat doen zij daar?'

'Hun werk. Loop even mee naar buiten, dan praten we daar. Als je liever hier praat, is dat ook prima, het is je goed recht. Ik hou je niet tegen. Maar je zult hoe dan ook beter met ons moeten samenwerken dan je nu doet.'

Adam liep al naar de trap. Salter wilde hem de weg versperren, maar Adam schudde hem moeiteloos af en liep naar boven.

Hij zag dat de deur openstond. Maries deur. Salters stem kwam achter hem aan, maar zonder betekenis, de woorden verdwenen in de hem omringende mist, het enige wat hij in die waas zag was Maries open deur. *Eerst kloppen, verboden zonder toestemming binnen te komen.*

Hij kwam boven aan de trap en ging de hoek om en toen zag hij hen, in de kamer, ze waren met z'n tweeën, de een nam foto's en de ander zat op zijn knieën naast Maries kast. Hij had blond haar en droeg handschoenen, en hij haalde spullen uit de kast en legde die op de vloer. In zijn hand een stapeltje cassettebandjes. Haar favoriete bovenop, van een album dat die zomer was uitgekomen, haar laatste zomer, het was het bandje waar ze allemaal naar hadden geluisterd, Adam, Marie en Kent, Tom Petty's *Full Moon Fever*. Ze was gek op dat bandje. *Free Fallin'*, *Love is a Long Road*, *I Won't Back Down*. Dat laatste nummer hadden ze dat hele kampioensjaar keihard in de kleedkamer gedraaid. '*You can stand me up at the gates of hell, but I won't back down…*'

Maar *Free Fallin'* was Maries favoriet. Ze had best een goede stem, maar was te verlegen om voor andere mensen te zingen, dus probeerden Adam en Kent haar voortdurend te betrappen. Als dat lukte, zweeg ze abrupt, en verdedigde ze zich met een rood aangelopen gezicht: 'Wat nou? Het is een geweldig nummer!'

Nu, tweeëntwintig jaar later, zag Adam hoe de blonde rechercheur het geluidsbandje uit het hoesje liet glijden en de antieke cassettebandjes bestudeerde alsof ze voor het onderzoek van belang waren.

'Leg dat neer,' zei Adam. Salter was achter hem aan gekomen en legde in de deuropening een hand op Adams arm met een greep die stevig had moeten zijn maar die geen enkele indruk op Adam maakte. De blonde rechercheur op de vloer keek naar hem op.

'We hebben een huiszoekingsbevel, meneer. Inspecteur Salter kan het u uitleggen. Er is niets…'

'Leg dat godverdomme neer,' zei Adam, en hij stapte de kamer in, Salter met zich meetrekkend. Hoewel hij zacht had gesproken en rustig bewoog, stond de rechercheur onmiddellijk op en vroeg met een ongemakkelijke stem: 'Inspecteur?'

Hij had *Full Moon Fever* nog steeds in zijn hand. Het hoorde daar niet. Adam stak zijn hand uit en op dat moment ondernam Salter zijn eerste echt serieuze poging om hem tegen te houden: hij greep hem bij zijn biceps en trok zijn arm omlaag. Althans, dat probeerde hij. Adam rukte zich los, en de agent met de cassettebandjes in zijn hand riep geschrokken: 'Hé, hé! Rustig!' en deed snel een stap naar achteren, waarbij hij tegen de boekenplank stootte.

Boven op de boekenplank stond Tito, Maries pièce de résistance, de schildpad van gebrandschilderd glas die ze in die laatste zomerweken had gemaakt, met haar vingers onder de sneetjes maar o zo trots op al die veelkleurige stukjes glas waar ze het meer dan levensgrote schild van had gemaakt. De schildpad wankelde, viel naar voren en landde op de hardhouten vloer.

Aan diggelen.

De klap waarmee hij brak echode in Adams hersens door, alsof alle ramen van een wolkenkrabber sprongen, te veel om te tellen, te veel om te bevatten. Het enige wat hij hoorde op het moment dat hij de neus van de agent brak, was dat uiteenspattende glas.

De agent ging neer en het bloed spoot uit zijn neus en kwam op Maries bed terecht. Op het witte dekbed, dat in plaats van het roze was gekomen omdat ze een vrouw werd en wilde dat de kamer er smaakvol en niet zo kinderachtig uitzag. Op het dekbed dat Adam iedere maand had gewassen hoewel er in de voorbije twee decennia nog geen kreukje in gekomen was. Er ontstond een karmijnrode bloem op het oppervlak en Stan Salter riep om hulp en sprong in een poging greep op zijn arm en nek te krijgen op Adams rug. Daar slaagde hij niet in. Adam rukte zich los, greep de blonde agent bij zijn overhemd, trok hem overeind, maakte een halve draai en smeet hem naar de deur – hij wilde hem de kamer uit hebben, hij moest naar buiten, het was verboden daar zonder toestemming binnen te komen, was hij godverdomme blind of zo? Maar er kwam net een andere agent binnen, ze knalden tegen elkaar en beiden vielen tegen de muur, en toen zat de blonde op zijn knieën en droop het bloed op Maries vloer.

Vlak voordat hij de eerste, verbijsterende stroomstoot van de Taser kreeg, hoorde Adam zijn eigen stem, traag en zacht 'het spijt me, het spijt me, het spijt me' zeggen.

Hij hoopte dat ze het in al die chaos kon horen. Daarna vond de elektriciteit zijn ruggengraat opnieuw en stootte met duizelingwekkende snelheid door naar zijn hersens, en hij zakte in elkaar. Ook de wereld om hem heen stortte in, hij tolde omlaag naar de vloer, en ondanks de onbeschrijfelijke elektrische pijn voelde hij het binnendringen van een glassplinter in de palm van zijn hand, een scherfje van de schildpad van gebrandschilderd glas sneed diep in hem, en zakte snel weg.

Het spijt me.

25

Kent had erop bedacht moeten zijn. Hij had de politie op de reactie van zijn broer moeten voorbereiden. En anders had hij zijn broer op het bezoek van de politie kunnen voorbereiden. Het was het een of het ander. Maar hij had hun gewoon de sleutel gegeven en hen naar het footballplaatje laten zoeken. Toen het gesprek met Dean werd onderbroken door het nieuws dat Adam was gearresteerd wegens mishandeling van een politieagent, had hij geen nadere bijzonderheden nodig om het te begrijpen.

'Ze waren zeker in haar kamer?' vroeg hij.

'Welke kamer?'

'Die van mijn zus,' zei Kent.

Verboden zonder toestemming binnen te komen! Bedankt, jongens!

'Dat weet ik niet. Regelt u zijn borgtocht?'

Kent keek hem verbaasd aan. 'Dat is zíjn afdeling.'

'Voor andere mensen, ja. Als de situatie omgekeerd is, heeft hij misschien zelf hulp nodig.'

Dat lag zo voor de hand dat het beschamend was dat hij het niet zelf had bedacht, maar om de een of andere reden was Kent er gewoon van uitgegaan dat Adam prima in staat zou zijn de procedure zelf af te handelen.

'U heeft gelijk, hij zal inderdaad wel wat steun kunnen gebruiken,' zei hij. Maar wie moest hij bellen? Adam regelde de borgtocht; je belde Adam.

Salter maakte de handboeien los, gooide ze nonchalant op tafel, ging aan de andere kant op de rand zitten en wreef met zijn hand over zijn gezicht en door zijn gemillimeterde haar.

'Waar was jij in godsnaam mee bezig, Austin? Het was verdomme een huiszoekingsbevel en we hadden toestemming van je broer, die mede-eigenaar van het huis is. Waar was jij mee bezig?'

'Op die manier zorg je er niet echt voor dat ik rustig blijf,' zei Adam. 'Jullie vinden het misschien niet leuk wat ik doe, maar proberen mij met onzinnige dwangbevelen te intimideren...'

'Het was geen onzinnig dwangbevel.'

'Daar ben ik het dan niet mee eens.'

'Degene die Rachel Bond heeft vermoord, is misschien in jouw huis geweest,' zei Salter kalm.

Adam had altijd op snelheid gefootballd, met de motor in de hoogste versnelling en een primitieve oerkracht. Maar het was weleens gebeurd, niet vaak, en met grote tussenpozen, dat de motor haperde. Dan werden zijn bewegingen opeens traag en stroperig. Dan werd hij compleet gedold; dan had hij zich met een bepaalde verwachting op de wedstrijd gestort en gebeurde het tegenovergestelde. Nu, met zijn blik op Salter, voelde hij ook zoiets gebeuren.

'Leg uit,' zei hij.

'Je broer heeft een brief ontvangen. Er zaten nog twee andere dingen in de envelop: jouw visitekaartje en een footballplaatje met jouw foto en het handschrift van je zus erop.'

Adam zei: 'Bovenste bureaulaatje links.'

'Wat?'

'Bovenste bureaulaatje links. Daar hoort dat footballplaatje te liggen. Lag het er niet?'

Salter schudde zijn hoofd.

Onder de tafel vouwde Adam zijn handen, als een man die bad, hij klemde de linker hard om de rechter in een poging de oude pijn te voelen en die pijn te gebruiken om de stroom woede te lijf te gaan. Maar de botten waren alweer lang geleden aan elkaar gegroeid, hij kon de pijn niet meer oproepen.

'En het is naar Kent gestuurd?' vroeg hij.

'Het is bij je broer achtergelaten, ja. Het is te vroeg om te zeggen dat dat het werk van de moordenaar is geweest, maar we moeten toegeven...'

'Natuurlijk was het de moordenaar. Je weet maar al te goed dat hij dat heeft gedaan.'

Salter keek hem aan terwijl hij met zijn pen op het tafelblad tikte en zei: 'Wie kan in jouw huis zijn geweest?'

'Dat weet ik niet.'

'Wie komt er regelmatig, behalve jij?'

'Niemand.'

'Kom op. Geef me een aanknopingspunt, hoe vaag ook. Vrienden, bezoek. Wie komt er weleens om naar een wedstrijd te kijken of een biertje te drinken, wie...'

'Niemand,' herhaalde Adam, en Salter hield zijn mond. 'Dat huis gebruik ik niet voor de gezelligheid.'

'Je broer heeft ook een sleutel.'

'Ja. Die heeft hij aan u gegeven.'

'En verder niemand? Je kunt bij wijze van spreken niemand bellen als je jezelf buiten hebt gesloten?'

Adam wilde al antwoorden, maar zweeg. Salters ogen begonnen bij de aarzeling te glimmen, omdat Adam eerst het aas en toen pas de val had gezien.

'De brief is naar Kent gestuurd. Niet naar mij.'

'Dat is juist. Maar het footballplaatje komt uit jouw huis. Dat zeg je zelf. Volgens jou lag hij in het bureau.'

'Daar lag het ook.'

'Oké. Laten we het daar dan op houden. Wie heeft er verder nog een sleutel?'

'Chelsea.'

'Chelsea Salinas. Laten we het even over haar hebben, ja. Heeft zij toegang tot je huis?'

'Het heeft geen zin om het over haar te hebben, Salter. Dit heeft niets met Chelsea te maken.'

'Maar heeft zij toegang tot je huis?'

'Ze heeft een sleutel.'

'Goed, we zijn hier op zoek naar de waarheid, dus laten we de bullshit overslaan en open kaart spelen – Chelsea Salinas is een getrouwde vrouw en jij deelt het bed met haar. Haar man zit in de gevangenis. Ik meen dat je in het verleden zijn borgsom hebt betaald?'

Adam voelde een nieuwe woedeaanval opkomen. 'Travis Leonard zit in de gevangenis, daar heb je gelijk in. Dus is hij geen verdachte en heeft het geen zin het hierover te hebben.'

'Weet hij dat je met zijn vrouw slaapt?'

Adam gaapte hem aan. Voor het eerst werd hij direct op zijn relatie met Chelsea aangesproken. Natuurlijk was Salter ervan op de hoogte, zo veel onderzoek had hij natuurlijk wel gedaan, en zo moeilijk was het niet te achterhalen, maar toch bezorgde het Adam een heel onaangenaam gevoel.

'Niet dat ik weet. Zij heeft het hem niet verteld. En ik ook niet.'

'Daar zullen we naar moeten kijken.'

'Hij zit in de gevangenis,' herhaalde Adam.

'Hij heeft vast wel vrienden die níet in de gevangenis zitten.'

'Vrienden die een meisje van zeventien vermoorden om mij… Om wat? Om mij gek te maken? Mij te straffen? Nee, Salter. Nee, dat is niet de geur waar je achteraan moet. Je zit op het verkeerde spoor.'

Salter gaf geen antwoord.

'Die brief,' zei Adam langzaam, 'was voor Kent.'

'Dat weet ik.'

'Rachel zocht op voorstel van Kent contact met haar vader. Correct?'

Salter knikte.

'Waarom praat je dan niet met Kent?'

'Dat doen andere mensen.'

'Wie dan?'

'We hebben meerdere rechercheurs op deze zaak…'

'Jij hebt de leiding, Salter. En jij was in mijn huis en nu zit jij hier bij mij. Je verspilt kostbare tijd. Je zou met mijn broer moeten praten.'

'De FBI praat met je broer.'

Adam opende zijn mond en deed hem toen weer dicht. Eindelijk begreep hij waar Salter naar op zoek was. Hij was niet op zijn achterhoofd gevallen, die Salter. Waarschijnlijk was hij zelfs een verdomd goede rechercheur. In ieder geval was hij slim genoeg om in te zien dat de moordenaar van Rachel Bond, als hij Jason Bond of Adam probeerde te raken, wel rechtstreeks naar hen zou zijn gegaan. Maar hij richtte zich tot Kent. Dus was het hem om Kent te doen. Het was hem vanaf het begin om Kent te doen geweest.

Maar waarom?

'Zij praten nu met hem,' zei Salter terwijl hij Adam oplettend aankeek, 'en jij en ik kunnen het over hem hebben. Heb je enig idee wie het op deze manier op je broer gemunt zou kunnen hebben?'

Adam knikte. 'Absoluut. Kies maar een moordenaar uit. Er zijn er zoveel in zijn vriendenkring.'

'Dat klinkt alsof je iets dwarszit.'

'Nou en of iets me dwarszit. Het begon met Gideon Pearce. Dat zat me toen al niet lekker, en het zit me nog steeds niet lekker.'

'Ik heb begrepen dat je hebt gedreigd Pearce te vermoorden.'

'Nee,' zei Adam. 'Ik heb belóófd hem te vermoorden. Maar helaas heb ik daar de kans niet toe gekregen.'

'Je emoties daarover… Heb je daarover gepraat? Was er iemand die je emoties begreep?'

'Die mijn emoties over de moordenaar van mijn zus begreep?' Adam staarde hem aan. 'Dacht je nou echt dat ik over die emoties moest práten om ze te begrijpen?'

'Ik vraag alleen met wie je over dat idee hebt gesproken.'

'Met mijn vader. Die dood is. En met mijn moeder. Die is ook dood.'

En met mijn broer, dacht hij, die níet dood is. Die op dit moment met de FBI zit te praten. Ik niet, maar hij wel. Dus als de FBI hier binnen waait, gaan ze naar Kent. Waarom? Omdat ze denken dat hij belangrijker is dan ik.

'Weet je toevallig of iemand voor wie jij je borg hebt gesteld, later in de gevangenis je broer heeft ontmoet? Op een van zijn eh… voordrachten?'

Adam nam hem onderzoekend op. 'Nee. Werd dat in die brief gesuggereerd?'

'Nee.'

'Maar je vindt zijn gevangenisbezoeken wel belangrijk?'

'Het is maar een vraag, Austin.' Maar Salters blik danste weg.

26

Als het enthousiasme van Chelsea Salinas om Kent te zien al groter was dan omgekeerd, dan slaagde ze er goed in om daar niets van te laten merken. Nadat ze de deur open had gedaan, volgde er een ijzig moment en ze aarzelde om de door hem uitgestoken hand aan te nemen. Ze keek hem strak aan, ze was altijd al zo onverstoorbaar geweest, zo beheerst en koel, zo herinnerde hij zich haar ook op Maries begrafenis. Hij herinnerde zich dat hij had gedacht: ik wou dat dat rotwijf ten minste huilde. Ze leek zijn hand niet te vertrouwen, maar nam hem uiteindelijk toch aan, en haar greep was steviger dan die van de helft van zijn verdedigers. Ze zei: 'Hij wil jou er niet in betrekken, maar het kan niet anders.'

'Het is een misdrijf, toch? Wat ze hem ten laste leggen?'

'Nog wel.'

'Gaat daar dan verandering in komen?'

'Zijn advocaat wil er een overtreding van maken. Dat gaat hij zeker proberen. Hij wil niet dat jij ermee wordt opgezadeld, maar er is een hoge borgsom vastgesteld en hij moet het huis als onderpand geven. Daar heeft hij jou voor nodig. Omdat jullie allebei...'

'Ik begrijp wat het probleem met ons huis is,' zei Kent. Hij wist zijn woede te onderdrukken. Hij had zo veel achter zich gelaten, hij had Gideon Pearce in de ogen gekeken en de man gezegd dat hij hem vergaf, maar om de een of andere reden leek het onmogelijk dat bij Chelsea Salinas te doen. Dat was vreselijk oneerlijk, dat begreep hij en had hij altijd begrepen, maar het hart was niet altijd eerlijk, daarom moest je je er ook tegen wapenen. Het hart was niet puur; het behoefde weerstand. Dat vereiste het. Volg je hart, zeiden ze, maar ze hadden het mis. Bedwing je hart. Dat was de regel.

Als jij er niet was geweest, zou Adam haar nooit alleen hebben gelaten, dacht Kent terwijl hij de vrouw observeerde. Hij had zijn zaakjes prima voor elkaar totdat jij op de proppen kwam; hij nam de juiste beslissingen en was aan de juiste dingen toegewijd. Er was geen oudere broer zo beschermend als Adam. En toen kwam jij, hij reed met jou naast zich langs haar, hij passeerde haar in de donkere, koude avond en jij zag het en liet het gebeuren. Je zorgde ervoor dat het kon gebeuren.

Maar Chelsea was toen zelf ook zeventien. Waarom kon hij dat niet onthouden?

'Dus wat moet ik doen?' vroeg hij.

Ze liep langs hem om het bureau heen. Ze zag er nog steeds goed uit, lang, slank en stevig, en zonder die tatoeages en die idiote ringen in haar wenkbrauw zou ze een schoonheid zijn en geen trieste vrouw van middelbare leeftijd die haar verlepte, vergeten jeugd probeert vast te houden. Je bent bijna veertig, had hij haar willen zeggen, waarom moet je er per se als een roadie blijven uitzien? Het is buiten twaalf graden en nog moet je met alle geweld een topje dragen?

Ze ging achter het bureau zitten, streek haar zwarte haren achter haar oor en zei: 'Je mag me echt niet, hè, Kent?'

Om de een of andere reden was zijn eerste impuls haar te vertellen dat ze hem Coach moest noemen. Of meneer Austin. Of meneer. Hij vond het gewoon niet prettig om zijn naam van haar lippen te horen komen.

Maar hij zei: 'Ik ken je helemaal niet.'

'Ooit wel.'

'Niet echt. En kun je me nu vertellen wat ik moet doen?'

Ze keek hem even aan, haar blik harder, en zei: 'Ik wou dat je niets hoefde te doen. Dat ik het zelf kon ophoesten. Ik zou mijn eigen huis zo aanbieden, maar...'

'Maar het is jouw huis niet. Het is van je man.'

Voor de eerste keer verschenen er scheurtjes in haar gezicht van graniet, en ze wendde haar blik af en begon door de papieren op het bureau te rommelen.

'Je moet voor jouw deel van het huis tekenen. Er gebeurt niets mee zolang Adam zijn borgtocht niet schendt, wat natuurlijk niet zal gebeuren. Ze hebben een heel hoge borgsom geëist. Veel hoger dan in vergelijkbare gevallen. Dat komt waarschijnlijk door alle publiciteit die het zal trekken.'

'Hoe hoog?'

'Honderdduizend dollar. Met een deel in contanten. Tienduizend. We hebben wel genoeg liquide middelen om dat te betalen. Maar voor de rest hebben we het huis nodig. Het spijt me.'

'Het is jouw schuld niet. Jij hebt geen politieagent op zijn neus geslagen.'

Ze sloeg haar blik naar hem op. 'Hij heeft het er erg moeilijk mee. Begrijp je dat?'

'Ik heb hem niet gezien nadat het is gebeurd. Ik snap dat hij er niet echt trots op is, en leuk zal hij het ook niet vinden.'

'Ik heb het niet over wat er vandaag is gebeurd. Ik heb het over dat meisje, Rachel Bond. Hij gaat eraan kapot. Besef je dat? Spreek je hem genoeg om dat te zien gebeuren?'

'Ik zie het gebeuren,' zei Kent. 'Vandaag nog meer dan daarvoor. Ik heb hem al gezegd wat ik hem te zeggen heb. Ik kan het nog wel een keer herhalen, maar hij luisterde toen niet en zal nu weer niet luisteren.'

Heel even, op dat moment, keek ze hem aan met een blik die van Beth had kunnen zijn. Een mild kritische blik waaruit te veel begrip straalde, te veel intimiteit.

'Juist,' zei ze. 'Dus jij tekent de papieren en ieder gaat zijns weegs?'

'Tenzij er nog iets anders is.'

Ze schoof de papieren naar hem toe. 'Nee, waarschijnlijk niet, hè?'

'Is er nog iets wat ik moet weten over wat ik hier onderteken dat ik niet al weet?' vroeg hij.

'Het is ongecompliceerd. Een financiële garantie zodat hij verschijnt wanneer dat is gepland. Wat de rechtbank betreft, ben jij nu verantwoordelijk voor hem. Je bent je broers borgsteller.'

Hij tekende de laatste drie pagina's sneller, zijn handtekening een onleesbare krabbel.

Tegen de tijd dat Chelsea Adam vrij had, viel de duisternis in, brandde de straatverlichting en waaide er een kille wind door het stadje. Hij droeg alleen het T-shirt dat hij 's middags had aangehad, toen de zon hoog aan de hemel stond en de herfstlucht warm was. Chelsea had zijn jack meegenomen en het hem zonder een woord aangereikt. Adam trok het aan en wilde het al dichtritsen, maar zij stak er haar handen onder, sloeg ze om hem heen, drukte haar hoofd tegen zijn borst en hield hem tegen zich aan. Gedurende een moment stond hij daar wat onhandig en wilde hij zich uit haar omhelzing losmaken, wilde hij laten zien dat hij het niet nodig had, dat hij dit prima in zijn eentje afkon, maar haar warmte en de geur van haar haar drongen tot hem door en hij beantwoordde haar omhelzing en bracht zijn gezicht omlaag tot zijn wang tegen die van haar rustte.

'Het spijt me,' zei ze. 'Ik had met je mee moeten gaan. Ik had je niet alleen moeten laten gaan toen ik wist dat ze in je huis waren.'

Hij had haar willen zeggen dat ze zich daar niet druk over moest maken, maar de woorden bleven in zijn keel steken en daarom bleef hij daar zo staan en ademde hij zonder iets te zeggen haar geur in. Ze schommelden een beetje heen en weer en hadden zo ook samen kunnen staan dansen, met hun wangen tegen elkaar en verliefd, ergens ver weg. Toen werd er achter hen een deur opengegooid en hij wist dat het een van de smerissen was, en hij liet haar los en ze liepen naar haar auto.

'Ze hebben wel heel veel borg gevraagd,' zei hij. 'Ik ging uit van vijftig, geen honderd.'

'Ik weet het.'

'Hoe heb je dat gedekt?'

'Met jouw huis. Van het mijne kan ik geen afstand doen. Ik betaal de rekening, maar het is toch…'

'Ja,' zei hij. 'Ik weet het.'

'Je broer is langsgekomen. Hij belde mij; ik hoefde hem niet te bellen.'

Om de een of andere reden verbaasde dat Adam. Ze kwamen bij haar gebutste auto, een oude Corvette met zo veel power op de achterwielen dat het volstrekt onmogelijk was om er 's winters in Ohio mee te rijden; een aankoop waaronder in knipperende neonverlichting *Chelsea!* stond. Ze had hem in juli gekocht, en in juli reed hij heerlijk, dus waarom zou je je zorgen maken om de winter?

'Ik moet met hem gaan praten,' zei Adam terwijl zij het gaspedaal diep indrukte en de enorme motor tot leven wekte.

'Hij heeft geen cash betaald. Hij heeft alleen voor het huis getekend.'

'Daar maak ik me ook geen zorgen over. Het gaat om de reden dat we deze shitzooi vandaag op ons dak hebben gekregen. Het ging de man die Rachel Bond heeft vermoord niet om haar. Hij heeft het op Kent gemunt.'

Ze keek hem aan. 'Op Kent?'

'En die man zoekt niet zomaar contact met Kent.' In het zijspiegeltje zag hij dat een agent voor de ingang van de gevangenis stond toe te kijken, en hij zei: 'Laten we hier weggaan.'

'Wil je naar huis?'

'Zo meteen. Eerst wil ik bij mijn broer langs.'

Er waren redenen te over waarom Kent van zijn vrouw hield en zich al vanaf het begin tot haar aangetrokken voelde, maar haar kracht nam daarin een centrale plaats in. Een zeldzaam kalme kracht, de moeilijkste om te verwerven. Ze had die kracht tijdens haar carrière verder ontwikkeld, maar ze had hem al zolang Kent haar kende. Ze was heel sereen.

Toen hij die avond de trap op kwam, vond hij haar op de drempel van Lisa's kamer, met haar hand stevig tegen de deurpost en haar hoofd gebogen. Hij kende de aard van haar gebed, zag het in de spanning in haar spieren. Ze bad tegen de angst.

'Ze vinden hem wel, Beth,' zei hij.

Ze bleef nog even zo staan, hief haar hoofd op en stapte uit de deuropening. Hoewel hun dochter de laatste tijd per se met de deur dicht wilde slapen, liet ze hem op een kier staan.

'Dat weet ik,' zei ze. Ze liep naar Andrews deur, en Kent kwam bij haar staan en keek naar zijn slapende zoon. Een nachtlampje verspreidde een zwakke gloed, met schaduwen eromheen. Eerder die herfst had Kent aan het eind van een middag binnen staan bellen terwijl Andrew met een basketbal die veel te groot voor hem was op de oprit liep te spelen. Het begon al te schemeren, en toen Kent zich omdraaide zag hij zijn zoon languit op de stoep liggen, midden in een plas bloed.

Hij liet zijn telefoon midden in een zin uit zijn hand vallen, de plastic buitenkant viel krakend op de vloer. Hij kon geen geluid meer uitbrengen en sprintte naar buiten om te zien dat Andrew weer was gaan zitten en naar hem glimlachte.

Het bloed was een schaduw geweest, verder niets. Hij droeg Andrew naar binnen, pakte zijn telefoon, maakte zijn excuses en probeerde zich er met een grapje van af te maken. 'Je hebt gezien hoe dat jochie loopt – niet gek dat ik dan zo schrik, toch?' Toen excuseerde hij zich, liep naar de garage en bleef op de werktafel zitten tot het trillen van zijn handen was gestopt.

Niet mijn kinderen, had hij die nacht wanhopig gedacht, niet die van mij, niet die van mij, niet die van mij. Iedere dag weer doen zich tragedies voor, dat weet ik, maar alstublieft, God, niet in mijn huis. Niet nog een keer.

'Waar denk je aan?' vroeg Beth.

Dat Sipes ook met ons had kunnen beginnen, dacht hij. Dat het, in plaats van Rachel, ook Lisa had kunnen zijn.

'Misschien moeten we weg,' zei hij.

'Wat?'

'Tijdelijk. Tot ze het hebben uitgezocht. Dan geven we de politie de tijd om hem te vinden.'

'Wil je dat we ons verbergen? Dat we de kinderen van school halen? Dat je stopt met coachen?' Ze schudde haar hoofd. 'Als de politie dat nodig had gevonden, hadden ze het wel tegen je gezegd.'

Dat moest hij haar even horen zeggen, het was de terugkeer naar de kalme kracht die hij nodig had, zoals ze dat in de loop der jaren al zo vaak had gedaan. En toch was hij niet helemaal gerustgesteld, niet zoals normaal. Zij had de Clayton Sipessen van deze wereld niet ontmoet. Zij had hem niet in de ogen gezien.

Beth zei: 'We weten nog niet eens zeker dat hij erachter zit,' toen er op de deur werd gebonkt. Drie snelle kloppen – *bonk, bonk, bonk.*

Even keken ze elkaar ongemakkelijk aan, toen werd er geroepen: 'Ik ben het, Franchise,' alsof Adam door de muren van het huis kon kijken en hun reactie had gezien, alsof hij wist dat ze bang waren.

'Adam,' fluisterde Kent. Hij draaide zich om en wilde naar de deur lopen, maar Beth pakte hem bij zijn arm. Hij keek haar over zijn schouder aan en zei: 'Het is oké,' maar hij wist niet hoe hij daarbij kwam. De laatste keer dat Adam naar hun huis was gekomen, was het niet oké geweest.

Hij liep naar beneden en deed open. Adam hield zijn handen in de zakken van zijn jack, en achter hem stond een oude Corvette. Hij zag Chelsea achter het stuur zitten. De motor liep. Blijkbaar was hij niet van plan lang te blijven.

'Hé,' zei Kent. 'Het spijt me. Het gebeurde allemaal heel snel, maar ik had je moeten bellen.'

Adam tilde zijn handen op, maakte een sussend gebaar met zijn handpalmen naar voren. 'Geen probleem, rustig maar. Het was van het begin tot het einde een lastig verhaal.'

Het had iets onbetrouwbaars. Hij was te verzoeningsgezind. Anderen toegang tot Maries kamer verlenen was een hoofdzonde, dat wist Kent maar al te goed.

'Gaat het?' vroeg Adam.

'Ja.' Kent aarzelde even en vroeg: 'En jij? Hoe ernstig is de aanklacht?'

'O, dat komt wel goed, denk je niet? Ik bedoel, ik heb een blanco strafblad, waarschijnlijk pleiten ze voor strafvermindering in ruil voor een schuldbekentenis.'

'Als er iets is wat ik voor je kan doen…'

Dat klonk hopeloos formeel en stijf. Adam glimlachte vaag, keek over zijn schouder naar Chelsea en toen weer naar Kent. Zijn glimlach was verdwenen.

'Wie heeft die brief geschreven?'

Kent zweeg. De enige instructie die de FBI hem had gegeven was zijn vermoeden over de identiteit van Rachel Bonds moordenaar voor zich te houden.

Adam liet zijn hoofd schuin zakken. 'Kent?'

'Dat weet ik niet.'

'Gelul,' zei Adam en zijn toon had nu een scherpe rand gekregen die maakte dat Beth tot halverwege de trap naar beneden kwam. Hij keek haar over Kents schouder aan en zweeg even, alsof ze elkaar taxeerden, met Kent tussen hun blikken ingesloten.

'Rustig,' zei Kent zonder te weten tegen wie hij dat zei.

'Volgens Salter is de vent die jou die brief heeft gestuurd een van jouw maatjes uit de gevangenis,' zei Adam. 'En die vent is in míjn huis geweest. Vertel me hoe hij heet, Kent.'

'Ik heb Salter helemaal niet gesproken,' zei Kent.

'Nee, jij praat met de FBI.'

Dat wist hij dus al wel. Wat ze hem wel en niet hadden verteld, wist Kent niet, maar het was duidelijk dat hij niet van Clayton Sipes op de hoogte was. Kent ademde diep in en zei: 'Adam, het spijt me. Sorry voor wat er is gebeurd. Maar je moet naar huis gaan, je gedeisd houden en geen problemen maken. Het enige wat dit jou oplevert, is…'

'Hij heeft haar vermoord, klootzak,' zei Adam, die harder ging praten, maar niet sneller, alsof hij geen haast had boos te worden en op zijn gemak naar de top van de berg woede klom. 'Ik zal niet ontkennen dat ik haar naar hem heb gestuurd, maar jíj hebt hem hier gebracht. Hoe ga je daarmee om? Ga je nog een keer met hem zitten bidden, Kent? Hij heeft een doorzichtige plastic zak over haar hoofd getrokken om te kunnen zien hoe ze stikte! Snap je dat? Heb jij…'

Op dat moment, juist toen zijn handen uit zijn zakken kwamen en zich tot vuisten balden, begon hij te stamelen. Of hij nou woorden of klappen in de maak had, ze doofden als sintels in de regen. Kent zag de verandering op zijn gezicht en draaide zich om, om te zien waar Adam naar keek.

Lisa stond in haar pyjama boven aan de trap en keek met een slaperige, ongeruste blik naar beneden. Naar haar oom.

Kent zei: 'Beth!' maar Beth had zich al omgedraaid, nam haar dochter bij de hand en schuifelde met haar terug naar haar slaapkamer, fluisterend dat er niets aan de hand was. Toen Kent weer naar Adam keek, deed zijn broer een stap naar achteren.

'Je moet aan hen denken,' zei Adam met een gebaar naar boven. 'Ik weet wat je gelooft, Kent, ik ken je, ik weet in wie jij je vertrouwen stelt. In Salter, in de FBI. En ik weet dat je, als je mij ziet... Verdomme, ik weet niet wat je dan denkt. Maar ik verzeker je dat je ernaast zit. Je zou er hetzelfde over moeten denken als ik. Ik moet me verantwoorden voor wat ik heb gedaan. En dat moet jij ook.'

Hij sprak nu niet meer verhit. Zijn ogen waren nog steeds op de plek gericht waar Lisa net had gestaan, zijn blik was donkerder en onvaster dan Kent ooit had gezien.

'We moeten ons allebei verantwoorden,' zei hij en hij draaide zich om en liep terug naar de Corvette.

27

Een van de vele dingen waarmee Kent worstelde, was zijn taalgebruik. Kleedkamertaal was het product van testosteron, zenuwen en de geldingsdrang van macho's, dat was altijd zo geweest en dat zou altijd zo blijven. Kent was in kleedkamers opgegroeid, en zijn eigen vader was een van de meest godslasterlijke personen die hij ooit had meegemaakt – het geheim, jongens, zit 'm in de werkwoorden. Iedereen smijt met bijvoeglijke naamwoorden, maar het draait er juist om dat je de juiste werkwoorden uitzoekt. Kent wilde zulke werkwoorden buiten zijn kleedkamer houden. Dat begon ermee dat hij zijn eigen tong moest bedwingen, wat hem veel zwaarder viel dan de buitenwereld dacht. Hij was opgevoed met godslastering; dat was een tweede natuur geworden.

Die ochtend permitteerde hij zich 'waardeloze klootzak' en net toen hij het f-woord wilde zeggen zag hij het hoofd van zijn zoon om de hoek van de deur opduiken. Kent slikte de rest van de zin weg en ergens was dat jammer, want het was er een die heel veel indruk op zijn coaches zou hebben gemaakt omdat zij dat niet achter hem gezocht zouden hebben. Maar zijn zoon evenmin en dat wilde hij voorlopig nog even zo houden.

'Papa?'

'Sorry, knul. Niets aan de hand. Alles in orde.'

Maar achter het kookeiland, waar Andrew ze niet kon zien, balde hij zijn vuisten, en hij ademde tussen zijn op elkaar geklemde tanden door in.

De arrestatie had de voorpagina gehaald. Dat had Kent niet verrast. Er gebeurde niet veel in Chambers. Je had het ongeslagen footballteam van de middelbare school en je had Rachel Bond. Het sprak voor zich dat haar zaak voorlopig in de krant zou staan.

Maar op de foto was hij niet bedacht geweest.

Adam stond geboeid en met gebogen hoofd tussen twee agenten in. Voor hem, bij de politieauto, stond een agent met een bebloede handdoek tegen zijn gezicht.

PLAATSELIJKE BORGSTELLER GEARRESTEERD NA HUISZOEKING IN MOORDZAAK BOND

Adam Austin (40) uit Chambers is gearresteerd op beschuldiging van geweldpleging, mishandeling van een politieagent en verzet tegen zijn arrestatie toen de politie, in haar onderzoek naar de moord op de zeventienjarige Rachel Bond, huiszoeking deed in het huis van de borgsteller. De politie heeft verklaard dat Adam Austin, de broer van Chambers' footballcoach Kent Austin, in deze moordzaak geen verdachte is, maar dat zijn beroepsmatige contact met het meisje tot 'nieuwe inzichten' heeft geleid, aldus inspecteur Stan Salter van de politie van Chambers.

Salter noemde het incident een 'ongelukkige samenloop van omstandigheden' en weigerde verder commentaar, daar de ophanden zijnde aanklacht tegen Austin losstaat van de moord op Bond. Salter zei verder ook dat hij geen details kan geven over de aanleiding voor de huiszoeking van Austins huis en kantoor; evenmin kon hij bevestigen of er tijdens de doorzoeking iets in beslag is genomen.

'Dit is onderdeel van een proces,' zei Salter. 'In dat proces onderzoeken we allerlei aanwijzingen. We geven meer informatie zodra de situatie daar aanleiding toe geeft.'

De rest van het artikel bevatte een korte levensbeschrijving van Adam, waarin de moord op Marie natuurlijk niet ontbrak. Er werden geen beschuldigingen geuit en er werd een zorgvuldige journalistieke distantie in acht genomen, maar in de gaten tussen datgene wat wel en datgene wat niet door de politie was bevestigd, zouden duistere verdenkingen welig tieren. Waarom zou de politie anders een huiszoekingsbevel gekregen hebben? Waarom zou iemand, als hij niets had te verbergen, proberen een huiszoeking te voorkomen? Iemand met een onbezoedeld hart zou toch niets anders doen dan meewerken? De foto – Adam in de boeien, de bloedende agent voor hem – zei de mensen meer dan de tekst. Althans, zo zouden ze denken.

Het gaat niet om Rachel Bond, had Kent tegen iedereen willen zeggen, maar om mijn zus, en als het om mijn zus gaat, spoort Adam niet helemaal. Jullie zouden het beter begrijpen als jullie beseften dat de politie alleen maar uit haar kamer had hoeven blijven.

Kent hoorde boven de kinderen tegen elkaar schreeuwen. Het klonk alsof Andrew de badkamer in was gelopen terwijl Lisa 'met mijn haar bezig!' was. Beth verscheen in de keuken en pakte koffie. Toen ze zijn gezicht zag, bleef ze staan.

'Wat is er aan de hand?'

Zonder iets te zeggen schoof hij de krant over het aanrecht en ze deed wat iedereen in Chambers zou doen: ze keek eerst naar de foto.

'Kent... Het ziet er slecht voor hem uit, hè? Echt slecht.'

'Ja.'

'Denk je dat hij in staat is dat onder ogen te zien? En ermee om te gaan?'

'Ik weet niet waartoe Adam in staat is,' zei Kent. 'Ik weet het echt niet.'

Iedere ochtend lag de krant klaar op het aanrecht; Chelsea haalde hem voordat ze de slangen voedde, en ze was altijd eerder op dan Adam. Hij lag meestal geopend op de kolommen met politienieuws – de arrestaties waren voor hen van het grootste belang. Maar die dag was de krant nergens te bekennen. Adam schonk zijn koffie in en liep naar de spoelbak, waar zij in een van zijn sweaters en een wijde katoenen broek stond af te wassen. Uit het iPod-dockstation op het aanrecht kwam zachte muziek. Het was een donker, broeierig rockliedje van Brian Fallon: '... *I kept my secrets far from your conditions. And in the explosions, they both were just powders...*'

Hij boog zich voorover, kuste haar nek en zei: 'Laat maar zien.'

Ze haalde een glas uit het afwaswater en droogde het af, haar schouders kwamen omhoog en weer omlaag terwijl ze diep uitademde.

'Het is niet goed.'

'Laat maar zien.'

Ze liep naar de garage om de krant te halen die ze al bij het oud papier had gegooid, en liet hem achter met het zachte, droevige liedje. '... *Did you say your lovers were liars? All my lovers were liars too...*'

Ze kwam terug met de krant en liet hem zonder een woord te zeggen op tafel vallen. Adam bekeek de foto en merkte dat hij, in een perverse gedachtekronkel, met een zekere trots dacht: ik zie er groot en dreigend uit. Een oude gewoonte, misschien. Een overblijfsel uit de tijd dat hij wel vaker in de krant stond en het goed was dat hij er groot en dreigend uitzag. Maar dat was een acceptabele versie van zijn uitstraling geweest en dit niet. Hij schoof de krant van zich af.

'Ik dacht dat je het wilde lezen,' zei Chelsea zonder naar hem te kijken.

'Ik zei dat ik het wilde zien,' zei Adam en voelde zich net een klein kind. Hij had gedácht dat hij het wilde lezen. Maar aan de kop en de foto had hij genoeg. Het artikel joeg hem angst aan, maar niet om redenen die je zou verwachten, niet om wat anderen ervan zouden denken of om de kans dat hij zou moeten zitten. Nee, hij was bang dat Rodney Bova het artikel zou lezen, en als Rodney Bova begreep waarom de politie hem vragen over zijn vriend uit Mansfield had gesteld, dan was het gedaan met Adams meest belovende kans op succes.

Hij zei: 'Ik moet met Rachels moeder gaan praten. Ik heb het een en ander uit te leggen.'

'Of je laat het zitten.' Chelsea stond met haar rug naar hem toe in de woonkamer, en toen hij naar haar keek, zag hij dat ze een van de slangen uit zijn bak had gehaald. De python had zich om haar arm geslingerd en gleed naar haar schouder, zijn wigvormige kop heen en weer bewegend, langs de rij zilveren ringen in haar rechteroor. Ze wist dat hij een hekel aan de slangen had en ze nooit wilde aanraken, en de gedachte schoot door zijn hoofd dat ze de slang had gepakt om hem op afstand te houden.

'Nee,' zei hij. 'Nee, kan ik niet.'

Ze antwoordde niet. De slang flikkerde met zijn tong, zijn ogen op hem gericht. Het dikke lijf gleed nu van de ene schouder langs haar nek naar de andere. Waarom moest ik die slangen erbij krijgen? vroeg hij zich af, en hij keek nog een keer naar de foto en bedacht dat zij zich waarschijnlijk iets soortgelijks afvroeg.

'Dat kan ik echt niet, Chelsea.'

'Je kunt het wel,' zei ze. 'Maar je wilt het niet.' Ze legde de slang terug in zijn plastic bak en schoof hem op zijn plek tussen de planken. 'Ik moet vandaag naar Travis.'

'Waarom?'

'Hij is mijn man.'

'Waarom?'

'Is dat een nieuwe vraag of een herhaling?'

'Allebei.'

Ze draaide zich om en keek hem met haar armen onder haar borsten aan. 'Hij weet het nu, Adam. Ik moet het hem persoonlijk vertellen.'

Hij vond de gedachte ondraaglijk, maar wat kon hij zeggen? Hij was haar man.

'Wil je dat ik meega?'

'Nee, dat wil ik niet.'

Daar was hij blij om, en hij wist niet goed waarom hij het had aangeboden. 'Waarom ben je niet van hem gescheiden?' vroeg hij.

'Hij zit in de gevangenis.'

'Nee, dat is echt een geweldige reden om bij iemand te blijven.'

Ze gaf geen krimp. 'Het leek me in ieder geval niet het juiste moment om hem de scheidingspapieren te overhandigen.'

'En anders had je dat wel gedaan? Als hij vrij was, zou je dan wel gescheiden zijn?'

'Weet ik niet.'

'Hoe kun je dat in godsnaam niet weten?'

Ze schudde haar hoofd, alsof het een domme vraag was. Hij voelde woede opkomen, en hoewel het grootste deel van die woede tegen hemzelf was gericht, moest hij het kwijt, maar niet tegen haar. Hij draaide zich om, zag de natte theedoek liggen, pakte hem en wrong hem uit, water bloedend.

'Goed,' zei hij. 'Ik heb nooit begrepen wat je bij hem deed, dus op zich is het logisch dat ik evenmin begrijp waarom je bij hem blijft.'

'Ik was bij hem,' zei ze, 'omdat hij het meende toen hij tegen me zei dat hij van me hield. En zal ik je eens wat vertellen, Adam? Dat leek toentertijd ook echt iets voor te stellen. Het leek genoeg.'

'En nu?'

'Nu, nu…' Ze zweeg, schudde haar hoofd weer en maakte een gebaar om zich heen, naar het huis en naar hem. 'Nu ben ik dit. Ik weet niet wat ik verder moet zeggen.'

'Wat wil je van mij?' vroeg hij.

'Dat je niet zo'n rotvraag hoeft te stellen, Adam.'

'Hoezo?'

Ze schudde haar hoofd. 'Laat maar.'

'Nee, hoezo?'

'Jij doet gewoon wat je wilt. Ik ben nieuwsgierig wat dat is. Een tijdje al.'

'En dat wil zeggen?'

'Wil jij dat ik bij hem ben, Adam? Bij Travis?'

'Natuurlijk niet! Het is zoals het is. Daar ga ik mee om.'

'Daar ga jij mee om.'

Hij knikte.

'Waarom vraag je me niet hem te verlaten als je niet wilt dat ik bij hem ben?' vroeg ze.

'*I believe your troubles and my troubles shook hands…*' zong Brian Fallon en Adam zette de muziek uit.

'Dat is niet mijn keus, Chelsea. Jij bent met hem getrouwd. Wil je hem verlaten? Doe dat dan. Tot nog toe heb je het niet gedaan.'

'En jij hebt het nooit gevraagd.'

'Moet ik je dan ten scheiding vragen of zo? Moet ik op mijn knieën? Moet ik de ring van je vinger afhalen? Is dat de traditie?'

'Laat maar, Adam.'

Hij begon te ruziën. Hij zei nee, niet laat maar, dit gesprek moest afgerond worden, ze moesten elkaar begrijpen, ze moesten eindelijk onder woorden brengen wat al lang geleden gezegd had moeten worden. Maar hij liet haar vertrekken.

28

Die maandag werd Kent omringd door geesten en roddels, als waren het flarden mist. Hij hoorde aanzwellende en wegstervende fluisterstemmen de namen zeggen – Rachel, Adam, Marie – en als hij zich omdraaide naar de bron, dan was die verdwenen en keek iedereen weg of werd zijn blik beantwoord met een onbeholpen aanmoediging: hou vol, Coach.

Hij was eraan gewend dat leerlingen naar hem keken als hij door de gangen liep – omdat ze van hem onder de indruk waren of omdat ze indruk wilden maken door hun minachting voor de football-coach te etaleren. Maar die dag was het anders. De docenten voelden zich bijna net zo ongemakkelijk en onzeker als de leerlingen. Zij die vroeger nooit belangstelling voor het team hadden getoond of zich tot een knikje met een afgewende blik beperkten, hielden hem nu staande om over de komende wedstrijd te praten.

Die middag liet hij een boodschap achter op de voicemail van Dan Grissom, de dominee die hem had vergezeld toen hij de voordracht gaf waar Clayton Sipes bij was, en vroeg hem terug te bellen. Dat deed hij vrijwel meteen.

'Ik probeer mijn geheugen te verifiëren, Dan,' zei hij.

'Hoe bedoel je?'

'Herinner je je mijn ontmoeting met Clayton Sipes, afgelopen zomer?'

'Jazeker,' zei Dan met een zachte, vaste stem. Zo praatte hij altijd, zelfs als hij de grootst mogelijke ongein naar zijn hoofd kreeg geslingerd.

Kent sloot zijn ogen en vroeg: 'Heb ik die man uitgedaagd, Dan?'

'Uitgedaagd?'

'Ja. Hij tergde mij. En ik probeer me te herinneren wat ik heb gezegd. Ik herinner het me allemaal heel goed vanuit mijn eigen perspectief, maar ik wil het graag van jou horen. Ik heb een objectieve mening nodig.'

'Je hebt hem niet uitgedaagd,' zei Dan. 'Dat woord zou ik niet gebruiken, nee.'

'Welk woord dan wel? Ik herinner me dat jij me aanraadde voorzichtig met hem te zijn. Dat herinner ik me vooral zo goed omdat je dat nooit eerder had gezegd.'

'Ja, dat is waar.'

'Waarom dan wel in het geval van Sipes?'

'Ik was niet gelukkig met de manier waarop jullie gesprek verliep.'

'Van wiens kant?'

'Vanuit beide kanten. Hij deed er alles aan om jou te ontregelen, dat ontken ik niet. Ik had hem al eens eerder meegemaakt en toen deed hij hetzelfde. Maar bij jou, tja... Ik zou zeggen dat hij heel fanatiek reageerde.'

'Dat is precies het woord dat ik vandaag bij de politie heb gebruikt. Maar toen jij me adviseerde behoedzaam te zijn, had ik het gevoel dat ik naar jouw idee al iets verkeerd had gedaan. Ik wil een eerlijk antwoord, Dan. Misschien heeft deze man een meisje vermoord en mij daar een brief over geschreven. Maak je om mij geen zorgen, vertel me de waarheid.'

'Ik vond inderdaad dat je een fout maakte.'

Kent knikte, alsof Dan hem kon zien.

'Maar ik vond dat je een fout maakte als dominee, als getuige, en niet op een of andere gevaarlijke manier. Toen ik tegen je zei dat je met die man moest oppassen, bedoelde ik dat je te strijdlustig was. De weg die hij je vroeg te bewandelen is erg smal, en ik dacht... Ik had het gevoel dat je, als je je met het geestelijk ambt zou blijven bezighouden, vaker op dit probleem zou kunnen stuiten. Jij wilt een standvastig geloof en een stille kracht uitstralen, denk ik – dat is een persoonlijke mening. En die dag met Clayton Sipes behandelde je het geloof als...'

'Als wat?' drong Kent aan.

'Ik zocht eigenlijk naar een beter woord, maar ik wilde "als een trofee" zeggen. Je vroeg of je hem uitdaagde, en het antwoord is nee. Maar toen hij je geloof aanviel, liet je je wel provoceren. Dat neem ik je absoluut niet kwalijk, het is niet eenvoudig. Het is heel lastig om agressieve vragen over je geloof te beantwoorden. Ik had alleen het gevoel dat de manier waarop je Clayton benaderde contraproductief was. Je hield voet bij stuk.'

'Had ik moeten zwichten?'

'Nee. Je had hem voor je moeten innemen. Je had moeten proberen een betere gespreksvorm te vinden. Dat waren de gedachten die ik toen had en die waren gerelateerd aan jouw vermogen iemand te beïnvloeden. Dat is alles, Kent. En nu vrees ik dat je wilt weten of jij dit over jezelf hebt afgeroepen. Of de manier waarop je die middag op Clayton Sipes reageerde, jou verantwoordelijk maakt voor iets wat hij daarna heeft gedaan? Nee, Kent. Nee. Laat je gedachten niet die richting in slaan. Dat is verraderlijk gebied.'

'Oké.'

'Je hebt goed werk gedaan,' zei Dan. 'Verlies dat niet uit het oog. Je hebt goed werk gedaan.'

Die boodschap had Kent ook iedere keer voor zijn team als ze aan het eind van het seizoen hadden verloren.

Toen Adam bij hem langsging, was Rodney Bova thuis. Hij opende de deur op een kier, net ver genoeg om met elkaar te kunnen praten, net niet ver genoeg om naar binnen te kunnen kijken. Hij zag er nerveus uit.

'Wat is het probleem?' vroeg Bova.

'Eigenlijk had ik gehoopt dat er géén probleem is.'

'Wat kom je dan doen?'

'Dit is mijn werk, Rodney. Jouw zaak komt deze week voor de eerste keer voor de rechter. Ga je daar naartoe?'

'Ja, natuurlijk.'

'Mooi,' zei Adam. 'Ik kan me niet veroorloven dat er iets misgaat. Ik heb op het moment zelf een akkefietje met de politie.'

'Dat heb ik gezien,' zei Bova, en Adam nam hem onderzoekend op, speurend naar een aanwijzing waaruit bleek dat Bova begreep dat zijn connectie met de Mansfield-gevangenis in Adams belangstelling stond. Maar dat leek niet het geval te zijn. Heel goed. Cruciaal.

'Met andere woorden, ik voel met je mee,' zei Adam. 'Ik zit voor het eerst in deze situatie. Verder alles goed? Heb je nog iets nodig?'

'Wat ik nodig heb? Dat mijn advocaat bewijst dat ik erin geluisd ben.'

'O, ja. Wil dat al een beetje lukken?'

'Achterhalen wie me dit heeft geflikt? Nee. Nog niet.'

Adam trok een peinzend gezicht, alsof hij serieus over het probleem nadacht, en leunde tegen de muur terwijl hij naar de straat keek.

'Het is natuurlijk de vraag waarom iemand je zo in de problemen wil brengen. Ik bedoel, dit is geen geintje. Dit is een serieuze poging om jou te grazen te nemen. Waarom zou iemand dat willen doen?'

'Geen idee.'

'Als je geen vermoeden hebt, zou ik er maar eens een verzinnen. Je kunt daar in de rechtszaal niet ontspannen achteroverleunend om genade gaan zitten vragen, Rodney. Daar hoef je bij een rechter niet mee aan te komen. Je moet de druk bij de openbaar aanklager leggen. Je moet twijfel zaaien. Dan laten ze de tenlastelegging misschien vallen. Dat heb ik vaak genoeg zien gebeuren.'

Nu had hij Bova's belangstelling. 'Hoe dan?' vroeg hij. Hij had de deur iets verder geopend.

'Verdachtmakingen, Rodney. Verdachtmakingen. Wie zit er in de problemen? Naar wie kun je de aandacht van de politie afschuiven?'

'Ik ga geen mensen naaien.'

'Rodney?' Adam hield zijn blik een tijdje vast. 'Daar zou ik nog maar eens goed over nadenken. Want soms laten mensen die je vertrouwt jóu in de steek. Mensen van wie je houdt zelfs. Dus ik zou maar eens een paar heel goede gesprekken gaan voeren om te achterhalen wie jou loopt te fucken. Want anders, broer, mag je een

flinke tijd brommen. Ik ken je rechter. Zij is weinig vergevingsge-
zind als het om verboden wapenbezit gaat. Heel weinig.'

Bova zag er beroerd uit. Adam pakte hem bij zijn bovenarm.
'Moet je horen,' zei hij, 'het is jouw verdediging, je moet het zelf
weten. Ik heb er niets mee te maken. Maar als je niet voor de rechter
verschijnt, kom ik achter je aan.'

'Ik zal er zijn.'

'Fijn dat te horen,' zei Adam. 'Succes, makker.'

Hij draaide zich om en vertrok.

Het zendertje had geregistreerd dat Bova dat weekend naar vier
locaties was geweest, en na zijn bezoek aan Bova's huis bezocht
Adam ze alle vier. Het waren een Home Depot, een supermarkt, een
Wal-mart en een Wendy's. Bova had de hele dag inkopen gedaan,
verder niets.

Tenzij zijn vriend uit de Mansfield-gevangenis natuurlijk op een
van die plekken was geweest. Misschien hadden ze elkaar op een
parkeerplaats ontmoet. Misschien werkte de onbekende uit Mansfield bij Wendy's. Als Adam een naam had gehad, zou dat eenvoudig te achterhalen zijn geweest. Het enige wat hij nodig had, was die
naam. En zijn broer had de naam en wilde hem niet met hem delen.

Nadat hij de vier adressen aan een grondig onderzoek had onder-
worpen dacht Adam in zijn Jeep na over Kents weigering, en hij
merkte weer dat de woede zich opbouwde en probeerde zich te
beheersen. Er waren nog meer manieren om de identiteit van de
man te achterhalen. Hij kon maar het beste doen alsof de optie Kent
in het geheel niet bestond. Doen alsof hij helemaal geen broer had.

Al ben je alleen, je hoeft nog niet hulpeloos te zijn.

Hij startte de auto en vertrok naar Mansfield om de antwoorden
te vinden die hij nodig had.

Adam was eerder in de gevangenis geweest, maar kende er geen
enkele cipier. Ze controleerden zijn identiteitsbewijs en luisterden
naar zijn uitleg dat hij voor familie werkte, en niemand refereerde

met ook maar één woord aan zijn recente verschijning in de media. Dat verbaasde hem, hij vond het raar dat ze er totaal niet in geïnteresseerd waren. Hij hoopte dat Jason Bond zou meewerken, maar hij had geen enkele garantie. Als de man het bezoek afzegde, kon Adam daar niets aan veranderen. Maar Bond had ermee ingestemd hem te zien en dat was een goed begin.

Ze werden allebei in een bezoekerskamer binnengelaten, ieder aan één kant van het glas. Bond zag er heel anders uit dan op de foto's die Adam van hem had gezien. Zijn haar was kort en grijs, hij was gladgeschoren en hij was zeker twintig kilo lichter dan toen hij de gevangenis in ging. Hij ging zitten, nam door het glas heen Adam op en vroeg: 'Heeft Penny je ingehuurd?'

'Inderdaad.'

'Ze heeft geen geld om te verkwanselen, zou ik denken.'

'Ze geeft niets uit.'

'O nee? Wie betaalt jou dan?'

'Niemand.'

Jason Bond dacht daarover na en knikte. 'Blij dat te horen,' zei hij. 'Want goed kun jij niet zijn. Ik heb al gezegd wat er te zeggen is. Ik heb niets nieuws voor je.'

'Het is allemaal nieuw voor me, Jason. Er is een verschil tussen de politie en een privédetective. Wat jij tegen hen zegt, hoeven zij mij niet te vertellen.'

'En wat ik hun heb verteld, hoef ik jou niet te zeggen.'

Adam knikte en boog zich naar voren. 'Rachel is naar mij toe gekomen,' zei hij. 'Met jouw brieven. Eerst de echte, daarna de geïmiteerde. Ze wilde een adres, ze wilde contact met je kunnen houden. Ik heb het adres gevonden.'

Bond zei niets.

'Ze is naar de plek gegaan die ik haar heb opgegeven,' zei Adam zonder zijn blik van die van de man los te maken. 'Snap je? Dat kan ik niet zo laten.'

'Je had er vanaf het begin af aan buiten moeten blijven. Jij en je broer ook.'

'Met mijn broer heb ik niets te maken.'

'O, nee? Hij heeft haar aangeraden mij te schrijven. En jij wilde haar helpen ermee door te gaan. Is dat soms toeval?'

'Dat is het inderdaad,' zei Adam. 'Een klein stadje, Jason. Het is een klein stadje.'

'Je broer is hier geweest.'

'Heb je hem ontmoet?'

'Dat niet. Hij kwam hier preken. Uit de Bijbel en zo. Dat is niets voor mij.'

Adam knikte. 'Van wie weet je dat hij wél is gegaan?'

'Dat weet ik niet zo precies.'

'Je moet het wel precies weten. Ik heb het nodig. Denk na. Herinner je het.'

Bond vroeg: 'Denk je dat degene die haar heeft vermoord jouw broer kende? Dat hij hem hier heeft ontmoet?'

'Ja.'

'Waarom vraag je het dan niet aan hem?'

'Ik vraag het aan jou.'

'Man, ik weet het niet. Zoals ik al zei, ik was er niet bij. Hij kwam in de zomer. Het viel me op omdat hij uit Chambers komt. De coach, weet je. Ik volg het team. Althans, ik hou de uitslagen bij. Maar ik heb de man niet ontmoet.'

'Zegt de naam Rodney Bova je iets?'

'Nee.' Hij zei het gedecideerd. Adam had er rekening mee gehouden dat hij zou liegen, maar hij zag niets wat daarop wees.

'Dat weet je zeker.'

'Ik heb nooit van die naam gehoord. Dat weet ik zeker, ja.'

Adam vroeg zich af wat hij verder nog kon vragen, hoe hij ervoor kon zorgen dat dit uitstapje geen tijdverspilling was, geen vergeefs bezoek.

'Werd erover gesproken toen mijn broer hier kwam?' vroeg hij. 'Moest je je ervoor aanmelden of zo? Je zei dat je ervoor had gekozen niet naar hem te gaan luisteren.'

'Het is vrijwillig. Net als dat met die groepen. Het is allemaal hetzelfde hulpverlenersgelul. Ze halen hier van alles binnen. Predikanten, die zeker. Footballcoaches. Mensen die willen dat we planten gaan kweken, huisdieren gaan houden, je kunt het zo gek niet verzinnen. Iedereen denkt het te weten, snap je? Iedereen heeft een oplossing. Maar voor de meesten van ons is maar één ding belangrijk en dat is je afspraak met de paroolcommissie.'

'Maar is er een officiële bekendmaking of zo?'

'We weten wanneer ze komen.'

'Dan moet de gevangenis daar gegevens van hebben. Ze moeten weten wie naar welk programma is gegaan.'

'Ja, dat denk ik ook.'

Adam knikte. Ze zouden de gegevens niet zomaar aan hem overhandigen, maar hij kon hen dagvaarden. Misschien. Daar zou hij Penny voor nodig hebben, en een advocaat, maar dat kon hij wel regelen.

'Wil je wat voor me doen?' vroeg Adam. 'Zou je kunnen proberen te achterhalen wie erbij was toen mijn broer hier sprak? En hen dan vragen of ze zich er iets over herinneren? Of iemand opviel? Belangrijker nog, probeer te achterhalen of ze zich iemand herinneren die erbij was en die deze zomer is vrijgelaten. Zou je dat willen doen?'

'Dat weet ik niet, hoor. Ik ben niet zo'n prater.'

'Iemand heeft je dochter vermoord,' zei Adam, 'door zich voor jou uit te geven.'

Hij liet die opmerking even tot Jason doordringen en zei toen: 'Informeer voor me, Jason.'

Jason Bond knikte. 'Ik heb geprobeerd het te begrijpen, weet je. Waarom die klootzak het op mijn dochter had gemunt... Zou dat te maken hebben met waar ik vandaan kom, met wat ik buiten heb achtergelaten? Ik kan het me niet voorstellen.' Hij schudde langzaam zijn hoofd en herhaalde: 'Ik kan het me niet voorstellen.'

'En je zou willen dat je het wist,' zei Adam.

'Verdomme, natuurlijk wil ik dat weten.'

'Nou, daar hoef je je niet druk om te maken. Degene die hier verantwoordelijk voor is, heeft het niet gedaan om een rekening met jou te vereffenen.'

'Je zegt dat alsof je het zeker weet.'

'Ik weet het ook zeker.'

Bond knikte opnieuw, en Adam zag dat dit erg belangrijk voor hem was. Het was een troost voor hem. Die had hij hard nodig.

'Eén ding kan ik je wel vertellen: als de politie hem pakt, dan hoop ik dat ze hem hierheen sturen. En dan is hij er geweest. Want weet je, makker? Ik heb haar dan misschien niet gekend, maar ze was wel mijn dochter. Ze was mijn dochter.'

Adam zei: 'Je zult geen kans krijgen hem te vermoorden.'

'Nee, dat snap ik. Ze sturen hem natuurlijk ergens anders heen.'

'Dat bedoel ik niet. Ik laat die mogelijkheid niet open. Niet voor jou en niet voor iemand anders.'

Jason Bond keek hem lang aan. Toen zei hij: 'Ik hoop dat je net zo meedogenloos bent als je eruitziet.'

'Daar heb ik nog nooit iemand in teleurgesteld,' zei Adam. 'Daarin niet.'

29

Toen Chelsea terugkwam, was het meteen zonneklaar dat ze had gedronken. Adam keek toe hoe ze met tragere handen dan normaal probeerde de ratten te vangen en aan de slangen te voeren.

'Hoe ging het?' vroeg hij ten slotte.

'Hij was er niet blij mee.'

'Maar hoe is het met jou?'

Ze ving na vijf pogingen een rat, hield die in de palm van haar gesloten hand en liep naar de slangen. Ze schoof een van de bakken naar voren, liet de rat erin vallen en schoof de bak weer terug. De rat rende rond op zoek naar een uitgang die niet bestond, en de python tilde zijn kop op, keek ernaar en flikkerde met zijn tong, maar kwam niet in actie. Nog niet. Hij wist dat hij niet hoefde te jagen. De rat zou er zijn. Als hij honger had, zou hij eten.

'Hoe is het met jou?' herhaalde Adam.

'Beschaamd. Kwaad. Opgelucht.'

'Hoe is het afgelopen?'

'Hij zei dat ik niet meer terug hoefde te komen.'

'Het spijt me.'

'Het was mijn belofte, niet de jouwe.'

'Het spijt me,' herhaalde hij.

'Waar ben jij geweest vandaag?'

'In Mansfield.'

Ze draaide zich naar hem om. 'In de gevangenis?'

'Ja.'

'Heb je haar vader ontmoet?'

'Ja.'

'Dat zal wel heftig geweest zijn.' Ze liep door de kamer naar hem toe. Ging op de bank liggen en rolde zich op tot een balletje, als een kind, met haar hoofd op zijn schoot. Ze sloot haar ogen. Het verraste hem hoe kwetsbaar ze eruitzag, hoe fragiel. Normaal gesproken straalde ze zelfvertrouwen uit alsof het lichaamswarmte was, en dat had hij altijd fijn gevonden, de wetenschap dat zij hem niet nodig had, stelde hem gerust, hield het relaxed. Het zorgde ervoor dat hij haar niet tekort kon doen. Het was liefde zonder lasten. Of was dat geen echte liefde?

'Ik wil je iets laten zien,' zei ze. Ze hield haar ogen dicht.

'Wat dan?'

Ze opende haar ogen, keek hem aan, stond op en liep naar de slaapkamer. Ze kwam terug met een paar vellen papier in haar hand. Ze liet ze op zijn schoot vallen en liep naar de keuken voor een biertje, ze pakte er ook een voor hem.

Hij maakte zijn blik van haar los en keek naar de papieren in zijn schoot. Hij hoefde ze niet echt te lezen. De kop maakte duidelijk dat het een aanvraag om te scheiden was.

'Heb je het aangevraagd?' vroeg hij.

'Nog niet. Ik ga het doen.' Ze kwam terug en gaf hem een biertje. Haar donkere haar zat in een paardenstaart. Zo zag ze er jong uit, tien jaar jonger dan ze was.

Hij wist niet hoe hij moest reageren, dus keek hij naar de papieren, las het advocatenjargon alsof hij de betekenis achter dat ene woord moest zoeken. Scheiding. Na een tijdje zei ze: 'Adam, het is geen raadseltje. Er staat niet in hoe je moet reageren. Dus... reageer nou maar gewoon.'

Hij zei: 'Het gaat te snel. Hij is er gister achter gekomen. Daar ben jij ondersteboven van. Laat je niet opjagen.'

'Moet ik me niet laten opjagen?'

Hij knikte.

'Kijk eens naar de datum die erop staat.'

De datum die erboven stond en waar hij overheen had gelezen, was 1 mei.

'Heb je deze in mei laten opstellen?'

'Ja.'

'Zonder ermee verder te gaan?'

'Ja. Maar nu ga ik er wel verder mee. Maak je geen zorgen, ik vraag je niet om aanmoedigingen. Ik vraag je helemaal nergens om. Het is de enige juiste stap die ik kan zetten en ik had het al eerder moeten doen. Ik had deze trieste tweestrijd niet zo lang moeten laten voortduren. Ik schaam me dat ik dat wel heb gedaan. Als je zegt dat ik er ondersteboven van ben, dan heb je gelijk. Maar dat wil niet zeggen dat ik mijn beslissing gisteren heb genomen. De beslissing had ik al lang genomen, maar… Blijkbaar had ik de druk nodig om het door te zetten. Dat is niet negatief. Een beetje druk kan goed zijn.'

Hij zei: 'Coach Ward zag graag dat de tegenstander Kent fel aanpakte. Hij vond dat hij beter ging spelen naarmate hij minder tijd kreeg om na te denken.'

Ze keek hem even aan en begon toen te lachen.

'Wat?' vroeg hij.

'Als ik vertel dat ik mijn man verlaat, bekrachtig jij dat met een vergelijking met een linebacker?'

Hij voelde een glimlach op zijn gezicht verschijnen. 'Soms zet de safety of een cornerback de quarterback onder druk,' zei hij.

'Fijn dat je me tegenspreekt,' zei ze en legde haar handen op zijn gezicht. Ze kuste hem één keer op zijn lippen, meer dan schampen was het niet, en zei: 'Geen druk op jou. Begrijp je dat? Ik doe wat ik moet doen. Ik vraag niets van jou.'

'Je vraagt me niet te blijven?'

Ze schudde haar hoofd. 'Nee, en ik vraag je ook niet te vertrekken. Dat zeker niet. We zien wel, oké?'

'Ja,' zei hij. 'We zien wel.' Het was moeilijk om niet te blijven glimlachen. Hij keek naar de papieren in zijn hand en besefte nu pas hoe lang hij hierop had gewacht. Hij wilde iets echts met haar hebben. Het verraste hem hoe graag hij dat wilde.

'Het zal niet makkelijk voor je zijn,' zei hij.

'Daar ben ik me van bewust.'

'Oké.'

'Ik heb ook tegen je gelogen,' zei ze.

Hij fronste zijn wenkbrauwen.

'Niet hierover. Toen ik zei dat ik jou niets vraag. Dat doe ik ook niet wat ons aangaat. Maar ik wil je wel iets anders vragen.'

Hij wachtte af.

'Laat Rachel Bond los,' zei ze.

Hij gaf geen antwoord. Ze liet zijn blik niet los. Ten slotte zette hij het flesje aan zijn mond en dronk het leeg.

'Het is veel te riskant, Adam,' zei ze. 'Er staat je een aanklacht voor een misdrijf te wachten. Het zal niet zo'n probleem zijn die te verlagen. Je hebt geen strafblad, en met die situatie, de mensen die Maries kamer doorzochten... Dat komt wel goed. Zoals het er nu voor staat. Maar als je te veel risico neemt? Als je te veel risico neemt, loopt het slecht af. En snel ook. En waarvoor?'

'En waarvoor?' echode hij.

'Ja,' vroeg ze kalm. 'Waarvoor?'

'Iemand heeft dat meisje vermoord, Chelsea. Iemand heeft zich voor haar vader uitgegeven en haar met haar hart als aas in de val gelokt. Daarna heeft hij een plastic zak over haar hoofd getrokken en toegekeken hoe ze naar adem snakte...'

'Hou op,' zei ze, één hand in de lucht, haar blik afgewend. 'Alsjeblieft. Doe me een lol. Dat weet ik allemaal. Het is vreselijk. En de dader moet gepakt worden. Maar dan wel door de politie.'

Hij ademde uit en wendde zijn blik af, en ze legde haar hand om zijn kin en dwong hem haar aan te kijken, dwong hem haar in de ogen te zien.

'Alsjeblieft,' zei ze. 'Geef ze de tijd. Doe een stapje terug. Ontspan je. Begrijp dat het niet jouw schuld is, dat zij niet Marie is en dat je niets goed kunt maken. Het is geen scorebord waar ze punten opzetten of afhalen. Ik ga niet alles tegen je zeggen waar je niets van wilt weten en wat je al meer dan twintig jaar weigert te horen. Ik vraag je maar één ding: laat het rusten.'

'Het moet op de juiste manier,' zei hij.

'Wat?'

'Ik kan het pas laten rusten als het op de juiste manier is gedaan.'

Dat was niet het antwoord dat ze had willen horen, en daarom probeerde hij het nog een keer.

'Ik wil verder kunnen,' zei hij. 'Begrijp je dat? Ik wil verder kunnen.'

Maar haar blik trok zijn woorden in twijfel. Om aan die starende blik te ontkomen, kuste hij haar op haar voorhoofd en ging nog een biertje halen.

'Op verdergaan,' zei hij, en deze keer leek ze er meer vertrouwen in te hebben, want toen ze de flesjes tegen elkaar aan stootten, glimlachte ze weer. Hij hoopte dat ze hem geloofde. Hij meende het, hij meende het veel meer dan zij wist. Hij wilde verder. Alleen moest hij eerst een paar dingen afhandelen. Hij kon wel proberen haar dat uit te leggen, maar hij kon het ook zo aanpakken als zij het in mei had gedaan – ervoor zorgen dat alles klaarlag voor het moment waarop hij handelend moest optreden. En als het dan zover was, dan had hij zich gezuiverd en kon hij verder. Ze had gelijk dat je het verleden niet kon rechtzetten, maar je moest je formeel losmaken van je fouten; dat had ze zelf ook gedaan. Hij wilde geen leven van geheimen en leugens met haar, maar hij mocht zijn eigen plan trekken, en als de tijd om handelend op te treden daar zou zijn, zou hij het haar vertellen. Dat sprak hij met zichzelf af, en hij besefte toen pas dat hij de scheidingspapieren, nadat ze hadden getoost en gedronken, nog steeds in zijn hand hield, dat hij ze niet los wilde laten.

30

De coaches hadden die avond na de training een gemeenschappelijke videosessie, wat betekende dat het laat zou worden. Kent had
tegen Beth gezegd dat ze niet met het avondeten hoefde te wachten,
maar dat het zó laat zou worden had hij niet gedacht. Dat kwam
deels doordat hij zich totaal niet kon concentreren. Hij had zijn
eigen regel dat er niet gebeld mocht worden vijf keer overtreden, om
haar te vragen of alles goed was. Zaten de deuren op slot, stond het
alarm aan?

Zijn staf stelde geen vragen, maar hij zag aan de blikken die ze
onderling uitwisselden dat ze hun bedenkingen hadden. Hij voelde
zich net Colin Mears: terwijl iedereen met hem meeleefde en zich
zorgen over hem maakte, wilde hij maar één ding en dat was dat
alles weer normaal werd. En dat was onbereikbaar.

Hij wist niet of ze vooruitgang hadden geboekt. De verdedigende
tactiek zat goed in elkaar, zoveel was zeker, maar in de aanval hing
veel van Colin Mears af. Zou hij de bal vangen?

Toen hij de oprit op reed, gleed het schijnsel van de koplampen
over de voordeur en zag hij de man die op de veranda op hem stond
te wachten.

Even wist hij niet wat hij moest doen. Het was zo'n verrassing dat
het niet in hem opkwam te schrikken. In hun buurt, een vredige,
veilige buitenwijk, had zich in de negen jaar dat hij er woonde nooit
een inbraak of geweldsdelict voorgedaan, en het instinct om bang
te zijn ontbrak hem. Hij was eigenlijk vooral verrast, totdat de man
opstond en het licht van zijn koplampen in liep, naar Kent, die eerst
zijn gezicht en daarna pas het wapen in zijn hand zag.

Het was Clayton Sipes.

Clayton Sipes stond bij zijn huis, en Beth, Lisa en Andrew waren
thuis.

'Ze zijn in orde, Coach. Alles is met iedereen in orde, zolang jij dat wilt.'

Sipes sprak luid, hij was niet bang dat hij de aandacht van de buren zou trekken, alsof hij de buurt had gecheckt en tot de conclusie was gekomen dat hij niets had te vrezen. Hij was hier het alfadier, dat wist hij maar al te goed.

Politie, dacht Kent. Bel de politie, vraag om hulp.

Maar op het moment dat hij naar zijn telefoon wilde grijpen, liep Sipes al om de motorkap heen en richtte zijn wapen op zijn hoofd.

'Jij mag het zeggen, Coach. Jij mag zeggen wat er vanavond met hen gebeurt. Maak de juiste keuze.'

Ik had hem overhoop moeten rijden, dacht Kent. Ik had hem ondersteboven moeten rijden toen hij voor de auto langs liep. Wat is er met je aan de hand? Je kreeg een kans en je hebt hem gemist en nu is het te laat.

'Ik stel voor,' zei Clayton Sipes, 'dat je de motor afzet, uitstapt en met me praat. Maar dat is alleen maar een voorstel. De beslissing is aan jou. Ik wacht wel tot je eruit bent.'

Kent verroerde zich niet. Hij hield één voet op het gaspedaal en hield zijn mobiele telefoon in zijn hand, en hij vroeg zich nog steeds af wat hij kon doen, hij dacht aan het autoalarm – kon je dat aanzetten als je ín de auto zat, werkte de paniekknop als de sleutel in het contact zat? – toen Clayton Sipes met zijn vrije hand naar het donkere huis met Kents vrouw en kinderen gebaarde en zei: 'Zij wachten ook, Coach.'

Kent zette de motor uit. De lampen bleven branden toen hij het portier opende en uitstapte, maar een paar seconden nadat hij het portier had dichtgeslagen, gingen ze uit. Ze waren alleen in de nacht. Er stond een stevige, frisse herfstwind. Sipes stond anderhalve meter van hem af, ver genoeg om te voorkomen dat hij hem zou grijpen, dichtbij genoeg om hem zonder moeite dood te kunnen schieten.

'Als je mijn gezin iets aandoet, neem ik...'

'Nee,' onderbrak Sipes hem. 'Nee, die optie heb je niet, Coach.

Geen bedreigingen. Wil je het woord *als* horen? Dan zal ik het voor jou gebruiken. Als ik deze trekker overhaal, groeien je kinderen op met de herinnering van hun vader die dood op de oprijlaan lag. Als ik deze trekker overhaal, groeien ze misschien wel helemaal niet op. Als je blijft doen alsof je het zelfs maar een heel klein beetje voor het zeggen hebt, ga ik me zo misschien nog wel even aan je vrouw voorstellen. Zo. Tot zover "als".'

Hij had dezelfde stem als in de gevangenis. Geamuseerd en intimiderend tegelijk.

'Herinner je je wie ik ben, Coach?' vroeg Sipes toen Kent een tijdje had gezwegen.

'Ja.'

'Herinner je je mijn naam?'

'Ja.'

'Heb je hem recentelijk gebruikt?'

Kent aarzelde, hij moest mentaal dubbelklutsen, er waren twee mogelijkheden en beide stonden hem niet aan, maar hij wist dat de bal naar links of naar rechts moest en hij schudde zijn hoofd. 'Nee.'

'Coach.' Sipes klonk zwaar teleurgesteld, als een ouder die zijn kind een standje gaf. 'Stel je voor dat ik had besloten iedere keer dat je liegt een kind van je te doden. Dat had ik best kunnen doen. Dat kan nog steeds. Dus zal ik je dat antwoord maar teruggeven? Dan kun je het nog een keer proberen.'

Kent knikte. Zijn handen trilden.

'Ja.'

'Tegen wie?'

'De politie.'

'Waarom?'

Kents ogen wenden aan de duisternis, en hij zag de gelaatstrekken van de man, het gladde, kaalgeschoren hoofd en de ring van blauwe tatoeages om zijn nek, zijn bleke huid, zijn magere lijf, pezig en sterk. Hij droeg een spijkerbroek en een zwart T-shirt dat in de wind fladderde. Hij zou het koud moeten hebben, maar daarvan was niets te zien. Hij zag eruit alsof hij volkomen op zijn gemak was.

'In verband met je brief.'

'Heb je vanwege een brief contact met de politie opgenomen? Dat is gek. Neem je wel vaker contact met de politie op omdat er iets met je post is?'

In het huis, vlak boven Clayton Sipes' hoofd, flikkerde licht. De televisie. Beth was wakker. Wakker, maar onwetend.

Kijk uit het raam, dacht Kent. Alsjeblieft, kijk, alsjeblieft, zie het. Maar wilde hij dat wel echt? Of was dat het ergste wat er kon gebeuren, was dat...

'Coach?'

Kents blik keerde terug naar Sipes. Het was moeilijker om te praten nu hij wist dat Beth wakker was. Hij zei: 'Ik heb de politie gebeld omdat ik dacht dat jij Rachel Bond hebt vermoord.'

'Heel goed, Coach. Hem die eerlijk is, wacht zowel op aarde als in de hemel een warm welkom.'

Zet de tv uit, dacht Kent, die niet meer naar het bleke licht dat er nu opeens onmogelijk fel uitzag durfde te kijken. Alsjeblieft, Beth, zet hem uit. Hij wilde Sipes er niet aan herinneren dat er nog meer prooi was, hij wilde niets dan duisternis en stilte van zijn gezin.

'Waarom denk je dat ik hier ben?' vroeg Sipes. 'Waarom denk je dat ik achter je aan ben gekomen?'

'Dat weet ik niet.'

'Was je me vergeten?'

'Nee.'

'Woorden kunnen pijn doen, Coach. Je moet ermee oppassen.' Sipes had het wapen laten zakken. Het was nu op de oprit gericht, en Kent zou erbij kunnen zijn voordat hij tijd had om zijn arm op te tillen, maar dat ging hij niet doen, niet met Beth en de kinderen binnen.

'Ik ben gekomen,' zei Sipes, 'om te zien wat je beloftes waard zijn.'

'Ik begrijp niet wat je bedoelt.'

'Weet je nog wat je me de vorige keer hebt aangeboden?'

'Hulp,' zei Kent.

'Hulp?' Sipes deed alsof hij verbaasd was. 'Dat herinner ik me anders. Ik herinner me een belofte. Althans, zo noemde jij het. Je zei tegen mij dat geen angst zo groot was dat hij je geloof kon breken. Klopt dat?'

'Dat heb ik gezegd.'

'Geloof je dat ook echt?'

'Ja.'

Sipes glimlachte, en het joeg Kent de stuipen op het lijf dat de man daar zo intens tevreden mee leek te zijn.

'Goed zo, Coach. Heel goed.' Hij spreidde zijn armen, het wapen in zijn hand. 'Ik ben gekomen om te zien of dat echt zo is. Daar zou jij waardering voor moeten hebben. In een beproeving leer je jezelf kennen, dat weet je. Dat heb je ons zelf verteld. Ik had het gevoel dat jij dacht dat je alles wat er te leren is al had geleerd.'

'Nee, dat is niet...'

'Ik ben in de kamer van je zus geweest,' onderbrak Sipes hem. 'Interessant hoe je broer die intact heeft gehouden. Kom je er wel-eens?'

Kent schudde zijn hoofd.

'Dat dacht ik al,' zei Sipes. 'Even uit nieuwsgierigheid, Coach, weet je wie Gideon is, in de Bijbel? Herinner je je zijn verhaal?'

Kent verafschuwde de naam Gideon. Maar hij kende hem wel.

'Ik heb het gelezen,' zei hij.

'Ik ook. Gideon was de door God gekozen krijger. Hoe stond het er ook weer? "Hier is het zwaard van de Heer en van Gideon!" geloof ik. Klopt dat?'

Kent antwoordde niet.

'Denk jij dat Gideon Pearce het zwaard van de Heer was, Coach? Was hij de door God uitgekozen krijger?'

'Gideon Pierce was iemand anders dan de Gideon uit de Bijbel.'

'Heel scherp. Maar ik denk dat er meer dan alleen ironie in de namen is te vinden. Als Gideon het zwaard was, Coach, dan ben ik de profeet. Ik denk dat je de komende dagen nog vaak aan mijn woorden zult denken. Ik vermoed dat je al weleens aan mijn woorden hebt teruggedacht. Wat heb ik op de dag dat we elkaar voor het eerst ontmoetten tegen je gezegd?'

'Je hebt gezegd dat je mijn geloof in angst kon laten omslaan.'

'En wat zei jij toen?'

De wind prikte in Kents ogen, maar hij wendde zijn blik niet af. 'Ik was het niet met je eens.'

'Dat kun je wel zeggen,' zei Clayton Sipes. 'En nu zullen we het zien, nietwaar? We zullen het zien. Ik moest maar weer eens gaan. Tenzij je liever hebt dat ik met Beth tv ga liggen kijken...'

Kent verstijfde: tot zijn afgrijzen wist Sipes niet alleen dat ze wakker was en tv keek, maar had hij bovendien haar naam in de mond genomen. Hij antwoordde niet. Sipes glimlachte weer en hield zijn linkerhand op.

'Je sleutels, alsjeblieft.'

'Wat?'

'Je autosleutels, Coach. Ik vind het niet verstandig om te lopen.'

Kent twijfelde weer; hij wilde dat de man wegging, maar zijn autosleutels zaten aan dezelfde ring als zijn huissleutels.

Als hij vannacht naar binnen had willen gaan, had hij dat allang gedaan, hield hij zichzelf voor, een afgrijselijke geruststelling, en hij gaf hem de sleuteltjes van de Explorer. Hun handen raakten elkaar even aan, en Sipes glimlachte.

'Je denkt zeker dat je het al begint te leren, hè?' vroeg hij. 'Ik zie het aan je gezicht. Je begint al op je beslissingen te vertrouwen. Geweldig, toch, Coach? Geweldig.'

Hij liep om Kent heen, het wapen geheven, en bleef met zijn rug naar het portier staan.

'Loop maar naar de veranda,' zei hij.

Kent liep erheen, met zijwaartse stappen. Sipes schudde zijn hoofd.

'Draai je om, Coach. Bewijs dat je me vertrouwt.'

Even overwoog Kent zich op hem te storten, maar het was het slechtst denkbare moment; hij was nu te ver weg.

'Vertrouw me maar,' fluisterde Sipes.

Kent draaide zich om en liep naar zijn huis, wachtend op het schot. Toen hij het portier van de auto open hoorde gaan, verkrampte hij en zette zich schrap voor de pijn die niet kwam. Hij liep door, de trap naar het portiek op, en de motor brulde en de koplampen verspreidden zijn silhouet op de voordeur. Daar bleef hij met zijn rug naar de straat staan tot hij de banden over de stoep hoorde gaan. Hij draaide zich om en zag de achterlichten van zijn auto in de straat verdwijnen. De kracht vloeide uit zijn benen en zijn hand zocht houvast tegen de muur. Hij keek naar de donkere, lege straat en wachtte tot hij zijn evenwicht terug had. Toen klopte hij op de deur van zijn huis en riep met schorre stem zijn vrouw.

31

Stan Salter was er binnen tien minuten, maar Kents Explorer was niet gezien. Kent had het alarmnummer misschien anderhalve minuut na Sipes' vertrek gebeld, maar hij was al spoorloos.

'We vinden de auto wel,' zei Salter.

'Maar dan zit hij er niet meer in.'

'Misschien wel.'

Kent schudde zijn hoofd, meer niet. Ze stonden in de woonkamer. Beth was boven, bij de kinderen, die wakker waren geworden van de paniek in de stem van hun moeder toen hun vader de politie belde. Maar ze had zich snel herpakt of wist die indruk te wekken, en was nu bij hen om hen te kalmeren, troosten en gerust te stellen dat alles beneden goed was, dat de politie alleen even met papa moest praten, meer niet, geen probleem, niets om bang voor te zijn.

In de woonkamer liet Kent zich op de bank zakken. Hij wreef voorovergebogen over zijn voorhoofd en vertelde Salter wat er was gebeurd.

'Heeft hij expliciet gezegd dat hij Rachel Bond heeft vermoord?' vroeg Salter.

'Dat was wel duidelijk, ja.'

'Maar heeft hij het ook toegegeven? Of vond hij het genoeg dat jij ervan uitging?'

'Hij heeft het niet op de Bijbel gezworen, nee, maar hij had er geen moeite mee het toe te geven.'

Salter stoorde zich niet aan zijn toon en keek hem zonder te oordelen aan, maar om de een of andere reden wakkerde zijn geduld Kents woede alleen maar verder aan.

'Ik weet zeker dat hij er met plezier met jullie over praat. Maar dan moeten jullie hem verdomme wel eerst vinden.' Zijn stem was omhoog geschoten, in de coachtoon, en hij had er onmiddellijk spijt van, want hij wist dat ze hem boven ook konden horen en dat hij de woorden waarmee Beth probeerde Andrew en Lisa gerust te stellen ondermijnde.

'Voelde jullie gesprek op enig punt vreemd aan?' vroeg Salter, alsof Kent niets had gezegd.

'Vreemd?' Kent staarde hem aan. 'De man richtte een wapen op me en praatte over moord. Dat voelde wel een beetje vreemd aan, ja.'

'Ik bedoel eigenlijk of er iets was dat niet in overeenstemming leek met jullie eerdere contact? Met de brief die hij had verstuurd?'

'Nee. Het was dezelfde vent, met dezelfde woorden en dezelfde zieke geest. Alleen had hij deze keer een wapen in zijn hand en stond hij voor mijn huis. Dat waren de twee nieuwe elementen. Niet meer dan twee, maar wel twee cruciale.'

'Jullie woordenwisseling over Gideon Pearce – kwam die overeen met het gesprek dat jullie toentertijd in de gevangenis hebben gehad?'

'Absoluut. Hij had het toen niet over de versie uit de Bijbel, maar hij heeft alle tijd gehad om die te lezen. En hij heeft ook gezegd dat hij in Adams huis heeft ingebroken. Hij zei dat hij in de kamer van mijn zus is geweest en dat Adam die… intact heeft gehouden.'

'Zei hij ook wanneer hij daar is geweest?'

'Nee.' Kent ging staan, liep naar het raam, keek naar de donkere straat en zei: 'Ik moet het tegen Adam vertellen.'

'Dat heb ik liever niet.'

'Wat?'

'Dit is een complex onderzoek, Coach. We moeten buitengewoon voorzichtig handelen. Dat begrijpt u zelf ook; u heeft meerdere keren gezegd hoe intelligent Clayton Sipes is.'

'Als die man in het huis van mijn broer is geweest, heeft hij er recht op dat te…'

'Niet van u,' zei Salter. 'Laat ons die gesprekken met uw broer voeren. Ik ga ervan uit dat u er, na zijn recentelijke optreden, begrip voor heeft dat wij uiterst voorzichtig te werk gaan.'

Kent zei: 'Ik zeg niet dat ik van het dak wil schreeuwen dat die vent verdachte is. Ik wil mijn broer de identiteit van de persoon die in zijn huis heeft ingebroken onthullen. Dat lijkt mij meer dan billijk.'

'Dat is het ook. Maar laat het aan ons over. Ik overleg wel met Robert Dean van de FBI, daarna praten we met uw broer. Tot die tijd hebben we uw medewerking nodig.'

'Mijn medewerking,' echode Kent. 'Nou, die heeft u, meneer Salter. Zodra er een moordenaar voor mijn deur staat, bel ik u meteen op. Dat is medewerking. Wat ik van u nodig heb, is bescherming. Kunnen we het daar ook over hebben?'

'Zorgt u ervoor dat het alarm altijd aanstaat en dat de deuren op slot zijn?'

'Ja, natuurlijk. Maar dat lijkt me inmiddels niet meer voldoende. We hebben het over een moordenaar, over iemand die eerder mensen heeft gestalkt. Als het om de bescherming van mijn gezin gaat, hoor ik graag iets beters dan "zet het alarm aan en doe de deur op slot".'

'We sturen regelmatig een surveillancewagen door de buurt. Meerdere keren per uur.'

'Kan er niet vierentwintig uur per dag bewaking komen?'

'Daar hebben we de mankracht niet voor. Ik zal ervoor zorgen dat we heel zichtbaar aanwezig zijn, maar vierentwintig uur per dag kan ik niet toezeggen.'

'Zijn jullie al dichter bij zijn arrestatie?'

'We doen er alles aan om in ieder facet van het onderzoek zo veel mogelijk vooruitgang te boeken.'

'Dat is een uitvlucht. Geen antwoord.'

'We werken samen met de FBI en de recherche van Ohio en boeken vooruitgang. Blijft u vooral meewerken, dat is de enige manier waarop u ons helpt.'

Kent knikte, maar hij verdroeg het niet langer Salter aan te kijken, hij voelde zich bij ieder woord dat de man uitsprak verder van hem verwijderd. Adam had hem eraan herinnerd dat de politie vier maanden naar de moordenaar van Marie had gezocht en hem toen alleen had gevonden omdat de politie van een ander stadje een willekeurige verkeerscontrole hield en geluk had. Daar kon hij niets tegen inbrengen. Dat had hij eerder wel geprobeerd, en hij vroeg zich nu af waarom.

Premiejagers

32

Adam en Chelsea waren net onder de douche vandaan gekomen, en de koffie stond te pruttelen toen ze op de oprit een auto hoorden stoppen. Chelsea keek uit het raam en Adam vroeg: 'Wie is het?'

Het was even stil. 'Je broer.'

'Wat?'

Ze knikte.

Hij had een paar avonden eerder in de kleedkamer alles tegen Kent gezegd wat hij hem te zeggen had en hij vond het maar niets dat hij nu bij Chelseas huis opdook. Dat was opdringerig. Hij had toch kunnen bellen?

'Dat handel ik wel af,' zei Adam, en hij liep naar buiten en deed de deur achter zich dicht.

'Wat doe jij hier?'

Kent zei: 'Voor wat het waard is, achteraf gezien had ik jou moeten bellen vóórdat ik de sleutel van je huis aan de politie gaf.'

Adam keek hem strak aan. 'Goed.'

'Ik wilde dat ik je had gebeld,' herhaalde Kent en hij liet zijn autosleutels in zijn hand rammelen. Onrustig, nerveus. Adam vermoedde dat dit bezoek een idee van Beth was. Kent wilde hier niet zijn. Kent reed zelfs in de auto van Beth. Het lag er zo dik bovenop dat het hem kwaad maakte.

'Ben je hier helemaal naartoe gereden om je excuus te maken? Verdomme, Kent, omdat ik voor moet komen hoef jij nog geen beleefdheidsbezoekjes af te komen leggen. Wacht daar maar mee totdat ik in de bak zit, tussen jouw vrienden.'

Dat was onnodig bot, maar hij wilde dat Kent wegging. Hij zat niet te wachten op een preek, hij zat niet te wachten op excuses en hij zat niet te wachten op een poging een relatie die er niet meer was te verbeteren.

'Concentreer jij je nou maar op je footballteam,' zei hij wat minder scherp. 'Mijn problemen zijn jouw schuld niet en ze gaan je ook niets aan. Ik zal je niet langer een plek op de voorpagina bezorgen, maak je geen zorgen. Ik ben niet van plan weer zoveel opschudding te veroorzaken. Ik zal geen aanleiding...'

'Ik wil een wapen van je lenen,' zei Kent.

Adam hield op met praten en keek hem scheef aan. 'Zeg dat nog eens?'

'De moordenaar van Rachel Bond was vannacht bij mijn huis. Toen ík er niet was en Beth, Lisa en Andrew binnen waren.'

Adam zei zacht: 'God nog aan toe.' Hij liep het trappetje af en kwam bij zijn broer staan. 'Heeft hij geprobeerd binnen te komen of...'

'Hij wachtte me op. Hij zat op de veranda. Hij heeft mijn auto gestolen. Hij reed er gewoon mee weg en ze hebben hem nog niet teruggevonden. Ik betwijfel of ze hem überhaupt terug zullen vinden. Ik laat vandaag nieuwe sloten op mijn huis zetten. Ik heb de politie gebeld, ze surveilleren. Ik heb alles gedaan wat binnen mijn mogelijkheden ligt, maar...' Kent haperde, slikte en herpakte zich. 'Hij is naar mijn huis gekomen, Adam. En mijn vrouw en kinderen waren binnen.'

Adam voelde de woede opkomen die hij ook had gehad toen de schildpad van gebrandschilderd glas in Maries kamer brak, een bassin vol razernij zonder afvoer, op zoek naar een spleet, een uitweg.

'Dat kunnen we niet toestaan,' zei hij. 'Nee. Dat kunnen we niet toestaan.'

Kent haalde zijn hand over zijn mond. 'Ik probeer Beth niet bang te maken. Maar ik... ik zou graag willen dat ik me kan verdedigen, als dat nodig is. Heb jij een pistool? Mag ik er een lenen?'

'Ik heb er zoveel. Maar weet je hoe je ermee moet schieten, Kent?'

'Ik had gehoopt dat jij me dat kunt leren. Ik vraag je niet om van de ene op de andere dag een scherpschutter van me te maken, ik moet er alleen mee kunnen... Mocht ik het nodig hebben, dan wil ik weten hoe ik het moet gebruiken.'

Adam knikte. 'Goed,' zei hij. 'Als je nu tijd hebt, kunnen we naar de schietbaan gaan.'

'Ik heb tijd.'

'Wacht even.'

Adam liep naar binnen, en Chelsea keek hem vragend aan.

'Het wordt waarschijnlijk een stuk makkelijker om de klootzak die Rachel Bond heeft vermoord te vinden,' zei Adam. 'Hij blijkt mijn broer te stalken.'

'Meen je dat?'

'Ja.' Hij ademde diep in en voelde de pijn die de Taser had achtergelaten. Hij zei: 'Ik kom wat later op kantoor, Chelsea.'

Ze ging er niet tegen in.

Adam nam Kent mee naar een privéschietbaan ten zuiden van het stadje. Het was eigenlijk niet eens echt een schietbaan, eerder een stuk grond van een wapengek die een hectare voor het schieten apart hield, daar een zandwal had laten opwerpen en vrienden langs liet komen. Adam was zo'n vriend. De man was niet thuis, maar Adam wist dat dat niet uitmaakte.

'Je bent inderdaad niet van het ene op het andere moment een scherpschutter,' zei hij tegen zijn broer. Ze waren ieder met hun eigen auto gekomen; Kent had gezegd dat hij liever achter hem aan wilde rijden. 'Dus de beste keus is een wapen dat veel schade aanricht zonder dat je er nou per se heel secuur voor hoeft te zijn. Deze bevalt mij goed.'

Hij overhandigde Kent een revolver met een rubberen handvat en een korte, roestvrijstalen loop. 'Een nogal bijzonder wapen,' zei hij. 'Je kunt hier namelijk zowel jachtgeweerpatronen als .45-kaliberkogels mee afvuren. Er gaan vijf kogels in. We laden hem met twee patronen en drie .45'ers. Als die vent niet te ver weg is, haal je hem neer met de jachtgeweerpatronen.'

Adam zette een plaat multiplex neer om de doelwitten op hun plek te houden. Hij stond er vijf meter vandaan, richtte de revolver en vuurde twee keer. Er vlogen spaanders hout door de lucht.

'Neem maar van mij aan,' zei hij, 'dat je hem daar wel mee neerlegt. En hiermee...' Hij liep naar de plaat, hield de loop er een halve meter van af en vuurde opnieuw. Deze keer joeg de .45-kaliberkogel erdoorheen. '... zorg je ervoor dat hij niet meer opstaat.'

Hij keek naar Kent. 'Kun je dat? Want dat moet. Zo'n jachtgeweerpatroon werkt hem tegen de grond, maar dat is niet genoeg. Een .410-huls niet, en die gaat hierin. Dus je moet het kunnen afmaken. Kun je dat?'

'Ik hoop niet in de gelegenheid te komen om dat te ontdekken.'

'Kun je het?' vroeg Adam. 'Want anders heeft het geen zin, Kent. Dan kun je beter pepperspray kopen en hopen dat de buren Beth horen gillen.'

Kent huiverde. Toen hield hij zijn hand op voor het wapen.

'Als hij in mijn huis is en ik moet mijn gezin beschermen, ja, dan kan ik hem doodschieten. En zal ik dat doen ook.'

Adam knikte en draaide de cilinder open om hem te herladen.

'Eens kijken of hij je bevalt,' zei hij.

Kent vuurde dertig jachtgeweerpatronen en vijftig .45-kogels af. Hij had een vaste hand en schoot niet slecht. Een oude quarterback. Zijn oog-handcoördinatie had hem niet in de steek gelaten.

'Als je dit voor elkaar krijgt,' zei Adam toekijkend, 'zit je goed. Maar vergeet het niet af te maken. Laat hem niet liggen om de politie te bellen. Maak het af.'

Kent draaide het wapen in zijn hand en bestudeerde het.

'Behoorlijk smerig wapen.'

'Klopt. Het is geen nauwkeurig pistool, maar voor zelfbescherming van dichtbij is het volgens mij het beste dat er is.'

'Wat is het merk?'

'Taurus. Het model heet de Judge.'

Kent leek zich bij de naam ongemakkelijk te voelen, wat Adam vreemd vond, want hij had er nooit betekenis aan gehecht. 'Het was oorspronkelijk geloof ik bedoeld voor rechters, voor in de rechtszaal,' zei hij. 'Voor zelfbescherming, voor het geval een of andere gek op de rechterstoel af stormde of zo.'

'Goed. Hoor eens, bedankt. Voor het pistool en voor je tijd.'

'Hou op, Kent. We hebben het hier wel over mijn neefje en nichtje. Ik weet dat je Beth niet bang wilt maken, maar ik kan 's nachts buiten de wacht houden. Ze hoeft nooit te weten dat ik er ben geweest.'

'Ik weet niet of dat zo'n goed idee is, als de politie daar patrouilleert. Als ze je zien, met die kwestie waar je nu mee zit...'

'Daar kan ik wel mee omgaan,' zei Adam. Het waaide hard, de wind sloeg het dorre gras om hen heen plat en er spatten regendruppels uit de grauwe lucht. 'Vergeet één ding niet: je wilt niet op een dag betreuren dat je het niet hebt gevraagd. Denk daaraan.'

'Zou je dat echt willen doen?'

'Graag zelfs.'

'Ik kan je ervoor betalen. Het is werk, en ik wil niet...'

'Meen je dat nou serieus?'

Kent zweeg en knikte. 'Sorry. En ja, als je het echt niet erg vindt... Om te beginnen misschien alleen vannacht. Tot ik iets van de politie heb gehoord. Ik weet zeker dat het niet lang zal duren.'

'Goed,' zei Adam. 'Het zal niet lang duren. Kun je me nu meer over die klootzak vertellen? Je zei dat je hem hebt gezien. Je hebt hem gesproken.'

'Ja.'

'Ken je hem? Weet je wie hij is?'

'Ik weet wie hij is.'

'Ja?' Adams hartslag was die hele ochtend al vrij hoog geweest. Nu leek hij te vertragen, alsof zijn bloed dikker werd, en hij moest zijn lippen bevochtigen voordat hij verder kon praten. 'Als je zo zeker van je zaak bent, en de politie is naar die vent op zoek, waarom is hij dan nog niet gearresteerd?'

'Hij is spoorloos.'

'Spoorloos.'

'Hij is afgelopen zomer uit de gevangenis gekomen. Daarna is hij niet één keer bij de reclassering langs geweest. Er liep al een arrestatiebevel tegen hem. Ze zoeken hem.'

Natuurlijk was er een arrestatiebevel. Natuurlijk waren ze naar hem op zoek. Natuurlijk waren ze hem kwijt en hadden ze tot dit was gebeurd geen moeite gedaan om hem te vinden.

'Wie is het?' vroeg Adam.

Kent zweeg, zijn blik op het wapen dat hij nog steeds in zijn handen ronddraaide, zijn vingers om de kolf als het rijgsnoer van een football. Adam herinnerde zich dat Kent ook zo uit zijn ogen had gekeken op het moment dat hij wist dat de verdediging een charge op hem zou gaan uitvoeren. Rusteloos, geëlektriseerd. Uiteindelijk reageerde hij altijd goed, maar wat had Adam een hekel aan die lichaamstaal, als de charge op de pocket kwam. Hij was ertegen opgewassen, maar zo zag hij er niet uit. Hij zag eruit alsof hij bang was. Adam keek toe hoe hij het wapen in zijn hand liet ronddraaien en dacht: hij weet het, godverdomme, hij weet hoe die klootzak heet en hij vertelt het me niet. Hij voelde de woede opwellen en vocht ertegen, hij pakte Kent bij de schouder.

'Franchise, jij hebt mij om een gunst gevraagd, en die heb ik je bewezen. En nu ga ik jou om een gunst vragen.'

'Adam, de politie heeft me gezegd dat ik...'

'Laat me de gunst uitspreken voordat je nee zegt,' zei Adam.

Kent wierp een blik op de hand op zijn schouder. De huid op de knokkels was gezwollen en donker. 'Wat dan?'

'Ik wil je een plek laten zien.'

'Welke plek?'

'De plek waar Rachel Bond is gestorven,' zei Adam.

'Die hoef ik niet te zien, Adam. En daar zou jij niet moeten komen.'

'Ik wil je hem graag laten zien.'

Nadat Kent nog even naar Adams gekneusde hand had staan kijken, knikte hij.

33

Ze zaten op het verweerde, gebarsten hout van de steiger aan de overkant van het meertje, vanwaar ze het zomerhuisje konden zien zonder dat ze op het perceel hoefden te komen. Het grootste deel van de bladeren van de bomen eromheen was er door de herfststormen afgewaaid en het huisje zag er kleurloos uit. Niet één zomerhuisje was in gebruik. Het meertje was grijs en roerloos, als beton. Kent vond het onprettig om naar het huisje te kijken, het moordhuis, de plek waar Rachel Bond voor het laatst en tevergeefs naar adem had gesnakt, en daarom keek hij, terwijl hij Adam over zijn bezoek, die zomer, aan Mansfield vertelde, naar het water.

Hij hoefde zich niet af te vragen of hij zijn broer kon vertrouwen, de broer met wie hij geen echte band had, de broer die met handboeien om en een bebloede politieagent naast zich op de voorpagina van de krant had gestaan. De politie mocht Kent dan hebben gevraagd zijn theorieën over Clayton Sipes niet met Adam te delen, Kent was nu, tegen alle logica in, Adams borgsteller. Dat had Chelsea Salinas zelf gezegd toen hij de papieren tekende. Kent had Adam niet ingelicht over de huiszoeking door de politie, en hij had gezien wat daarvan het gevolg was. Adam zat in de problemen omdat Kent hem niet had voorbereid. Dat mocht niet nog een keer gebeuren. Kent moest Adam voor zijn bestwil inlichten.

Voorbereiden.

'Gideon Pearce heeft nooit in Mansfield gezeten,' zei hij.

'Wat heeft dat ermee te maken?' vroeg Adam.

'Ik heb me afgevraagd of ze elkaar hebben gekend. Of het footballplaatje... die connectie met Marie, of hij dat zelf heeft uitgeplozen of dat hij het van Pearce had. Hij had het zo kunnen vinden. Wat gesnuffel in oude kranten had volstaan. Maar ik vraag me af of ze elkaar hebben gekend.'

'Het zou kunnen.'

'Ik weet dat jij Gideon Pearce hebt ontmoet.'

'O ja?'

'De politie heeft het me verteld. Je bent naar hem toe gegaan om hem te zweren dat je hem zou vermoorden.'

Adam schraapte zijn keel en spuugde in het water. 'Dat klopt. Als het die dag had gekund, zou ik het meteen gedaan hebben. De blik van die klootzak, Kent... Godver, ik zou hem alleen vanwege zijn blik hebben vermoord, alleen maar om hoe hij naar me keek.'

'Geamuseerd,' zei Kent.

'Ja. Dat is het juiste woord.'

'Meende je het?'

'Wat? Dat ik hem zou vermoorden?'

Kent knikte.

'En of ik het meende. De dag dat hij stierf, was een van de treurigste dagen uit mijn leven, Kent. Echt waar. Want ik heb gewacht. Ik wilde de kans krijgen. Het maakte me niet uit hoe lang het zou duren. Al was Gideon Pearce als een oude man met grijs haar en een looprek en een zuurstoffles uit de gevangenis gekomen, ik had hem de keel doorgesneden.'

Zijn stem klonk rustig. Geen geschreeuw, geen woede, geen weggeslikte tranen. Rustig en beheerst.

Kent keek naar het huis, naar de flarden politielint die aan de verweerde veranda hingen, waar de man die hij een paar maanden eerder had leren kennen een meisje naartoe had gelokt om haar leven te beëindigen. Het lint klapperde in een korte, kille windvlaag en even verscheen er een grijze schittering op het meer. Toen was het weer stil.

'Waarom vraag je dat?' vroeg Adam.

'Ik maak me zorgen om je, man.'

'Zorgen?'

'Ja. Je praat veel over moorden. Eerst Pearce, en nu... Nu de man die Rachel heeft vermoord. De vorige keer, in de kleedkamer, was het net zo. Ik begrijp je woede wel, maar... Ik zou willen dat je rust vindt.'

Adam keek hem met een merkwaardig glimlachje aan. 'Jij wilt dat ik rust vind?'

'Natuurlijk.'

'Goed dan. Ik zal mijn best doen. Weet je wat me zou helpen een beetje rust te vinden, Kent?'

'De naam.'

Adam knikte. 'Inderdaad. Ik wil de naam heel graag hebben.'

'Er is me verteld dat ik die naam niet moet noemen. Door de politie.'

'Je maakt je zorgen om je gezin,' zei Adam. 'Dat heb je me verteld. Beth is bang, en jij ook.'

'Het komt goed.'

'Dat hoop ik. Maar laten we één ding niet vergeten – deze klootzak is ook in míjn huis geweest. Hij heeft dat footballplaatje weggehaald uit het huis waar ik woon. En jij vindt dat ik geen recht heb op zijn naam? Stel dat die vent gewoon rondloopt. Mij volgt, Chelsea volgt. Zou het dan niet prettig zijn als ik hem kon herkennen? Als er iets gebeurt, en jij weet dat dat voorkomen had kunnen worden als je me de naam had gegeven zodat ik een paar foto's had kunnen opzoeken… Wat zou je dan denken, Kent?'

Het was een snugger argument. Adam was altijd snugger, hij had altijd geweten hoe hij Kent moest aanpakken.

'Als je wilt sta ik iedere nacht bij je huis op de uitkijk naar die klootzak. Iedere nacht. Jij kunt iets soortgelijks voor mij doen. Je kunt me helpen mezelf te beschermen.'

Kent zweeg lang. Hij zag het beeld van de voorpagina weer voor zich, de vlakke blik in zijn ogen en zijn bebloede handen. Al was Gideon Pearce als een oude man met grijs haar en een looprek en een zuurstoffles uit de gevangenis gekomen, ik had hem de keel doorgesneden.

'Clayton Sipes,' zei Kent. Hij had verwacht dat het er fluisterend uit zou komen, maar zijn stem was helder en krachtig.

'Clayton Sipes.' Adam herhaalde de naam langzaam, afgemeten, als iemand die de wijn proeft voordat hij de fles goedkeurt.

'Ik heb hem hiernaartoe gebracht,' zei Kent, en hij vertelde zijn broer alles wat er was voorgevallen, van de eerste ontmoeting in de gevangenis tot en met de laatste van die avond ervoor. 'Hij is hier voor mij.'

'Daar lijkt het wel op.' Adams stem klonk afgemeten. Hij wilde een sigaret opsteken, maar pas na vijf pogingen had hij een vlam, zo trilde zijn duim op het wieltje van de aansteker.

'Als je daar iets over wilt zeggen, doe dat dan nu,' zei Kent. 'Ga je gang, vertel me wat je op je hart hebt, dat er, als ik niet met een Bijbel in de gevangenis had lopen leuren, niets van dit alles was gebeurd. Zeg het en zeg me meteen wat je verder...'

'Hou op, Kent.'

Kent keek naar hem, keek hoe Adam een kring rook uitblies.

'Je denkt het,' zei hij. 'En in dit geval heb je tenminste gelijk.'

'Het enige wat ik denk,' zei Adam, 'is dat de man die een zeventienjarig meisje heeft vermoord, vrij rondloopt. En dat hij mijn huis – óns huis – is binnengedrongen en spullen van onze zus heeft ontvreemd. Dat denk ik.'

Kent antwoordde niet. De zon kwam niet door de wolken, maar toch had hij zijn Chambers High-pet tot vlak boven zijn ogen getrokken.

'Doe wat je zegt,' zei Kent, 'neem voorzorgsmaatregelen, blijf waakzaam. Maar die andere ideeën... Zet die uit je hoofd, Adam.'

'Dat gaat niet, Kent. Ze achtervolgen je, weet je? Het is heel moeilijk om ze uit je kop te krijgen.'

Ze zwegen even. Adam blies de rook in de wind en hij sprak de naam opnieuw uit, zacht. 'Clayton Sipes.' Hij knikte en toen hij opstond en Kent zijn hand bood, zag hij er rustig uit. 'Het is goed dat je het me hebt verteld.'

'Ik hoop het.'

'Geloof mij,' zei Adam. 'Het is goed.'

34

Clayton Sipes zat in Mansfield voor aanranding en stalking. Hij was negenentwintig toen hij erin ging en kwam er op zijn vierendertigste weer uit.

Om spoorloos te verdwijnen.

Dat gebeurde in augustus, in de maand dat Rachel Bonds zogenaamde vader contact met haar opnam om haar te laten weten dat hij vrijkwam.

Terwijl Adam over Sipes las, pafte hij vier sigaretten weg in een tijdsbestek waarin hij er normaal gesproken één rookte, wat hij pas besefte toen hij het pakje pakte en zag dat het leeg was. Hij voelde de spanning in zijn achterhoofd. Te veel nicotine, te snel gerookt.

Maar die spanning verdween niet door niet te roken. Sterker nog, zij verspreidde zich over zijn nek en schouders terwijl hij achter de computer krantenartikelen zat te lezen. Sipes kwam uit Cleveland en was daar opgepakt. Hij had als conciërge van de Case Western Reserve-universiteit een ongezonde belangstelling voor een eenentwintigjarige techniekstudente opgevat. Zijn slachtoffer diende haar eerste klacht drie jaar voor zijn uiteindelijke arrestatie in, wat bewees dat zijn wangedrag niet van voorbijgaande aard was. Clayton Sipes, de Gideon door wie Rachel Bond was opgespoord, had geduld. En toewijding. Het was onwaarschijnlijk dat Kent de verkeerde man de schuld in de schoenen schoof. Sipes voldeed aan het profiel.

Na een aantal nare incidenten voelde het slachtoffer zich dusdanig door Sipes geïntimideerd dat ze contact met de universiteitspolitie had opgenomen. Sipes werd gewaarschuwd afstand te bewaren, maar niet in staat van beschuldiging gesteld. Vijf maanden later werd hij ontslagen omdat hij er niet in was geslaagd bij haar uit de buurt te blijven, en hem werd seksuele intimidatie ten laste gelegd. Die tenlastelegging werd weer ingetrokken, maar Claytons belangstelling voor zijn slachtoffer niet. De twee jaar daarna bleef hij in haar omgeving opduiken. Keer op keer werd de politie gebeld en er werden meerdere onderzoeken ingesteld, maar Sipes had steeds een alibi en werd niet opnieuw in staat van beschuldiging gesteld. Pas drie jaar nadat hij zijn belangstelling voor de vrouw voor het eerst kenbaar had gemaakt, werd hij gearresteerd op haar veranda, waar hij gewapend met een .357-kaliber wilde weten waarom ze probeerde haar lot te ontlopen, aan haar borsten zat en aan haar haar snuffelde. Ze wist de toets met daaronder het laatst gebelde nummer op haar mobiele telefoon in haar zak in te drukken, en de vriend die opnam luisterde godzijdank in plaats van de verbinding te verbreken omdat ze per ongeluk gebeld zou hebben. Toen hij genoeg had gehoord belde hij het alarmnummer, en de politie trof hen op de veranda aan. Sipes werd het overtreden van een straatverbod, aanranding, stalken en poging tot ontvoering ten laste gelegd. Die laatste aanklacht werd ingetrokken, maar hij werd veroordeeld tot acht jaar, wat inhield dat hij met goed gedrag na vijf jaar vrijkwam.

Adams eerste stap was het verzamelen van deze achtergrondinformatie. Het was van cruciaal belang dat hij Sipes leerde kennen voordat hij achter hem aan ging, en daarom wilde hij alles over hem weten wat er over hem bekend was. Maar toen hij naar de politiefoto's keek en de zelfgenoegzame, honende blik zag waarmee Sipes onverschillig in de camera keek, werd hij witheet.

Ze zijn hem kwijt! dacht hij. Die sukkels zijn hem kwijtgeraakt!

Hoe kregen ze dat voor elkaar? Hoe kregen ze het voor elkaar zo'n zieke klootzak uit het oog te verliezen? Hoe was het mogelijk dat ze hem de gevangenis uit hadden laten lopen en zich pas weer om hem waren gaan bekommeren toen er een vermoord meisje in een greppel lag?

Het verleden kon hij niet rechtzetten. Hij begreep dat dat niet in zijn macht lag – zoiets rechtzetten was onmogelijk. Maar er bestond ook zoiets als boete en straf, en die kon hij opleggen.

Hij wilde meteen beginnen met zoeken, maar tegen de tijd dat hij alle informatie had verzameld, begon het te schemeren en moest hij naar het huis van zijn broer. Overdag zou hij jagen, 's nachts de wacht houden. En als Sipes meewerkte en nog een keer kwam opdagen, dan zou de jacht niet nodig zijn.

Kom maar, dacht Adam terwijl hij zijn schouderholster omdeed en er een halfautomatische Glock in stak. Chelsea keek bezorgd toe.

'Denk je echt dat dit een goed idee is?' vroeg ze.

'Die klootzak is al een keer bij hun huis opgedoken. Misschien komt hij er terug. Dat laat ik hen niet in hun eentje oplossen. Dat kan ik niet.'

Ze accepteerde dat met een knikje, kuste hem fel en hield hem stevig vast. Een beetje te stevig, een beetje te fel. Niet blij met wat hij ging doen. Daar had hij begrip voor. Maar er was niets aan te doen.

'Ik moet gaan,' zei hij terwijl hij zich losmaakte. 'Sorry.'

Die nacht vroeg Beth Kent meerdere keren in bed te komen liggen.

'Alsjeblieft,' zei ze. 'Dat ge-ijsbeer maakt me nog nerveuzer dan ik al ben.'

Hij ijsbeerde niet, hij probeerde ervoor te zorgen dat ze goed waren voorbereid. Hij controleerde het alarm en de ramen en keek de tuin in. Hij stond op de veranda, zijn vingers stevig om de rubberen kolf van de Judge. Hij had hem Beth niet laten zien, ze was tegen wapens en hij betwijfelde of ze er, zelfs in deze situatie, een in huis zou accepteren. Hij tuurde naar de schaduwen en luisterde naar het geritsel van de droge bladeren boven de schutting, wat iedere keer eerst als voetstappen klonk, en daarna, als hij besefte dat het dat niet was, als een zacht, honend lachen.

'Als jij rond blijft spoken, doe ik geen oog dicht,' zei ze. 'De politie houdt de boel in de gaten. Vertrouw hen.'

Juist. Het probleem was alleen dat hij de politieauto in de afgelopen drie uur maar twee keer had zien langsrijden. Ze waren aanwezig, zeker, Salter hield woord, maar tussen twee keer langsrijden in lagen steeds dertig tot veertig minuten. Dat was veel te lang. Kent, die zijn hele leven naar wedstrijden had gekeken die in seconden werden beslist en ooit een zus had gehad die maar tien minuten van school naar huis hoefde te lopen, begreep maar al te goed hoe weinig tijd er nodig was om het faliekant mis te laten gaan.

'Zorg dat je uitrust,' zei Beth.

Hij beloofde haar dat hij dat zou doen, ging naast haar liggen en staarde naar de kale takken die hun dansende schaduw op de ramen wierpen, met een schuin oog op zijn jack waarin de Judge zat. Toen hij uit Beths ademhaling opmaakte dat ze sliep, sloop hij opnieuw uit de slaapkamer, ging naar beneden en belde Adam.

'Ben je daar?'

'Ja, ik ben er.'

'Gebeurt er iets?'

'De politie patrouilleert regelmatig. Als ze zich al van mij bewust zijn, nemen ze niet de moeite een praatje te maken. Als ze zich niet van mij bewust zijn... Nou ja, dan is dat geen bemoedigend teken.'

'Ik ben je heel dankbaar,' zei Kent. 'Echt. Het is goed dat er nog iemand oplet.'

'Ik zou het ook gedaan hebben als je er niet mee had ingestemd. Maar zorg er wel voor dat je vanaf nu dat wapen bij je hebt.'

'Ik wil het alleen 's nachts bij me hebben.'

'Over de nachten hoef je je geen zorgen te maken. 's Nachts ben ik hier. Het gaat om overdag. Je zou het juist overdag moeten dragen.'

'Ik zal erover denken. Luister eens, als de politie stopt om met je te praten, zeg ze dan alsjeblieft...' Hij zweeg toen hij een schaduw de trap zag af komen en hij had bijna een schreeuw gegeven, maar besefte net op tijd dat het Beth was. Ze keek hem aan. 'Ik moet ophangen,' zei hij tegen Adam. 'Nogmaals bedankt.'

'Geen dank, Franchise.'

Hij hing op en Beth vroeg: 'Wie was dat?'

'Mijn broer.'

'Om één uur 's nachts?'

'Hij is buiten.'

'Wat?'

'Hij wacht op Sipes.'

'In zijn auto?'

'Dat denk ik, ja. Hij stelde het zelf voor, Beth. En ik heb ermee ingestemd.'

'Waarom buiten?' vroeg ze.

'Hè?' Hij begreep niet waarom ze dat vroeg.

'Waarom houdt hij buiten de wacht? Als je het fijn vindt dat hij hier is, laat je hem binnen. In huis.'

'Ik wilde de kinderen niet bang maken. Of jou.'

'Kent, ik hoorde dat je hem vroeg of de politie hem heeft aangesproken. Hij is net gearresteerd wegens een vechtpartij met een agent. Denk je nou echt dat je hem dan het beste buiten in de auto kunt laten wachten? Doe de deur open en laat hem binnen.'

Adam kon zich nog precies herinneren wanneer hij voor het laatst in het huis van zijn broer was geweest, want na de dag waarop hij zijn broer op de oprit een klap had verkocht, was hij er niet meer over de drempel gekomen.

Nu stond hij in het donker in de woonkamer, een Glock goed zichtbaar in een schouderholster onder zijn jasje, en schudde hij de hand van Beth, die duidelijk haar best deed niet naar het wapen te staren. Duidelijk, en zonder resultaat.

'Je hoeft dit niet te doen,' zei ze tegen hem.

'Het lijkt me wel zo verstandig. En ik zat prima in de auto, dat vond ik helemaal niet erg.'

'Maar dat is toch nergens voor nodig,' zei ze.

Hij ging niet tegen haar in.

'Goed, ik ga naar bed,' zei ze. 'Dank je wel, Adam.'

'Graag gedaan, Beth. Slaap lekker.'

Ze liet Adam en Kent in de woonkamer achter en liep naar boven.

'Hoe gaat het, Franchise?' vroeg Adam. 'Hou je het vol?'

'Ja, hoor.'

'Hoe staat je team ervoor?'

'Om eerlijk te zijn heb ik daar vandaag niet veel van meegekregen. Ik was er met mijn gedachten niet bij.'

'Probeer te ontspannen,' zei Adam. 'Concentreer je op hen en laat mij dit afhandelen.'

'Jou en de politie.'

'Precies.' Adam knikte en zei: 'De volgende is een zware. Saint Anthony's.'

'Belangrijke wedstrijd.'

'Waarschijnlijk de belangrijkste. Als je deze week overleeft en je jongens blijven heel, dan ziet het er goed uit. Denk je dat het gaat lukken?'

'Als Mears een paar ballen gaat vangen wel.'

'Je moet hem als cornerback opstellen. Of hem in een speciaal verdedigingsteam zetten.'

'Wat?'

'Ik heb dat joch geobserveerd. Ik zal je vertellen wat hij nodig heeft: een paar goeie dreunen uitdelen. Die kans krijgt een receiver niet snel, of wel? Maar als hij iemand tegen de grond werkt en bloed laat spugen, dan komt hij terug. Voorlopig moet hij er daar op dat veld eerst wat emoties uitgooien; hij wil snel en gemeen zijn. Hij vindt het nu moeilijk om alleen loopacties te doen. De knul moet een beuk uit kunnen delen.'

'Hij is nog nooit cornerback geweest, Adam.'

'Maar hij heeft er zijn hele leven tegenover gestaan. Ik zal jou wat vragen: als die knul zich met twee linkerhanden voor je team had aangemeld, waar had je hem dan opgesteld? Hij is, pak 'm beet, één meter negentig en loopt honderd meter in, hoe lang, twaalf seconden?'

'11,8.'

'Goed. En stel nou eens dat hij nog geen koutje ving als je hem in het gezicht nieste, waar zou je hem dan neerzetten?'

'Cornerback, zeker. Maar dat kan nu niet meer.'

'Hij kan heus wel een mannetje dekken. Hij kent alle looppatronen, hij heeft alles wat ervoor nodig is. Als hij iemand moet dekken die diezelfde patronen loopt maar minder goed is dan hijzelf, zal hij het prima doen.'

Kent schudde zijn hoofd en zei: 'Waarom hebben wij het over football?'

Adam glimlachte. 'Ik volg jouw advies op, Franchise. We moeten een beetje afleiding zoeken, toch?'

'Daar heb je gelijk in.'

'Wachten tot de politie haar werk doet.'

'Ja.'

'Geloof mij, het is echt een goed idee,' zei Adam. 'Maar goed, ga jij maar naar je vrouw, probeer een beetje te slapen.'

'Ik vind het vervelend dat je door mij nu de hele nacht op moet blijven.'

'Daar zou ik niet moeilijk over doen, als ik jou was.'

Dat was waar. Hij had het Chelsea uitgelegd: de vier mensen in dat huis waren de enige familie die hij had.

Kent ging naar boven en Adam bleef in zijn eentje met zijn hand op de kolf van zijn pistool naar de straat zitten kijken, en het kostte hem geen enkele moeite om wakker te blijven.

35

Zijn team zag er fris uit en hun spel was tot in de puntjes verzorgd. Maar Kent had bijna gewild dat het anders was: hij zat barstensvol emotie en had een uitlaatklep nodig, een gebrek aan toewijding of een technische tekortkoming die aanleiding bood om zijn angst en frustratie eruit te schreeuwen. Maar dat gunden de jongens hem niet, ze trainden geconcentreerd en fel, ook al was het maar een korte training omdat ze een groot deel van de tijd voor het bestuderen van beeldmateriaal hadden gereserveerd – het was de enige keer die week dat de coaches de beelden van de tegenstander zouden bespreken.

Ze gingen de school in, werden opgedeeld in een groep aanvallers en een groep verdedigers en zetten zich achter de tafeltjes die ze een uur eerder nog zo gretig hadden verlaten.

De assistent-coaches leidden de videosessies. Kent verdeelde zijn tijd tussen de twee groepen, zodat hij zowel de aanval als de verdediging input kon geven. Hij begon bij de aanvallers, die van Steve Haskins een overzicht kregen van de verschillende verdedigende strategieën waarmee Saint Anthony's dat seizoen had gespeeld. Helaas voor hen waren dat er tamelijk veel. Scott Bless hield van afwisseling.

'Heeft u daar nog iets aan toe te voegen, Coach?' vroeg Haskins aan Kent.

'Hun cornerbacks zijn niet snel genoeg om Colin bij te houden,' zei Kent. 'Ze spelen iedere safety ondersteboven, dat hebben ze het hele seizoen laten zien, maar deze jongens komen vaak net een halve stap te laat. Dus als Lorell de bal op de juiste plek kan leggen, liggen onze kansen in de diepte. Denk je dat je dat kunt, Lorell?'

Dit deed hij natuurlijk expres: hij wilde dat ze dachten dat hij hooguit aan de kwaliteiten van zijn quarterback twijfelde en zich over Colin totaal geen zorgen maakte.

'Dat kan ik wel, sir,' zei Lorell, maar hij keek Kent veelbetekenend aan. En Colin keek niet op.

'Mooi,' zei Kent, 'want die jongens houden hem nooit bij.'

Hij knikte naar Haskins, die verderging met blokkeringsschema's bij loopacties binnendoor en sloop het lokaal met de aanvallers uit. Op de gang bleef hij staan om Beth te bellen.

'Hé.'

'Hé.'

'Alles goed?'

'Ja.'

'Ik wilde alleen even weten of alles in orde was.'

Het was die dag de vijfde keer dat hij zo'n telefoongesprek voerde. Hij probeerde het niet te veel te doen, haar niet met zijn eigen paranoia te infecteren, maar dat viel niet mee. Bij alles wat hij deed zag hij Clayton Sipes voor zich, herinnerde hij zich die fanatieke blik en de weerkaatsing van het licht op zijn kaalgeschoren kop, en dan dacht hij aan de manier waarop hij had geglimlacht toen hij tegen hem zei dat geen vrees zijn geloof kon breken.

'Alles is in orde,' zei Beth. 'De kinderen zijn binnen, de deuren zitten op slot en het alarm staat aan.'

'Het is niet mijn bedoeling je bang te maken.'

'Dat weet ik.'

'Ik kom zo thuis.'

'Ik hou van je.'

'Ik hou ook van jou.'

Hij hing op en liep naar de verdedigers, en hij dacht aan Robert Dean van de FBI, die donders goed wist dat Clayton Sipes het meisje had vermoord. Hoe was het mogelijk dat ze hem niet konden vinden? Het was de FBI, verdomme, het was hun werk, waarom spoorden ze hem niet op en maakten ze hier een einde aan? En waarom was Kent zo stom geweest om zich met Sipes in te laten? Dan Grissom had gelijk; hij had op de verkeerde manier op de aanval van de man gereageerd, hij had hem, met zijn opmerking dat niemand zijn geloof kon doen wankelen, geprovoceerd, en nu was Rachel Bond dood en belde Kent elk halfuur naar zijn vrouw en als hij nou maar...

Hij bleef halverwege de gang staan, tussen het lokaal met de aanvallers en het lokaal met de verdedigers in, en hij vroeg zich af hoe vaak hij uit angst had gebéld en hoe vaak hij had gebéden. Had hij überhaupt gebeden? Vast wel.

Maar hij kon het zich niet herinneren.

Hij wilde zich daar in de gang eigenlijk al voor een kort maar noodzakelijk gebed op zijn knieën laten zakken, maar het piepen van wieltjes kondigde de komst van de kar van de conciërge aan.

'Hé, Coach.'

'Hé,' zei Kent, zich snel oprichtend. Hij wilde niet op zijn knieën gezien worden, zelfs niet voor een gebed, want die dag voelde dat als zwakte. Hij luisterde naar de naderende wielen en dacht: Clayton Sipes was ook conciërge op een school zoals deze, hij was iemand zoals hij, en hij beantwoordde de starende blik van de man, knikte hem kort toe en liep naar het lokaal met de verdedigers, zijn kin omhoog en het hoofd niet langer gebogen.

Adam pakte die ochtend nog twee uurtjes slaap, liep daarna naar het kantoor waar Chelsea al aan het werk was en begon de jacht op de manier die hem vertrouwd was, namelijk door Sipes als een borgschenner te behandelen en niet als iemand die van moord werd verdacht. Hij printte een lijst met voormalige adressen uit, stelde daar een lijst met buren uit samen, zocht hun telefoonnummers op en... stopte. Hij staarde ernaar, schudde zijn hoofd en vloekte zacht. Chelsea keek op.

'Wat is er?'

'Die man heeft jaren in de gevangenis gezeten. Zijn spoor loopt dood.'

Chelsea leunde achterover in haar stoel, zuchtte diep en streek haar haar achter haar oren.

'Dan heb je het over Clayton Sipes, en niet over een borgschenner.'

Hij antwoordde niet.

'Adam, de politie…'

'Nee,' zei hij. 'Nee, Chelsea, ik wil het niet horen. Het spijt me. Ik begrijp wat je wilt zeggen en waarom je het zegt, en ik begrijp ook waarom ik ernaar zou moeten luisteren. Echt waar. Maar je moet weten…' Zijn stem stokte, zoals hem dat soms in Maries kamer overkwam, en hij wendde zijn blik af en zei: 'Door die deur daar kwam een zeventienjarig meisje binnen dat vroeg me haar te helpen. Ik heb haar naar de man gestuurd die haar heeft vermoord – daar brengen omstandigheden en rechtvaardigingen geen verandering in. Ik heb dat gedaan. En die man loopt vrij rond. Hij loopt niet alleen vrij rond, hij is met een wapen naar het huis van mijn broer gegaan, waar mijn neefje en mijn nichtje lagen te slapen. Dus nee, Chelsea, het spijt me, maar ik luister niet, ook al zou ik dat wel moeten doen.'

Ze zweeg even en zei toen: 'Wat heb je nodig? Om hem te vinden, wat heb je nodig, hoe kan ik je helpen?'

Hij draaide zich naar haar toe, en, god, wat hield hij veel van haar.

'Het moet geen buurman zijn,' zei hij. 'Het moet iemand zijn die dichter bij hem staat, met wie hij een onverbrekelijke band heeft, wat er ook gebeurt. Wat hij ook gedaan heeft. Die persoon moet ik vinden, maar wel zonder dat het de aandacht van de politie trekt. Want anders pakken ze me op en maken ze het me zo lastig dat ik kansloos ben. De vraag is hoe ik die persoon kan vinden. Toen hij in de gevangenis zat, heeft hij geen bezoek gehad. Er is één kerel van wie ik denk dat hij het kan zijn, maar hij heeft me nog niets opgeleverd, dus misschien zit ik ernaast.'

'Hoe ben je bij die man terechtgekomen?'

'Ik was op zoek naar mensen die van het huisje aan Shadow Wood op de hoogte waren,' zei hij, en hij stelde zich voor dat hij zich had vergist: Bova moest die week voorkomen, de aanklacht was ernstig. Kon Adam die geest in de fles terug krijgen? Shit. Hij wreef in zijn ogen. Hij had meer slaap nodig. En koffie. En een borrel, misschien, misschien moest hij...

'Zoek iemand zoals jij,' zei Chelsea.

'Wat?'

'Je hebt zelf al gezegd hoe je het moet doen. Je moet iemand vinden die ongeacht wat er gebeurt bij hem blijft, toch? Iemand moet zijn borgsom betaald hebben. En dat zal geen vreemde geweest zijn.'

Hij liet zijn hand zakken, keek haar aan en zei: 'Je bent briljant, weet je dat?'

Ze glimlachte niet. Ze zei alleen: 'Wees wel voorzichtig, Adam. Alsjeblieft.'

Sipes was in Cuyahoga County gearresteerd, en zijn borgsteller was een oude bekende van Adam: Ty Hampton, een twee meter lange neger die honderdzesendertig kilo woog. Adam had altijd gedacht dat Ty minder borgschenners zou hebben dan de gemiddelde borgsteller, omdat hij iemand was die je echt niet achter je aan wilde hebben.

'Dus hij is 'm gesmeerd?' vroeg Ty toen Adam had uitgelegd wat hij wilde.

'Erger dan dat,' zei Adam. 'Hij bedreigt mijn broer.'

'Echt?'

'Ja.'

'Tjonge. Maar het verbaast me niet. Ik heb die griezel nooit vertrouwd. Ik heb geen problemen met hem gehad, maar ik mocht hem absoluut niet.'

'Ik betaal je elk bedrag dat jou redelijk lijkt,' zei Adam.

'Wacht even. Als ik jou met hetzelfde probleem belde, zou jij dan geld willen zien? Als je even hebt, dan zoek ik het op en bel ik meteen terug.'

Het kostte hem nog geen tien minuten.

'Ik heb een naam voor je,' zei hij, 'en ik hoop dat je er iets aan hebt. Sipes' halfbroer heeft zich garant gesteld. Ik heb een adres en een telefoonnummer, maar die zijn niet nieuw meer. Hij heet Rodney Bova, en zijn nummer was…'

'Ik heb zijn nummer,' zei Adam.

'Wat? Godsamme, dus die naam had je al? Sorry, man, ik hoopte echt dat ik je kon helpen.'

'Je hebt me ook geholpen,' zei Adam. 'Je hebt me zelfs enorm geholpen. Zijn halfbroer zei je, toch?'

'Inderdaad. Zelfde moeder, verschillende vaders, volgens mijn aantekeningen. Weet je zeker dat ik verder niets voor je kan doen?'

'Ja,' zei Adam. 'Ik heb het nummer van dit heerschap. Ik hoop dat het wat oplevert.'

'Succes, Austin.'

'Bedankt.'

Adam hing op, en Chelsea trok een wenkbrauw op. 'En?'

'Geen nieuws,' zei Adam. Hij opende de software van zijn zender en staarde naar de rode stip die Rodney Bova vertegenwoordigde. Hij had het goed gezien.

Vooruit, verdomme, smeekte hij de stip. Vooruit. Ga naar hem toe.

36

Na de training vergaderde Kent een uur met zijn staf over het aanvallende spelplan, met veel aandacht voor loopacties van de tight end en schijnworpen en andere manoeuvres waarmee je een wedstrijd moet winnen als je eerste receiver geen bal meer vangt. Toen ze de kleedkamer uit liepen, zagen ze Colin Mears op de motorkap van zijn auto zitten. Hij wees naar hen met een beschuldigende vinger.

'Wat doet hij hier nog?' vroeg Byers, en Haskins zei dat hij wel met hem zou gaan praten, maar Kent zei: 'Ik regel het wel. Gaan jullie maar naar huis, jongens.'

Hij liep in z'n eentje over het gras naar Colins auto. Het was koud, de adem van de jongen vormde wolkjes in de lucht. Hij had daar lang zitten wachten.

'Gaat het, jongen?'

Colin knikte. Hij had een tennisbal in zijn rechterhand. Hij kneep er ritmisch in. Dat was goed voor je grip.

Kent zette een voet op de band van de Honda. 'Waarom zit je hier in de kou, Colin? Het laatste wat we kunnen gebruiken is dat je ziek wordt.'

Colin gooide de tennisbal van zijn rechterhand in zijn linker en bleef knijpen.

'Ik wilde u even laten weten dat ik deze week wel punten ga scoren.'

'Natuurlijk, jongen. Dat doe je altijd.'

'Afgelopen vrijdag niet.'

'Wat vind je belangrijker, jouw gemiddelde of het scorebord?' vroeg Kent. Hij keek naar de versleten banden, niet naar de jongen.

'Het scorebord.'

'Dan zou je tevreden moeten zijn.'

'Inderdaad, sir.' Hij kneep niet meer in de tennisbal, maar wierp hem van de ene hand in de andere. Hij vroeg: 'Wat is dat met uw broer, Coach?'

'Wat zeg je?' Kent keek nu op.

'Waarom hebben ze zijn huis doorzocht?'

Kent keek even zwijgend in de intense ogen van de jongen en zei toen: 'Omdat ze dachten dat ze er wat aan zouden hebben. Meer hoef jij niet te weten.'

'Wat weet ú nog meer?'

'Pardon?'

'U weet vast wel wat ze zochten. Het is uw broer.'

'De politie vertelt niet altijd wat ze zoeken, Colin. Soms weten ze het zelf niet eens. Het gaat erom bewijs te...'

'Wie slaat er nou een politieagent?'

Kent stopte met praten. Hij keek even naar Colin en wendde zijn blik af, naar het veld met het lege scorebord in het spookachtige silhouet van de kale, in de wind heen en weer zwaaiende bomen erachter, en, verder weg, een grijs-op-grijze horizon, Lake Erie.

'Adam krijgt soms woedeaanvallen. Dat heeft hij altijd al gehad.'

'De politie was naar iets op zoek, en hij wilde niet dat ze het zouden vinden. Hij heeft een politieagent geslagen, Coach. Wie doet nou zoiets? In plaats van hen te helpen, probeert hij ze tegen te houden. Waarom wilde hij niet dat ze daar waren? Waarom had hij geen...'

'Ze gingen door de spullen van mijn zus,' zei Kent, en zijn stem was bozer dan die van de jongen, het was de stem die hij opzette als hij hun opdroeg de tribunes op te gaan. 'Dat is iets wat jij niet begrijpt, knul, en daar zou je rekening mee moeten houden voordat je begint te speculeren. Vertel mij eens: hoe zou jij je voelen als iemand zonder jou iets uit te leggen op Rachels kamer door haar spullen ging? Zo voelde Adam zich. Ik verdedig zijn reactie niet en dat ga ik niet doen ook. Het was een domme reactie. Dat weet hij zelf ook. Hij heeft soms woedeaanvallen, en de politie heeft een gevoelige plek geraakt. Dat is wat er is gebeurd. Dat is alles. Als er iemand is die die vent wil vinden, Colin, dan is hij het. Neem dat maar van mij aan.'

Colin knikte. 'Oké. Ik vond het gewoon... Ik vond het gewoon raar.'

'Dat verbaast me. Jij begrijpt de situatie beter dan wie ook. Rachel heeft hem om hulp gevraagd... Ze was niet helemaal eerlijk. Jij weet dat al.'

'Ja, sir. Ik vroeg me alleen af of hij iets wist. Of u iets wist. Want het zou me heel erg helpen als u me iets kon vertellen, weet u, om een idee te hebben, te weten wat er...'

'De politie deelt haar informatie doorgaans niet met burgers. Ik weet hoe moeilijk dat is. Vergeet dat niet, ik weet er alles van. Ik wou dat jij dit niet hoefde mee te maken, maar er is geen weg terug. We buigen ons hoofd en gaan voorwaarts. Dat is de enige mogelijkheid.'

'Ik doe mijn best.'

'Dat weet ik. Maar het is geen kwestie van je best doen, jongen. Je hebt er geen controle over.'

De tennisbal gleed uit Colins hand. Hij probeerde hem te vangen nadat hij op de grond was gestuiterd maar miste, en de bal rolde onder zijn auto. Kent hield hem met zijn voet tegen en raapte hem op.

'Hoeveel heb je er gedaan?'

'Toen u naar buiten kwam, was ik bij drieduizend. Daarna ben ik de tel kwijtgeraakt.'

Kent was graag naar huis gegaan, maar hij keek naar zijn speler en knikte met zijn hoofd in de richting van de kleedkamer.

'Laten we wat videobeelden bekijken, oké? Er is nog veel werk te doen.'

Colin liet zich van de motorkap glijden en ze liepen samen terug naar de kleedkamer.

'Wil je Adam zien?' vroeg Kent zonder erbij na te denken.

Colin keek hem tegelijkertijd verbaasd en bang aan. 'Met hem praten?'

'Nee. Ik bedoel op video. Om te zien wat voor een speler hij was.'

De jongen zag er niet bepaald enthousiast uit, maar zei: 'Ja hoor.'

'Ik laat je alleen zijn laatste pass zien,' zei Kent. 'Daarna bekijken we Saint Anthony's.'

Hij wist zelf niet goed waarom hij het zo belangrijk vond om dit aan Colin te laten zien. Misschien wilde hij onbewust een ander beeld van zijn broer bij de jongen achterlaten dan die foto op de voorpagina van de krant. Die deed Adam geen recht, het was een leugen die in stand bleef, verder niets.

Hij heet Clayton Sipes, had Kent willen zeggen. Hij heeft haar vermoord. Ik heb hem naar haar toe geleid, Adam heeft er niets mee te maken.

Maar dat kon hij natuurlijk niet zeggen. Wat hij wel kon, was een video opzetten en Colin laten zien wat Adam ooit was geweest, voordat hij de man met de handboeien en de bloedvlekken op de voorpagina werd. Adam had de beelden in geen jaren gezien. Hij keek er niet graag naar. Op de avond waarop het zich afspeelde al niet. De enige persoon in het Chambers-stadion die niet van ieder moment van die aanval had genoten was nu hoofdcoach. Hij had het jaren later van band op dvd overgezet, en nu stopte hij de disk in de speler en zette de projector aan en het was weer 1989 en de Cardinals speelden tegen Angola Central, de ongeslagen, hoogstgeklasseerde Tigers.

'Hij speelde zowel in het verdedigingsteam als in het aanvals-team. Fullback in de aanval. Ik heb nog nooit een middelbare-schoolfullback gezien die zo goed blokkeerde. Als je achter hem bleef, pakte je yards zonder dat je er iets voor hoefde te doen.' Hij spoelde de eerste drie kwartier door – Chambers had als eerste gescoord, Angola antwoordde door in het tweede kwartier twee keer te scoren, liet aan het begin van het derde kwartier de bal glippen, en Chambers maakte een touchdown en scoorde de conversie; ze stonden weer gelijk. In het laatste kwartier wierpen de Tigers een schitterende, perfecte bal, die zo de eindzone in werd gelopen, en ze schoten de conversie binnen. 27-21, met nog tien minuten en eenen-veertig seconden te spelen.

'Daar gaan we,' zei hij, en drukte op de afspeelknop.

De Chambers-aanvaller die de aftrap moest vangen knoeide en werd op zijn eigen vier-yardlijn tegen de graszoden gewerkt. De Angola-fans gingen uit hun dak en Walter Ward stond met zijn armen voor zijn borst en een lege blik aan de zijlijn. Kent zag zichzelf ook, het klembord in de hand, en herinnerde zich hoe ziek hij ervan was, en dat hij het opeens prima vond om maar een reserve te zijn.

'Wat je nu te zien krijgt,' zei hij, 'is niet het soort football dat wij spelen. Maar het werkte.'

Adam Austin liep als laatste het veld op, zijn teamgenoten hadden zich al opgesteld. Hij had dat typische, zwierige loopje, met een klein sprongetje in iedere stap, waarbij zijn schouders van de ene kant naar de andere zwaaiden en zijn hoofd op en neer danste.

'Zoals beloofd,' zei Kent. 'Zo noemden we deze.'

Twee wide receivers, ieder aan één kant van het veld, één tight end en een driemansachterveld: twee vleugelbacks en daarvoor een fullback, een fullback die de bal nooit zou aanraken, die daar alleen maar stond om ervoor te zorgen dat de man met de bal een vrije looproute had. Die fullback was Adam.

'En waarom "zoals beloofd"?' vroeg Colin.

'Omdat het geen schijnbeweging was. We wilden de verdediging niet misleiden. Het was Coach Wards lievelingsmanoeuvre dat jaar. Hij vond het geweldig. Vanaf de eerste training vertelde hij dat we de tegenstander, als we voor die formatie kozen, nooit iets anders zouden voorschotelen dan datgene wat ze konden verwachten. Het was psychologisch, het was pure intimidatie. We zeiden, we komen eraan en jullie kunnen ons niet tegenhouden. We noemden Adam de Profeet. En er waren twee mogelijkheden – de Profeet links en de Profeet rechts.'

'De Profeet?'

'Als hij in het aanvalsteam zat, riep hij naar de verdediging van de tegenstander wat ze konden verwachten, dat we van plan waren dwars door hen heen te rammen.' Plotseling herinnerde de Profeet

Kent ergens aan, hij riep woorden van Clayton Sipes op: Als Gideon het zwaard was, dan ben ik de profeet.

Colin zei: 'Coach? Waar denkt u aan?'

'Nergens aan,' zei Kent, maar hij dacht eraan dat hij het bij zijn bezoek aan Mansfield ook over deze manoeuvre had gehad, hij had het over dat seizoen en die wedstrijd gehad, dat vastberadenheid en toewijding naar de overwinning leiden, dat je tegenslagen moet opvangen en afschudden. Profeet rechts, Profeet links, hij had het hun uitgelegd, dat het de beloning was van al die trainingsuren, de beloning van volharding.

Colins vragende blik riep hem terug en hij probeerde zijn gedachten van Sipes naar football terug te voeren.

'Het was een ongebruikelijke benadering, want normaal gesproken is het roepen van wat je gaat doen een soort schaken. Maar in dit geval wílde Coach Ward dat het ook voor de tegenstander duidelijk zou zijn. In feite zeiden we: stop ons maar, als je kan. Meestal konden ze het niet. Dat frustreerde de tegenstander enorm. Het haalde ze naar beneden. Fysiek ook, natuurlijk, maar vooral mentaal. En als je hun geest hebt gebroken, heb je de wedstrijd gewonnen.'

Na de eerste snap volgde een loopactie waarbij Adam een linebacker onder de zoden stopte, en Chambers was de tien-yardlijn gepasseerd en op weg naar de twaalf: acht yard winst in één down.

'Wauw, hij wist wel wat uitdelen is,' zei Colin.

Kent knikte. 'Hij was groot, maar vooral hard. Geen sportschoolspieren. Daar zit verschil in. Dat weet je, je hebt het gezien. Sommige jongens zijn van nature hard. Coach Ward noemde dat dokwerkerspieren.'

Tweede snap. Een keiharde botsing. Drie yard gepakt. Eerste down. Nu vanaf de vijftien.

'Ik verwachtte hier een kans,' zei Kent. 'Ik dacht dat we, als onze backs eenmaal van de achterlijn weg waren, het veld stukje bij beetje open zouden kunnen gooien. Maar...'

De Profeet links.

Deze keer voerde de safety van Angola een felle charge op de quarterback uit, hij brak door de verdedigingslijn op het moment dat de quarterback de bal doorgaf en haalde de man met de bal neer. Chambers krabbelde overeind en nam de 'zoals beloofd'-formatie weer in. Weer de Profeet links. Weer vier yard gewonnen. Walter Ward knipperde niet met zijn ogen.

Zesde poging, de Profeet rechts, vijftien yard, eerste down. Adam werkte een Angola-linebacker zo hard tegen de grond dat Colin Mears er twee decennia later nog van ineenkromp. Zevende snap, de Profeet links, een groter gat deze keer, veertien yard terreinwinst, ze waren het middenveld bijna overgestoken. Ondanks het slechte geluid van de oude band hoorde je de opwinding op de tribunes, want iedereen had het inmiddels door – Ward dwong Angola te bewijzen dat ze hen tegen konden houden.

Achtste snap, negen yard. De Chambers-fans begonnen nu te brullen.

'Vanaf hier speelt hij met een gebroken hand,' zei Kent.

'Uw broer?'

Kent knikte. 'Ik was de enige die doorhad dat er iets mis was.'

'Hoe wist u het dan?'

Kent pakte de afstandsbediening en spoelde terug. 'Adam gebruikte Jim Browns techniek.'

Colin begreep dat, want over Jim Brown hadden ze het eerder gehad. Veel jongens – en ook veel profs, trouwens – komen nadat ze hard zijn aangepakt meteen overeind om te laten zien hoe stoer ze zijn, om te laten zien dat het geen pijn deed. Het nadeel daarvan is dat het soms écht pijn doet. En zodra de verdediging dat doorhad, speelden ze daarop, dan stapelden ze pijn op je pijn. Jim Brown, de legendarische Cleveland-speler die misschien wel meer incasseerde dan welke running-back ooit, had daar een oplossing voor bedacht – hij bleef na iedere botsing liggen. Vervolgens kwam hij langzaam overeind en hinkte terug. Elke keer. Daardoor wisten de verdedigers nooit wanneer hij echt pijn had, want hij deed altijd hetzelfde. Hij gaf emotioneel niets weg, niets waar ze op in konden spelen. Dat was het tegenovergestelde van wat Kent zijn jongens leerde – snelheid, snelheid, snelheid – maar als de verdediging veel uitdeelde, was het effectief. Ontmoedigend. De verdedigers willen je pijn doen, en ze willen weten of dat is gelukt.

'Adam stond altijd stijf van de adrenaline,' zei Kent. 'Rustig overeind komen kon hij niet. Daarom had hij zichzelf aangeleerd om, als hij tegen de zoden was gewerkt, hard in het gras te knijpen, eerst met zijn linkerhand, daarna met zijn rechter. Dat vertraagde hem. Elke zaterdagochtend was hij twintig minuten bezig om de aarde onder zijn nagels uit te schrobben. Want hij weigerde natuurlijk handschoenen te dragen. Of een shirt met lange mouwen onder zijn Chambers-shirt aan te trekken. Zo'n type was hij. Kijk maar wat hij nu doet.'

In de herhaling sprintte Adam het gat in, werd door een linebacker ondersteboven gelopen en rolde over het gras. Een van de Angola-spelers keek duidelijk zichtbaar omlaag, zette zijn schoen op Adams rechterhand en draaide de noppen erin.

Colin floot tussen zijn tanden. 'En dat had niemand gezien?'

'Nee. Zelfs ik miste het. Maar dit zag ik wel.'

Adam lag op de grond, leunend op zijn rechteronderarm. Hij strekte zijn linkerarm en groef zijn hand in het gras. Daarna herhaalde hij dat.

'Links, links,' zei Kent. 'Dat had hij nog nooit gedaan. Toen wist ik het.'

Hij stond weer op en nam zijn plek in, en nu was het de Profeet rechts, zes yard. Adam werkte een honderdtwintig kilo zware verdedigende tackler tegen de grond, hij versplinterde hem gewoon op het moment dat de tailback er achterlangs doorheen rende en zonder aangeraakt te zijn over de zijlijn stapte.

Ze waren nu op de tweeëndertig-yardlijn van Angola, met minder dan zes minuten te gaan, en de Angola-coach schreeuwde tegen zijn jongens: 'Laat niet over je heen lopen! Laat ze niet over je heen lopen! Laat zien dat jullie niet bang zijn!'

De Profeet links, twaalf yard winst. Colin zei: 'Ze kijken niet eens meer naar de verticale patronen. Er ligt een gat van tien yard open.'

Hij had gelijk. Ook de safety's stonden nu in de eerste linie, zelfs de cornerbacks kwamen er in een poging het bloeden te stoppen bij staan. Pete Underwood had alle ruimte om de bal te gooien. Maar zoals beloofd was zoals beloofd. Geen leugens.

Adam was er de juiste speler voor, zoveel was duidelijk. Hij nam steeds als laatste plaats in de formatie, altijd met dat springerige, zwierige loopje, en als iemand iets tegen hem zei, gaf hij geen antwoord, hij was honderd procent gefocust, en iedere stap was een waarschuwing: ik ben de sloophamer. Zo meteen gaan jullie me voelen.

'Coach Ward zei ooit tegen me dat Adam eigenlijk had moeten gaan boksen,' zei Kent. 'Hij zei dat hij een nachtmerrie zou zijn geweest, omdat hij energie kreeg van het canvas.'

'Hoezo, vond hij het fijn om tegen de grond gewerkt te worden?'

'Het fokte hem op. En dan werden tegenstanders bang voor hem. Dat zul je zo wel zien.'

De wedstrijd op het scherm lag stil, want Angola had een time-out genomen. De verdedigingscoaches stonden tegen hun jongens te schreeuwen dat dit echt niet kon, pak die gasten aan en hou ze tegen, laat zien dat jullie niet bang zijn!

Na de time-out werd de wedstrijd hervat op de zesentwintig-yardlijn, en het was de Profeet links, het was de elfde keer op rij dat ze de bal niet gooiden maar ermee liepen, en het was meteen duidelijk welke opdracht de Angola-coaches hun verdedigers in de time-out hadden meegegeven – de linebackers probeerden niet meer om de bal af te pakken, maar om Adams hoofd van zijn lichaam te scheiden. Hij werd door twee man uit twee richtingen geraakt en een van hen deelde met zijn helm een schaamteloze dreun tegen Adams helm uit. Adam werd door elkaar geschud en lag op zijn rug onder de lichten terwijl de man met de bal bukkend en draaiend tot de veertien-yardlijn kwam.

Adam rolde door tot zijn gezichtsbescherming op het gras rustte en strekte zijn linkerhand. Hij kneep twee keer. En kwam overeind.

Tweede down, nog twee yard te gaan, minder dan vijf minuten op de klok. De Profeet rechts; ze verloren een yard, de Angola-verdedigers duwden Adam terug en tackelden de baldrager.

Opnieuw het gezicht in het gras, twee keer knijpen met links en weer op. Derde down, drie yard te gaan. De Profeet rechts. De aanvallers redden het weer niet – ze werden moe. Ze wonnen één yard.

Vierde down, twee yard.

De Chambers-aanhang werd stil. Coach Ward stond uitdrukkingsloos langs de lijn, de armen over elkaar. Naast hem staarde de vijftien jaar oude Kent Austin naar de grond.

'Let nu goed op,' zei Kent zacht. 'Moet je kijken wat Adam doet.'

Terug in de 'zoals beloofd'-formatie – alleen nam Adam zijn positie niet in. Hij stond op, maakte zich groot, begon op de bal van zijn voeten op en neer te springen en wapperde met zijn handen.

'Hij schreeuwde,' zei Kent. 'Ik denk dat je het tot boven in het stadion kon horen. Iedereen dacht dat hij de anderen oppepte, en dat deed hij ook, maar het was ook van de pijn. Zie je wat hij met zijn handen doet? Op dit moment schuiven de gebroken botten langs elkaar, hij wapperde met zijn handen om de pijn op te roepen. Hij wílde het voelen, hij had de pijn nodig. Dit was hét moment, dit was dé wedstrijd, en we moesten en zouden twee yard winnen.'

Het publiek zag Adam en hoorde hem schreeuwen en liet zich door hem opzwepen, het gebrul kwam terug, de voeten trappelden op de aluminium tribune en de klok liep terug, en ten slotte nam hij zijn positie in en toen werd het de Profeet rechts.

Helm tegen helm, een botsing, er ging een linebacker neer, een ander kwam in zijn plaats, maar ook hij viel terwijl Adam naar voren stormde, en Evan Emory, de tailback, kwam erachteraan, achter hem weggestopt, in het kielzog van de tornado. Ze boekten vier yard terreinwinst voordat ze de lijn over werden geduwd, en er kwam weer een nieuwe serie van vier downs, ze waren nog negen yard van een touchdown verwijderd.

Even waren ze samen, op dat moment. Adam en Kent. Kent, die

Coach Ward volgde, stond precies op de plek waar Adam uit het veld werd gewerkt. Toen Adam overeind kwam, stonden ze oog in oog, en Kent zei 'mooi gedaan', en hij herinnerde zich hoe belachelijk iel en zwak zijn stem had geklonken. Adam spuugde zijn gebitsbeschermer uit en er kwam een straal bloed mee, en hij zei: 'We zijn er bijna, Franchise, we zijn er bijna.'

Ze keerden terug in het veld, en Angola was gebroken. Bij de vierde down hadden ze nog twee yard te gaan. Angola's verdediging was gezien, en ze wisten het.

'Ik wou dat Ward het niet iedere down had gedaan,' zei Kent. 'Want het scheelde weinig of ze hadden Adam op een brancard kunnen afvoeren. Hij had iedere snap op het veld gestaan, hij liep vijftien downs op rij, waarvan zeven keer met een gebroken hand, terwijl hij volgens de statistieken geen yard heeft gewonnen. Volgens de statistieken is hij niet van zijn plaats gekomen.' Zijn stem was dik geworden, en hij schraapte zijn keel en zei: 'Moet je opletten wat de safety hier doet.'

Ze gooiden de snap, de vijftiende van die drive, eerste down, nog negen yard verwijderd van een touchdown, en er ontstond een mooi gat in de linie van verdedigers en Adam kwam erdoorheen, en de safety van Angola stortte zich in het gat, maar hield vlak voor het contact in; vlak voordat Adam hem zou raken, verstijfde hij even en trok hij zijn hoofd iets in, en Chambers liep de eindzone in voor de touchdown.

'Hij probeerde hem te ontwijken,' zei Colin. 'Hij durfde het niet aan.'

'Inderdaad. Toen niet meer.'

'Komen ze nog in de buurt, bij hun volgende balbezit? Hebben ze nog een kans?'

'Nee. Ze bleven steken in de downs.' Kent had opeens spijt dat hij deze wedstrijd had laten zien, al wist hij niet waarom. Hij had Colin de Adam willen laten zien die footballde, en Colin leek onder de indruk te zijn, dus waarom zou Kent willen dat ze niet naar die band hadden gekeken?

'Laten we maar eens naar Saint Anthony's gaan kijken,' zei hij terwijl hij overeind kwam. 'Die wedstrijd tegen Angola is meer dan twintig jaar oud. We hebben genoeg werk aan onze eigen pot.'

37

Voordat Adam zijn post die avond weer innam, wachtte hij tot Kent hem belde om te zeggen dat de kinderen naar bed waren.

'Heb je nog niets van de politie gehoord?' vroeg Kent.

'Geen woord. Houden ze jou wel op de hoogte?'

'Vandaag niet. Volgens mij maken ze helemaal geen vorderingen.'

Daar zei Adam niets op. Hij keek naar de foto's in de woonkamer en was verbaasd dat Lisa al zo oud en Andrew al zo groot was. Hij zag hen nooit. Lisa zou zich hem nog wel herinneren, dat wist hij, maar hij vroeg zich af of zijn neefje hem überhaupt zou herkennen. Adam was na zijn geboorte in het ziekenhuis op bezoek geweest en had hem op zijn eerste verjaardag een cadeautje gebracht, maar daarna hadden ze elkaar niet meer gezien. En nu keek hij naar de foto's en bedacht dat het jochie inmiddels oud genoeg was om leuk te zijn.

'Het zijn geweldige kinderen,' zei Kent.

'Daar ben ik van overtuigd.' Hij had er bijna aan toegevoegd dat hij het leuk zou vinden om hen beter te leren kennen, maar hij hield zich op tijd in, keek van de foto's naar de straat en legde zijn hand even op de kolf van zijn pistool, als om zichzelf er fysiek aan te herinneren waarom hij daar was.

'Je hoeft niet de hele nacht wakker te blijven,' zei Kent. 'Je kunt in de logeerkamer slapen, of ten minste op de bank gaan liggen om wat uit te rust…'

'Het gaat prima.'

'Goed.' Kent aarzelde even. 'Ik heb vandaag naar de wedstrijd tegen Angola gekeken.'

'O ja? Waarom?'

'Ik wilde hem aan Colin Mears laten zien. De laatste keer dat de school kampioen van de staat werd, weet je, dat werk.'

'Het gaat jullie lukken, dit jaar.'

'We zullen het proberen.' Kent schudde zijn hoofd en zei: 'Je speelde toen een geweldige wedstrijd. Die laatste drive... Ik bedoel, ik herinnerde het me wel, maar het was echt indrukwekkend om het weer te zien.'

'Het enige wat ik deed, was gaten maken. Evan Emory deed het loopwerk.'

'Je maakte geen gaten, het waren kraters. Hij had het lopend kunnen doen, dan nog hadden jullie die touchdown gescoord.'

Adam haalde zijn schouders op. 'Hoe gaat het met Mears?'

'Hij worstelt.'

'Ik zeg je, laat hem uitdelen.'

'Ik weet het, ik weet het.'

Kent leek er spijt van te hebben dat hij erover was begonnen, wat niet Adams bedoeling was, maar hij wist niet wat hij over een twee-entwintig jaar oude footballwedstrijd moest zeggen. Hij scande zijn geheugen, op zoek naar een vrolijkere herinnering uit dat pikzwarte jaar 1989, het enige jaar dat ze samen hadden gespeeld, en zei: 'Herinner je je Pieper nog?'

Kent glimlachte. 'Pieper Phillips? Ja.'

Pieper was een reserveverdediger die zijn bijnaam te danken had aan een ongelukkige gelijkenis tussen hem en een aardappel, zowel qua vorm als qua snelheid.

'De dag dat Ward hem bijna met die tackleslee had vermoord, zal ik nooit vergeten,' zei Adam.

Dat maakte Kent aan het lachen, en ook Adam glimlachte, tegen wil en dank. Walter Ward had op een veiling een tweedehands tackleslee gekocht, die hij trots als een aap op een stuk gras vlak bij het footballveld zette, boven op een heuveltje. De tackleslee bestond uit zes poppen die aan een stalen frame vastzaten, een enorm apparaat dat een paar honderd kilo woog en op wielen stond. Ward had zijn aanwinst nog niet uitgeprobeerd, ervan overtuigd dat hij alles wist wat hij van een tackleslee moest weten, maar hij had niet aan de rem gedacht. Ze hadden er al een paar rondjes tegenaan gebeukt toen de slee trillend in beweging kwam. Toen Ward besefte dat de slee de heuvel af zou rijden, waarschuwde hij iedereen uit de weg te gaan. Op dat moment zag hij dat Pieper Phillips met gebogen hoofd en zijn helm op tegen de heuvel omhoog sjokte.

'Ik had Coach Ward daarvoor al vaak harder dan wie ook horen schreeuwen,' zei Kent. 'Maar dan was hij kwaad. Nu hij báng was, bereikte hij een heel ander geluidsniveau.'

Adam knikte. 'Het leek alsof er een of ander landbouwapparaat op Pieper af kwam. Een combine of een dorsmachine. Maar om de een of andere reden had Pieper niets door.'

'Pieper kwam normaal gesproken nooit in minder dan drie seconden in beweging, maar ik zweer je dat hij, toen hij eindelijk zag wat er op hem af kwam, binnen drie seconden vijftien yard aflegde. Hij wist de tackleslee net te ontwijken, waarna die zich in de zijkant van Byers' pick-up boorde. Die was altijd zo lui om hem onder aan het heuveltje te parkeren in plaats van op de parkeerplaats. Nadien heeft hij hem daar nooit meer neergezet. Ik heb hem daar in geen jaren meer mee gepest. Dat zal ik morgen meteen weer eens doen.'

'Doe hem dan meteen de groeten van mij,' zei Adam. Ze lachten nog even samen, maar toen was het moment voorbij en was Adam zich weer bewust van het wapen in zijn holster en van wat hij daar kwam doen. 'Oké, Franchise. Ga naar bed. Dan hou ik de straat in de gaten.'

De straat bleef leeg. Clayton Sipes gaf geen acte de présence. En Rodney Bova verliet zijn huis niet. Ze waren geduldig. Prima, Adam kon ook geduldig zijn. Er was een ander woord voor zijn soort geduld: meedogenloos.

Er kwam een punt waarop ze zouden breken. Een van beiden. En als het zover was, zou hij klaarstaan.

De volgende dag, terwijl Adam op zijn kantoor naar een roerloos stipje zat te kijken, ging Chelsea naar de gevangenis om haar man te vertellen dat ze de scheiding ging aanvragen. Voordat ze vertrok, vertelde ze Adam dat ze het huis aan Travis Leonard gaf.

'Jij hebt jarenlang de rekening betaald,' zei hij. 'Waarom zou je in godsnaam het huis opgeven? Het is het enige wat hij heeft.'

'Daarom juist,' zei ze. Ze droeg een zwarte broek en een gestreken wit shirt met lange mouwen, ongebruikelijk netjes, alsof het belangrijk was dat ze er professioneel uit zou zien. 'Hij had twee dingen, mij en het huis. Ik neem ze niet allebei af.'

Adam knikte traag en vroeg: 'Waar ga jij dan wonen?'

'Het zal nog wel even duren voordat alles is geregeld en ik ben verhuisd,' zei ze. 'Maar als het zover is... Dan hebben we het daar nog wel over. In feite wonen wij al een hele tijd samen, Adam. Dat zou ik missen, jij niet?'

'Natuurlijk. Ik dacht dat je dan bij mij in zou trekken.'

Ze keek hem recht aan. 'Niet in jouw huis.'

'Wat?'

'Daar kan ik niet wonen,' zei ze, 'en ik denk dat jij ook moet overwegen te verhuizen.'

Hij zei niets.

'Je herinnert je je zus, je denkt iedere dag aan haar, je draagt haar bij je,' zei ze. 'Dat is allemaal goed. Eerbaar, gezond. Maar wat je daar in dat huis hebt gecreëerd, dat is niet gezond. Daarin heeft je broer gelijk. En om dat te bewijzen is er een aanklacht wegens een misdrijf tegen je ingediend.'

'De politie heeft bij mij ingebroken, en dan moet ik...'

'Ze hebben niet ingebroken en je wist dat ze er zouden zijn. Laat me je dit vragen: waarom heb je die man nou eigenlijk geslagen? Omdat hij in jouw huis was? Was dat echt de reden, Adam?'

Dat was het niet. Hij had geslagen omdat die klootzak in Maries kamer stond. Chelsea keek hem aan en wachtte af, maar Adam keek terug zonder iets te zeggen.

'Oké,' zei ze zacht. 'Dat zijn dingen om over na te denken. Voor mij is het tijd om vooruit te kijken. Dat wil ik samen met jou doen. Maar dan moeten we wel allebei vooruit willen.'

Ze liep om zijn bureau heen, knielde, sloeg haar handen om zijn middel en wachtte tot hij haar weer aankeek. Haar donkere ogen tastten die van hem af en dansten heen en weer, alsof ze wist dat ze om tot de waarheid door te kunnen dringen sommige dingen die zijn ogen lieten zien moest omzeilen.

'Praat er maar eens met Marie over,' zei ze.

Hij voelde zijn keel dik worden. Hij had haar nooit iets over zijn gesprekken met zijn zus verteld; hij had niemand ooit iets over zijn gesprekken met zijn zus verteld. Chelsea was ook nooit bij hem thuis als hij met haar praatte, ze had hem Maries naam nooit horen fluisteren. En toch was er geen aarzeling in haar stem. Ze wist dat hij met Marie praatte, en ze was niet geschokt of zelfs maar verbaasd. Dat besef, en de manier waarop ze net had voorgesteld dat hij met haar over een verhuizing zou praten, had een fnuikende uitwerking op hem. Eerst had hij verkozen niet te antwoorden – nu was hij er niet toe in staat.

'Denk er maar eens over na,' zei ze. 'Praat erover. Maar wees wel eerlijk tegen me, Adam. Als je beslist dat je het niet wilt, oké. Dan sta ik achter je. Maar neem het wel in overweging. Ik wil bij jou zijn, en jouw huis is daar niet de juiste plek voor. We moeten een nieuwe plek vinden en die de onze maken.'

Hij knikte. Ze nam hem nauwlettend op, kwam overeind, boog zich naar voren, kuste hem en vertrok. Hij staarde nog een hele tijd naar de deur, schudde toen zijn hoofd, keek naar het computerscherm en bracht zijn trackingprogramma weer in beeld. De rode stip bleef waar hij was.

Sinds zijn arrestatie was hij niet meer thuis geweest. Hij was het iedere dag van plan geweest en hij had iedere dag een smoes gevonden. Hij had zijn werk en moest Sipes zoeken, Kents huis bewaken en proberen een paar uurtjes slaap te pakken. Die middag waren er geen politie, media of nieuwsgierige buren. Hij parkeerde voor het huis en nam de zijdeur, die toegang tot de keuken gaf. Daar had hij een nieuw aanrecht en nieuwe apparatuur in laten zetten en de vloertegels laten vervangen, maar het was de keuken uit zijn jeugd gebleven, dat vernieuwde je niet weg. Hij kon zijn vader bijna aan de keukentafel zien zitten, de fles whisky tussen hen in, de geur van zijn moeders Pall Mall die vanuit de woonkamer naar binnen dreef.

Het was wat warmer, een graad of zestien misschien, en hij zette een paar ramen open zodat de herfstbries door het huis kon waaien. Onder aan de trap bleef hij staan en ademde diep in; toen ging hij naar boven, klopte op de deur en liep Maries kamer in.

Alles zag er net zo uit als altijd. Als je niet wist waar de schildpad van gebrandschilderd glas had gehangen, miste je hem niet. Eigenlijk had de politie de huiszoeking buitengewoon respectvol uitgevoerd, hoewel de boel na Adams arrestatie waarschijnlijk goed aan kant was gemaakt omdat ze wisten dat hun gedrag in de rechtszaal onder de loep genomen zou worden. De glasscherven waren opgeruimd; hij vroeg zich af waar ze die hadden gelaten. Waarschijnlijk in de vuilnisbak. Doodzonde, misschien had hij hem nog in elkaar kunnen zetten. Misschien was hem dat met veel tijd en toewijding gelukt.

Hij stak de kaarsen aan, zette ook daar een raam open en liet de frisse lucht binnen – de herfst was Maries favoriete seizoen, wat in een footballgekke familie natuurlijk niet vreemd was. Hij ging op zijn vaste plek met zijn rug tegen de muur op de grond zitten en begon te praten.

'Het spijt me dat ik een paar dagen niet geweest ben,' zei hij. 'Ik vind het zo erg dat ze hier waren en het spijt me dat ik er niet op tijd was. Ik wilde dat dit niet gebeurd was, echt waar.'

Hij boog zijn hoofd en deed zijn ogen dicht.

'Laten we met het goede nieuws beginnen, oké? Je broertje wint de wedstrijden. Ze hebben een verschrikkelijk goed team, Marie. Het moet ze lukken. Er zijn een paar dingen die afleiden en een probleem vormen, maar ik probeer te helpen, en als er iemand is die dwars door dat soort afleidingen heen kan focussen, dan is het je broertje. De wedstrijd van deze week is heel belangrijk. Ze spelen tegen Saint Anthony's. Ik ben bang dat hij het moeilijk krijgt, maar ik ben ook blij dat hij tegen hen heeft geloot. Om er te komen moet hij ook van hen winnen. Dat hoort erbij. Hij moet ze verslaan. En ik denk dat hem dat zal lukken.'

Hij zweeg even, hield zijn gekneusde hand voor zijn gesloten ogen en zei: 'Nu het slechte nieuws. Er zijn wat problemen met Kent. Niets om je zorgen over te maken, dat beloof ik je, Marie. Ik hou de wacht. Ik zorg ervoor dat hem niets overkomt, en Beth en Lisa en Andrew ook niet. Daar zorg ik voor. Het is een rotsituatie, maar ik zorg dat het goed komt. In dit geval kan ik er tenminste nog voor zorgen dat het goed afloopt.'

Ze had altijd erg van kaarsen die naar kaneel roken gehouden. De zware geur dreef op de zachte bries naar hem toe, alsof zij de geur naar hem toe leidde om te proberen hem te ontspannen. Hij praatte niet verder maar ademde de geur een tijdje in.

'Chelsea wil dat ik ga verhuizen,' zei hij, en zijn stem haperde, dus schraapte hij zijn keel en gaf zichzelf nog wat tijd. 'Ze dwingt me nergens toe, zo is ze niet. Ze is heel geduldig, Marie. Ik wou dat je haar beter had kunnen leren kennen. Ik denk dat je haar graag had gemogen. Dat denk ik echt. Ik denk dat iedereen haar mag.'

Hij zweeg weer even, haalde zijn hand over zijn mond en zei: 'Misschien heeft ze wel gelijk. Misschien is het tijd om verder te gaan. Ik hoop dat je, als dat je ongelukkig maakt, een manier vindt om me dat te laten weten. Maar ik denk dat ze gelijk heeft. Misschien is dat... Misschien is dat beter voor me. Voor ons.'

Hij had een gevoel van schuld en verraad verwacht, maar dat was er niet. Sterker nog, hij voelde zich rein en veel beter dan toen hij binnenkwam.

'We zien wel,' zei hij. 'Maar één ding beloof ik je: zolang ik niet heb opgelost wat ik moet oplossen, verhuis ik helemaal nergens heen. Als ik Kent 's nachts weer alleen kan laten en ik Rachels moeder heb gebeld, zien we wel verder. Dat regel ik hoe dan ook eerst.'

Hij bleef nog een tijdje zitten zonder iets te zeggen. Toen blies hij de kaarsen uit en zei dat hij van haar hield en dat het hem speet en verliet hij de kamer en het huis. Hij had nog wat slaap nodig voordat hij weer naar Kents huis moest gaan, en sinds een tijdje sliep hij in Chelseas huis veel beter.

38

Het was Beths idee om Adam voor het avondeten uit te nodigen.

'Wij gaan slapen, terwijl hij waakt,' zei ze. 'En zal ik jou nog eens iets vertellen, Kent? Ik kón ook slapen. Dat heb ik aan hem te danken. En dat wil ik hem graag laten merken. Ik wil hem niet alleen maar in het holst van de nacht naar binnen en naar buiten laten sluipen.'

'Ik weet niet of hij dat wel wil,' zei Kent.

'Er is maar één manier om daarachter te komen.'

Dus belde Kent hem. Zijn broer leek niet goed te weten wat hij ermee aan moest, maar zei dat hij zou komen. Op de achtergrond klonk een zachte vrouwenstem, maar Kent bedacht pas dat hij Chelsea misschien ook had moeten uitnodigen toen hij al had opgehangen. Waarschijnlijk zou ze er niet op in zijn gegaan, maar hij had het moeten vragen.

Maar goed, één stap per keer. Dat was redelijk.

Adam kwam om zeven uur, en toen de bel ging, bedacht Kent dat hij zijn broer niet had gevraagd zijn wapen niet mee naar binnen te nemen zolang zijn kinderen op waren. Maar hij had het niet bij zich; hij droeg alleen een spijkerbroek en een blauw overhemd met drukknopen en hij hield een plastic tas in zijn hand. Lisa en Andrew kwamen aarzelend naar hem toe, en Adams glimlach leek al net zo onzeker.

'Hé, jongens.'

Ze zeiden allebei hallo, en hij zette de plastic tas neer en zei: 'Volgens mij heb ik een paar verjaardagen gemist, of niet? Het leek me dat ik daar wat aan moest doen.'

'Adam, je hoefde niet...' begon Kent, maar zijn broer onderbrak hem.

'Maak je geen zorgen, veel heb ik niet uitgegeven. Ik ben zuinig geworden.' Hij keek naar de kinderen en knipoogde. Lisa glimlachte. Ze had hem altijd graag gemogen. Ze herinnerde zich de dag op de oprit niet en had er nooit iets over gehoord.

Hij haalde een verweerde footballbal uit de plastic tas en hield hem op voor Andrew.

'Hier, ouwe reus. Laat maar eens zien of je een beetje balgevoel hebt.'

Andrew kwam snel naar hem toe. Adam hield hem moeiteloos in zijn enorme hand, Andrew moest beide armen eromheen slaan.

'Jullie vader,' zei Adam, 'heeft met deze bal Chambers' recordaantal touchdownpasses gebroken. Hij verbeterde het oude record van een jongen die Leo Fitzgerald heette, met een pass over veertien meter. Hij gooide hem recht in de handen van de receiver, net zo beheerst als ik hem net aan jou gaf.'

Het verraste Kent dat Adam zich die actie herinnerde en al helemaal dat hij de bal had bewaard. Kent herinnerde zich de pass en het record wel – Lorell McCoy had het in de vijfde wedstrijd van dit seizoen gebroken – maar de bal had hij nooit gezien, hij wist niet eens dat Adam hem had meegenomen.

'Zeg maar bedankt,' zei hij tegen Andrew.

Andrew bedankte zijn oom, liet zich op zijn kont op de vloer vallen en begon de footballbal te bestuderen. Adam keek weer in de plastic tas. Deze keer gebruikte hij twee handen.

'Lisa, deze is voor jou. Je tante heeft hem lang geleden gemaakt. Ik weet zeker dat ze het fijn zou vinden dat jij hem hebt.'

Het was een van Maries objecten van gebrandschilderd glas. Felrode en -oranje herfstbladeren dwarrelden omlaag van een boom van zwart ijzerdraad. Kent keek toe hoe zijn broer het aan zijn dochter gaf en kon niemand aankijken, zelfs Beth niet.

'Wat mooi!' zei Lisa. Ze fluisterde het bijna. 'Heeft ze dit zelf gemaakt?'

'Ja,' zei Adam. 'Goed, hè?'

Lisa knikte. Een moment zaten ze aan elkaar vastgeklonken, verbonden door het gebrandschilderde glas in hun handen; toen liet Adam los en kwam overeind.

'Het ruikt lekker,' zei hij. 'Wat eten we, spaghetti?'

'Lasagne,' antwoordde Beth.

'Ah, lekker. Ik wilde ook een bijdrage leveren...' Hij haalde een fles wijn uit de plastic tas en keek ernaar. 'Hm... maar jullie drinken helemaal niet, of wel? Sorry.'

'Een glas wijn lijkt me heerlijk,' zei Beth. Kent herinnerde zich niet wanneer zij voor het laatst iets had gedronken; in ieder geval vóórdat ze zwanger werd, en ook daarvoor was het maar zelden voorgekomen. Ze beantwoordde zijn verbaasde blik en glimlachte. 'Klinkt goed.'

'Ja,' zei hij. 'Lekker, Adam. Laten we gaan eten, jongens. Ik heb honger.'

Hij vroeg Beth voor het eten te bidden. Waarom wist hij niet, normaal gesproken deed hij het gebed. Zij kwam zonder omhaal aan zijn verzoek tegemoet en bad, en Adam zat met gebogen hoofd en toen ze aan het eind om vrede voor de familie van Rachel Bond vroeg, zei hij zacht 'amen'.

Het was een fijne maaltijd. De kinderen, eerst nog verlegen, werden al doende luidruchtiger. Adam maakte gemakkelijk grapjes. Beth en Kent dronken allebei een glas wijn. Daarna bracht Beth de kinderen naar bed, terwijl Adam de borden in de vaatwasmachine zette.

'Ze kookt geweldig. Het zal vannacht niet meevallen wakker te blijven, na zo'n maaltijd.'

'Het spijt me dat we dit niet eerder hebben gedaan,' zei Kent. 'Ik vind het vreselijk dat we deze omstandigheden nodig hebben om hier samen te zijn, maar soms kan er iets goeds voortkomen uit...'

Zijn stem stierf weg omdat Adam met een harde blik in zijn ogen opkeek. De blik werd iets milder, en Adam richtte zich weer op de borden en zei: 'Soms wel, ja. Daar heb je gelijk in.'

Er viel een stilte. Na een tijdje vroeg Kent: 'Ik wilde nog wat beeldmateriaal van Saint Anthony's bekijken. Heb je zin om mee te kijken?'

'Weet je waar de Heilige Antonius voor staat?' vroeg Adam met zijn hoofd nog steeds gebogen.

Kent moest tot zijn schaamte bekennen dat hij dat niet wist. Hij had het gevoel dat hij het wel had moeten weten maar hij was protestants, niet katholiek, en het concept van heiligen was hem vreemd.

'Geen idee.'

'Hij is de beschermheilige van de dingen die verloren zijn gegaan,' zei Adam terwijl hij de vaatwasmachine dichtdeed en Kent aankeek.

'O ja?'

'Ja.' Adam knikte en droogde zijn handen aan de handdoek af. 'Ik heb hem weleens wat gevraagd.'

Kent wist niet wat hij daarop moest zeggen.

'Ik wilde dat beeldmateriaal gaan bekijken,' begon hij opnieuw. 'Misschien zie jij dingen die ik...'

'Beeldmateriaal bekijken is jouw werk,' zei Adam. 'De straat bekijken is het mijne.'

Ze gingen naar de woonkamer en Beth kwam bij hen zitten. Adam bedankte haar opnieuw voor de maaltijd, terwijl zijn blik door de duisternis buiten dwaalde. Hij zei: 'Zodra de kinderen slapen, haal ik mijn pistool.'

'Bedankt dat je daaraan hebt gedacht,' zei Beth.

'Natuurlijk. Ik wil ze niet bang maken.' Adams hoofd draaide langzaam, de stille straat in zich opnemend. 'Ik zou willen dat hij kwam.'

'Dat is anders het laatste dat wij willen,' zei Kent.

'Ik bedoel niet dat ik wil dat hij hier is. Maar als hij langskwam, zou ik hem kunnen volgen naar de plek waar hij zich schuilhoudt...'

'En dan zou je de politie bellen,' zei Beth. 'Toch?'

Adam antwoordde niet. Kent keek naar het gezicht van zijn vrouw en wist dat ze het er niet bij zou laten, maar om de een of andere reden wilde hij dat niet, hij wilde niet dat ze zijn broer uit zijn focus zou halen, al wist hij dat die focus gevaarlijk was. In een poging de richting van het gesprek te veranderen, kwam hij tussenbeide.

'Dat je je die pass van mij op Fitzgerald herinnerde. Hij ving er niet zoveel, maar die pakte hij mooi. Ik vraag me af wat er van hem is geworden. Ik geloof dat hij in het leger is gegaan, maar ik zou me kunnen...'

'Herinner jij je of Rodney Bova hier familie had?' vroeg Adam.

Kent snapte het niet. Adam kwam nu al voor de tweede keer met die naam op de proppen, en er waren weinig namen uit hun foot-balldagen minder relevant dan die van Bova.

'Nee,' zei hij. 'Geen idee. Waarom vraag je steeds naar hem?'

'Hij woont hier nog steeds in de buurt,' zei Adam. 'Hij heeft zich in de nesten gewerkt, vandaar. Maar ik herinner me niet zoveel van hem, jij? Ik herinner me eigenlijk alleen dat hij naar de jeugdgevangenis moest, maar al sla je me dood, waarom weet ik niet meer. Jij zei dat hij een auto in brand had gestoken. Ik had niet...'

'Hij heeft geen auto in brand gestoken,' zei Beth. Ze keken haar allebei verbaasd aan. Ze stond met haar armen onder haar borst gekruist tussen hen in en keek Adam nieuwsgierig aan. 'Dat had zijn broer gedaan. Hij nam de schuld op zich.'

'Hoe weet jij dat?' vroeg Kent.

'Van mijn vader. Het heeft hem altijd dwarsgezeten. De politie stelde hem vragen, of misschien was het een advocaat, maar iemand stelde hem vragen...'

'Zijn broer?' vroeg Adam. Zijn blik had de intensiteit van een schijnwerper.

Kent keek hem aan en vroeg: 'Waar gaat dit over? Wat maakt jou dat uit?'

Adam dacht lang over die vraag na en zei toen: 'Ik ben verantwoordelijk voor hem. Dat maakt het me uit.'

'Heb jij zijn borgsom betaald?'

'Ja.'

'Wat heeft hij nu weer gedaan?'

'Drugsbezit. En illegaal wapenbezit.' Adam keek weer naar Beth. 'Ik herinner me niet dat hij een broer had.'

'Een jongere broer. Mijn vader had het gevoel dat dat er een was die in de problemen ging komen. Hij zei dat hij een slechte invloed op Rodney had, niet andersom. Wat vreemd is, omdat het in het algemeen de oudere broer is die...' Ze twijfelde even en zei toen: '... de toon zet.'

'In het algemeen wel,' stemde Adam in. 'Maar ik dacht dat Rodney in een jeugdgevangenis terecht was gekomen.'

'Volgens mij niet. Maar misschien vergis ik me. Hij verdween wel op de een of andere manier in de jeugdzorg. Maar wat die autobrand aangaat, dat was hij niet. Zijn broertje had het gedaan, en toen heeft Rodney de schuld op zich genomen. Maar zijn verhaal hield geen stand. Mijn vader ging bij hem langs, want die vermoedde al snel dat het niet klopte. De politie ook. Hij probeerde alleen maar zijn broertje te beschermen.'

'Aha,' zei Adam, en iedereen zweeg. Adam gebaarde naar het raam. 'Is het goed als ik mijn pistool haal?'

'Ja, prima,' zei Kent. 'Dat is waarschijnlijk wel zo slim.'

Om halftwee die nacht, in het donker, op de bank van zijn broer, ging het alarm van Adams mobiele telefoon, wat wilde zeggen dat het gps-zendertje in beweging was gekomen.

Hij logde in in het programma, zag hoe de stip van het huis van Rodney Bova af bewoog en vroeg zich af wat hij moest doen. Hij wilde achter hem aan, omdat zo'n verplaatsing midden in de nacht per definitie interessant was. Maar om hem te kunnen volgen, zou hij Kents huis onbewaakt achter moeten laten.

'Verdomme!' zei hij hardop, en hij legde vertwijfeld de telefoon neer. Dit kon 'm zijn. Dit kon de afspraak met Sipes zijn – Adams eerste en misschien wel laatste kans.

Maar boven lag zijn enige broer met zijn gezin te slapen. Adams nichtje en neefje lagen op hun kamer. Als Bova géén afspraak met Sipes had, en Sipes was op dit moment op weg naar Kents huis...

Nee, hij kon daar niet weg. Hij zou de locatie morgen wel onderzoeken – nu kon hij zijn post niet verlaten.

De stip gleed door de stad, in de richting van de staalfabrieken.

Dat deel van de stad was volkomen in verval geraakt, Adam kende het goed, hij had er meerdere cliënten. De stip stopte op Erie Avenue 57.

'Ben jij dat, Clayton?' fluisterde hij. 'Hou je je daar schuil?'

Er gingen tien minuten voorbij. Een kwartier. Twintig minuten. Adam raakte het schermpje steeds even aan, zodat het de hele tijd oplichtte. Het was moeilijk om niet in actie te komen, hij popelde om ernaartoe te rijden en te zien wat er gebeurde. Maar een blik op de trap naar boven, waar het gezin van zijn broer lag te slapen, kalmeerde hem. Hij kon niet weg en zou niet gaan ook.

Om tien over twee, na een halfuur, verliet Rodney Bova Erie Avenue 57 en reed naar het zuidoosten. Terug naar huis.

Adam legde de telefoon neer en wachtte met zijn hand op zijn pistool op de zonsopkomst.

39

In de tijd dat Adam werd geboren, waren er in Chambers nog twee staalfabrieken in bedrijf, maar inmiddels waren ook dat bouwvallen. De meeste gebouwen stonden er nog wel, zo ook de oude Robard Company-fabriek waar Hank Austin ooit had gewerkt. De schoorstenen van de oude smeltovens tekenden de skyline, en de verroeste, overwoekerde spoorrails waar in geen jaren meer een trein over had gereden, leken op de opspelende littekens van een oude verslaving. Ten oosten en westen van de fabriek liepen de fabrieksstraten door in woonwijken en maakten de bakstenen en ijzeren kolossen plaats voor smalle huizen. Daar was een lang stuk stoep met een drilboor weggehaald maar niet vervangen; er was een oranje plastic hekje voor gezet, en in het onkruid ernaast hadden voetstappen een pad uitgesleten. Een lagehurenwijk in een lagehurenstadje.

De ramen op de begane grond van Erie Avenue 57 waren dichtgetimmerd, maar het glas op de eerste verdieping was onbeschut en had geen jaloezieën of gordijnen. Op het eerste gezicht zag het huis eruit alsof het al jaren onbewoond was. De gebroken ramen op de begane grond waren dichtgetimmerd, het onkruid drong door de kieren tussen de planken van de veranda, er stond geen auto voor de deur en er brandde geen licht. Maar Adam had wel vaker mensen gevonden op plekken die er niet gastvrij uitzagen, en Rodney Bova had dit adres bezocht en was er een halfuur gebleven.

Hij parkeerde aan de overkant van de straat, fotografeerde de woning en keek, terwijl de kou van buiten de auto binnendrong, met de motor uit naar het huis terwijl hij nadacht over de vraag wat zijn volgende stap zou zijn. Moest hij naar binnen gaan of afwachten of er iemand naar buiten kwam?

Soms kon je ergens naar binnen en naar buiten gaan zonder sporen achter te laten, zoals bij Bova's huis. Maar Sipes was op zijn hoede. Dit was zijn schuilplaats, zijn *safe house*, en hij zou zeker op gevaar en indringers bedacht zijn. Het laatste wat Adam wilde, was dat hij, als hij daar inderdaad zat, weer op de vlucht zou slaan.

Hij besloot geduldig te zijn. Als Sipes er was, moest hij vroeg of laat naar buiten komen, en als hij weg was, kwam hij hopelijk weer een keer terug.

Die beslissing bracht met zich mee dat hij zich er voor langere tijd moest installeren, maar hij zat er nog geen twintig minuten of de zijdeur van het huis ging open en er kwam een man naar buiten. Hij liep over de oprit naar de stoep en stak de straat over naar een witte Buick Rendezvous. Adams adrenalinepeil schoot omhoog, maar zakte vrijwel meteen weer in. Het was Clayton Sipes niet. In de verste verte niet. Veel te zwaar gebouwd, een kop met dik zwart haar in plaats van de kaalgeschoren hoofdhuid, en geen tatoeages. Adam nam vijf foto's, toen stapte hij in zijn auto en besloot hem te volgen. Het kon sowieso geen kwaad te weten bij wie Rodney Bova 's nachts op bezoek was geweest. Al was het Sipes niet zelf, misschien was het iemand die aan hem was gelieerd. En je moest alle aanwijzingen die je vond nu eenmaal nalopen.

Toch voelde hij zich verslagen. Het had er veelbelovend uitgezien, maar nu het dat niet bleek te zijn, moest hij de mogelijkheid onder ogen zien dat het niets zou opleveren, dat het spoor van Rodney Bova doodliep. Hij startte de motor en vroeg zich af hoe lang hij achter de auto aan moest blijven rijden. Hij wierp een laatste, geïrriteerde en ongeïnteresseerde blik op Erie Avenue 57.

Lang genoeg om de man in het raam te zien.

Op de een of andere manier slaagde hij erin niet op de rem te trappen. Dat was wel zijn eerste impuls, maar die wist hij opzij te schuiven en hij slaagde erin door te rijden.

De man had vanuit het raam op de eerste verdieping naar de straat staan kijken en Adam had hem goed gezien. Hij had een kaalgeschoren kop en stond met ontbloot bovenlichaam voor het glas, en zijn linkerarm was over de hele lengte met gekleurde tatoeages bedekt.

Adam stopte voor het stopbord van de eerste zijstraat en keek in zijn achteruitkijkspiegeltje. Hij kon het huis nog steeds zien, maar de figuur in het raam niet, niet van die afstand. Hij sloeg met bonzend hart af, reed om het huizenblok heen en parkeerde op een andere plek aan de overkant van de straat. Hij haalde zijn pistool uit de holster en legde het in zijn schoot.

Hij had hem gevonden. Clayton Sipes zat in dat huis.

Toekijken en afwachten voelde niet meer als de beste optie. Helemaal niet zelfs. Niet met die klootzak zo dichtbij, niet nu hij hem had gevonden. Het geduld dat hij zichzelf kon opleggen als hij op jacht was, verdampte zodra hij zijn prooi had gezien, zodra hij het doelwit in het vizier had. De jacht was bijna ten einde. Hij hoefde het alleen nog maar af te maken.

Ik spoor hem op en vermoord hem.

Zo luidde zijn belofte. Hij had niet geaarzeld toen hij die woorden uitsprak. Hij kon niet gaan aarzelen op het moment dat de kans zich voordeed de belofte in te lossen. Althans, dat zou hij niet moeten doen. Maar nu overviel het hem toch, de jacht was onverwacht snel tot een einde gekomen, en na al die dagen van hongerige anticipatie, merkte hij dat hij er nog niet klaar voor was. Hij was niet zeker.

Hem vermoorden? Ging hij hem echt vermoorden?

Ja, verdomme nog aan toe. Doe wat je hebt beloofd te doen.

Hij deed de holster met de Glock af en trok dunne, zwarte handschoenen aan. Daarna haalde hij een ander wapen onder zijn stoel vandaan, ook een pistool dat hij van een borgschenner had afgepakt. Het leek op het wapen dat hij in de pick-up van Rodney Bova had gelegd. Als hij een borgschenner arresteerde die gewapend was, kostte het hem meestal weinig moeite hem zijn wapen af te pakken; ze wisten maar al te goed dat wapenbezit een paar jaar aan hun verblijf in de gevangenis zou toevoegen. Vaak ging het om goedkope, slecht onderhouden rommel, maar dit was een Ruger .45-kaliber in uitstekende staat. Hij gaf de voorkeur aan zijn

Glock, maar de Glock stond op zijn naam, de Ruger niet.

Zijn gehandschoende duim gleed over de kolf van het pistool. Hij was zo vertrouwd met wapens, maar tegelijkertijd ook helemaal niet. Hij had ermee geschoten, hij had ze schoongemaakt, hij had ze in de olie gezet en hij had geëxperimenteerd met verschillende soorten munitie, schothoudingen, grepen en snelheden. Hij had alles gedaan wat je met een pistool kunt doen, behalve dat ene waarvoor het was ontworpen.

Hij haalde het magazijn eruit en controleerde de lading, al wist hij dat het vol zat. Hij schoof het er weer in, trok de slee naar achteren en hoorde de klik van de patroonkamer. Eén keer de trekker overhalen en het was gedaan.

Zijn ogen dwaalden van het pistool naar zijn mobiele telefoon.

Meld het gewoon.

Zo eenvoudig kon het zijn. Dan bleef hij zitten waar hij zat en belde hij Stan Salter. Die zou een arrestatieteam naar binnen sturen, zodat Clayton Sipes niet kon ontsnappen. Ze zouden hem arresteren en voordat de dag ten einde was zou hij weer achter de tralies zitten.

Maar zou hij ook veroordeeld worden? Zouden ze in dat uitgewoonde huis bewijzen voor de moord of alleen een uitgekookte duivel vinden? Hij zou een tijdje moeten brommen, zoveel was zeker. Maar hoe lang, dat was moeilijker te zeggen. Wanneer zou hij weer naar buiten lopen? Wanneer zou hij weer in de vrije wereld terugkeren?

Daarom laat je het niet aan de politie over, Austin. Daarom heb je de belofte gedaan en daarom moet je hem nu nakomen. Omdat je zus, als het systeem wel een fuck waard was, veilig thuis zou zijn gekomen, en Rachel Bond ook.

Hij startte de motor, reed een stukje naar het oosten en parkeerde na vijf zijstraten, tot hij zich aan de andere kant van de oude staalfabriek bevond. Hij stapte uit en liep het verlaten fabrieksterrein over, door onkruid en over oude as, en volgde de spoorrails naar Erie Avenue. Die stak hij snel en gekromd over en hij liep een smal steegje in, een paar honderd meter van het huis waar Clayton Sipes wachtte. Toen hij links afsloeg, blies de wind van het meer stof in zijn gezicht, en hij zocht beschutting achter een betonnen muurtje dat de oude huizen van het fabrieksterrein scheidde. Dat volgde hij tot hij bij de achtertuin van Erie Avenue 57 aankwam, waarna hij zonder zich te bedenken door de kleine achtertuin over het tuinpad naar de zijdeur liep.

Het wapen zat in de zak van zijn sweater, zó dat de loop van het pistool er uitstak. Zijn rechter wijsvinger krulde om de trekker. Het aluminium frame van de tochtdeur hing er nog wel, maar het glas lag eruit, dus stak hij er zijn hand doorheen en klopte drie keer op de houten deur. Niet agressief, wel luid en duidelijk.

Kom maar naar de deur, Clayton, dacht hij. Anders kom ik zelf wel binnen. Aan jou de keus.

Voetstappen. Net als het kloppen – ritmisch, rustig en duidelijk. Sipes probeerde zijn aanwezigheid in het huis niet te verbergen en probeerde niet te vluchten. Hij kwam naar de deur.

Adams ademhaling en hartslag waren bij het geluid van de naderende voetstappen vertraagd, en zijn vinger spande om de trekker en zette er een paar pond trekkracht op.

Je kunt hem arresteren. Arresteer hem en bel de politie, dan ben je een held, je foto komt wéér in de krant en deze keer ziet iedereen je in een heel ander daglicht.

Toen ging de deur open, en de man met het kaalgeschoren hoofd en de ring van tatoeages om zijn nek keek Adam aan en glimlachte, en het idee om hem te arresteren en de politie te bellen ging met-een in rook op. Sipes droeg nog steeds geen bovenkleding – er lag een waas van zweet op zijn huid en zijn borstkas en armen waren gezwollen, alsof hij had getraind met gewichten. Zijn glimlach was geamuseerd en uitdagend. Hij had een pistool in zijn linkerhand, maar anders dan Adam hield hij de loop omlaag gericht.

'Heeft hij, in plaats van zelf te komen, jou gestuurd?' vroeg Sipes.

'Dus je weet wie ik ben. Mooi zo.'

'Ja, Adam, ik weet wie je bent. Je broer heeft jou gestuurd in plaats van zelf te komen. Een interessante keuze. Niet verrassend, maar wel teleurstellend, vind je niet?'

Als het hem al van slag bracht dat hij hem had gevonden, dan liet Sipes dat niet merken.

Adam zei: 'Ik wil met je praten.'

'Wapens zijn niet bevorderlijk voor een goed gesprek, Adam.'

'Dat weerhield jou er niet van er een mee te nemen naar mijn broer.'

'Daar heb je gelijk in. Kom maar binnen dan. Kom erin.'

Adam schudde zijn hoofd. 'We gaan een eindje lopen. We doen de wapens weg, en we maken een ommetje.'

Sipes dacht hier even over na, ze keken elkaar door de lege tocht-deur heen aan. Achter hem voerde een korte trap met afbrokkelend, beschimmeld linoleum omhoog naar duisternis.

'Goed, Adam,' zei hij. 'We maken een ommetje. Als je het niet erg vindt trek ik even een jack aan, dan...'

'Dat is goed,' zei Adam. 'Maar ik denk eigenlijk dat je best tegen een beetje kou kan, Sipes.'

De glimlach keerde terug en Sipes duwde de tochtdeur open en kwam naar buiten. Adam deed een stap achteruit, de loop van het pistool omhoog. Sipes deed de deur achter zich dicht, stak zijn pistool onder de band van zijn broek, keek Adam quasiverwijtend aan en vroeg: 'Wat hadden we nou over die wapens afgesproken?'

Adam stopte de Ruger weer in de zak van zijn sweater, maar hield zijn vinger aan de trekker.

'Vooruit,' zei hij. 'Wandelen, Sipes. We lopen een stukje en maken een praatje, en dan vertrek jij.'

'En dan vertrek ik,' echode Sipes. Hij liep voor hem uit door het tuintje, de stoep op. Het pistool dat hij aan de achterkant onder de band van zijn broek had gestoken, was goed zichtbaar. Hij deed geen poging het te pakken en zei er niets van. Er reed een auto langs, maar niemand keek naar hen. 'Dat klinkt als een ultimatum.'

'Dat is het ook.'

'Klinkt lekker Wild West-achtig. Leuk gevonden, hoor. Is dat idee van jou of van de coach?'

'Van ons allebei.'

Ze liepen in noordelijke richting over Erie Avenue, met de staal-fabriek rechts van hen; vóór hen liep de straat dood, daarachter lag het grote, grijze meer.

'Ik dacht eigenlijk dat jij en je broer niet meer zo'n hechte band hadden.'

'We zijn broers,' zei Adam. 'Hechter dan dat wordt het niet.'

'Ben je trots op hem?'

Sipes liep zonder dat Adam daarom had gevraagd een meter voor en iets links van hem, precies waar hij hem wilde hebben. De kolf van het pistool stak boven de broekband van zijn spijkerbroek uit. Het zweet gleed er over zijn lendenen naartoe.

'Ik denk dat je het een en ander door elkaar haalt,' zei Adam.

'Hoezo?'

'Ik ben hier niet om jouw vragen te beantwoorden, Sipes.'

'Dat begrijp ik ook wel. Ik neem aan dat je hier bent om een beetje te dreigen, misschien zelfs om me iets aan te doen. Want je bent hier niet zonder de politie gekomen om je aan de wet te houden, toch? Dat zou nergens op slaan.'

Ze hadden al een paar honderd meter gelopen en kwamen bij het stuk dat doodliep. Sipes zei: 'Ik wil wel weten waar we heen gaan, Adam.'

'Naar het einde van de straat. En dan het hek door. Ik wil het meer kunnen zien.'

'Goed, dan gaan we naar het meer kijken.' Ze kwamen bij het einde van de weg. Sipes stapte door het onkruid, trok een kapot stuk gaas opzij en kroop erdoor. Adam hield het pistool op hem gericht, maar Sipes greep niet naar zijn wapen. Adam was gespannen toen hij zelf door het hek kroop – het was voor Sipes het beste moment om toe te slaan, maar die probeerde niets; hij stapte over een kapotte wodkafles en liep naar de kiezels waar het meer tegenaan klotste, sommige golven spoelden eroverheen en raakten verstrikt in de poeltjes tussen de stenen.

'Ik vind het interessant,' zei Sipes, 'dat hij jou heeft gestuurd en niet de politie. Dat lijkt me niets voor hem. Tenzij de angst zijn tol eist, natuurlijk. Tenzij zijn geloof...'

'Kent heeft mij niet gestuurd,' zei Adam.

'Vergeef het me als ik je op dit punt een leugenaar noem.'

'Kent heeft me niet gestuurd,' herhaalde Adam. 'Dat heeft mijn zus gedaan. En Rachel Bond.'

Sipes knikte instemmend. 'Geweldig, Adam. Ronduit geweldig. Ik zei al tegen je broer dat het me niet zou verbazen als jij fascinerender was dan hij, en ik denk dat ik daar gelijk in had. Het is doodzonde dat we elkaar niet eerder hebben leren kennen.'

Ze waren alleen aan de oever van het meer. Een paar kilometer verderop voer een vrachtschip in noordoostelijke richting naar de Saint Lawrence Seaway en de oceaan daarachter, een lage schaduw aan de horizon. Sipes spreidde zijn armen.

'Daar zijn we dan,' zei hij. 'Je hebt je uitzicht op het water. En je hebt je geboeide publiek. Laat maar horen wat je me wilde vertellen, Adam. Laat maar horen waarom je naar me toe bent gestuurd.'

Adam likte met het puntje van zijn tong over zijn lippen. 'Waarom Kent?' vroeg hij.

'Omdat hij zei dat hij niet gebroken kan worden,' zei Sipes. Zijn stem was kalm, geduldig. 'Omdat hij dat echt gelooft.'

'En dat is voor jou voldoende reden om een meisje te vermoorden dat niets met hem te maken had?'

'Geen enkele straf zou voldoende zijn, vind ik. Hij heeft me bezworen dat zijn geloof elke beproeving doorstaat, Adam. Ik ben gekomen om te zien of dat echt waar is. Zeg eens, ben jij het met je broer eens? Volgens mij niet. Ik heb gehoord dat jij zijn keuzes niet kon waarderen.'

Adam luisterde hoe de golven op de stenen braken. Het was er heel stil, die dag. Eigenlijk was het er altijd stil in die tijd van het jaar. Maar de dag dat ze Marie vonden, werd de stilte verbroken. Er waren helikopters, dat herinnerde Adam zich maar al te goed, vanuit de lucht keken televisiecamera's mee. Dat was maar drie kilometer verderop geweest. Dat is niet ver. Absoluut niet ver.

'Ik zou één ding willen weten,' zei Sipes. 'Weet je broer hiervan?'

Adam schudde zijn hoofd.

'Dat is jammer,' zei Sipes. Hij leek het te menen.

Schiet hem dood, dacht Adam, en hij wilde het ook, maar hij kon het niet. Hij stond zo dichtbij, hij hoefde de druk maar een klein beetje op te voeren. Een manier vinden om het op te roepen. Hoe dan ook.

'Vooruit, Sipes, pak je pistool.'

Sipes glimlachte en schudde zijn hoofd. 'Nee, ik ben oké, dank je.'

Adams hand begon te beven. Hij verstevigde zijn greep en voelde oude pijn. Hij had die hand gebroken, lang geleden. De botten waren keurig aan elkaar gegroeid, maar soms, als het koud was zoals nu, dan voelde hij de pijn nog.

'Je bent hier om je broer te beschermen,' zei Sipes. 'Is dat het?'

'Ik ben hier om jou verantwoordelijk te stellen,' zei Adam.

'Waarvoor?'

'Voor alles wat je hebt gedaan.'

'Jij weet niets over wat ik heb gedaan, Adam. Je weet niets. Ik begrijp precies wie jij bent, maar jij begrijpt geen klap van mij. Je bent hier niet voor je broer of zelfs maar voor Rachel Bond. Je bent hier voor je zus, dat heb je zelf gezegd. En zal ik jou eens iets vertellen? Je zus heb ik niet vermoord. Ik heb haar zelfs nog nooit gezien. Goed, ik voel wel een zekere mate van... nabijheid – ik denk dat dat het juiste woord is. Het is in ieder geval meer dan betrokkenheid. Je hebt haar zó goed weten te bewaren in die slaapkamer dat ik, toen ik binnenkwam, haar aanwezigheid daar echt voelde. Dat was heel opmerkelijk. Ik weet zeker dat je begrijpt wat ik bedoel. We zullen het op dat punt vast eens zijn. Haar aanwezigheid ís toch opmerkelijk, na al die jaren? Maar gezien heb ik haar nooit. Alleen op foto's, verder niet. Jullie lijken op elkaar. Qua ogen vooral. En qua jukbeenderen. Dezelfde gelaatstrekken. Maar in je broer zie ik het sterker. En je nichtje... Tja, dat is een ander verhaal. Dat zijn meer dan dezelfde trekken. Die twee lijken zo op elkaar dat het bijna...'

Adam haalde de trekker van de Ruger over en joeg een .45-kaliber kogel in de borst van Clayton Sipes.

Sipes zag er niet uit alsof hij schrok, zelfs niet alsof hij verrast was. De glimlach was verdwenen, dat wel, de glimlach was verdwenen alsof hij nooit had bestaan, maar hij was niet in paniek. Hij deed een wankelende stap naar achteren en greep achter zijn rug naar het pistool waarvan hij had gedacht dat hij het nog niet nodig had, en Adam schoot voor de tweede keer. Nu trof de kogel hem hoger, net onder zijn keel, en Sipes zakte in elkaar en het leven vloeide uit hem weg.

Hij die Clayton Sipes was geweest, bestond niet meer op deze wereld.

Adam rolde het lichaam om met zijn schoen, veegde het wapen schoon aan zijn sweater en smeet het weg: de Ruger vloog, gedragen door de wind, als een discus over het water, plonsde erin en zonk. Hij overwoog Sipes het water in te trekken, maar zag er het nut niet van in; de golven zouden hem zo terugbrengen. Adams schoten hadden hard over het meer geëchood, en hij moest ervandoor, hij moest maken dat hij wegkwam.

Hij draaide zich om en liep dezelfde route terug, hij liep gehaast maar zonder te rennen over de kiezels, kroop door het hek en keerde terug naar Erie Avenue. Er klonken nog geen sirenes. Vermoedelijk hadden ze de schoten daar wel gehoord, maar misschien ook niet. Veel maakte het waarschijnlijk ook niet uit. Het was een slechte buurt en de mensen die hem bevolkten, waren geen types die snel naar de politie belden.

Hij liep naar de oude staalfabriek van de Robard Company waar zijn vader had gewerkt, en begon, toen hij eindelijk niet meer vanaf de straat te zien was, te rennen.

40

Het viel Kent die week niet mee zich te concentreren, en al helemaal niet op die donderdagmiddag, op het moment dat Stan Salter binnenkwam terwijl hij een zesmans verdedigingslinie overwoog en zich afvroeg of ze daarmee genoeg druk op Rob Sonnefeld, de quarterback van Saint Anthony's, zouden kunnen zetten om hem zo tot fouten te dwingen.

Het eerste dat in hem opkwam, toen hij de rechercheur zag, was angst, maar Salter beantwoordde de vraag voordat Kent hem had kunnen stellen.

'Met uw gezin is alles in orde, Coach. Niets aan de hand.'

De angst maakte plaats voor een vage irritatie. Als er niets aan de hand is, laat me dan met rust. Ik was eindelijk even van alles los, kunnen jullie me hier als de deur dicht is niet eens even met rust laten?

'Wat kan ik dan voor u doen?' vroeg Kent.

'Waarschijnlijk niet veel.' Salter leunde tegen de deurpost. 'Ik wilde u alleen even laten weten dat u van Clayton Sipes geen last meer zult hebben.'

Die verklaring overviel Kent als een koortsaanval.

'Hebben jullie hem te pakken?'

Salter schudde zijn hoofd. 'We hebben hem. Maar we hebben hem niet gepakt. Iemand is ons voor geweest.'

'Hoe bedoelt u?'

'Clayton Sipes is vanmorgen op de oever van het meer gevonden. Doodgeschoten.'

Kent keek hem aan. Adam, dacht hij. Hoe heeft hij hem te pakken gekregen? Hoe heeft hij hem gevonden? De video van Saint Anthony's liep nog, en hij zette de projector uit.

'En jullie weten niet wie hem heeft vermoord?'

'Nog niet.'

'Waren er getuigen, heeft iemand iets…?'

'Het is te vroeg om daar iets over te zeggen. Maar daar werken we natuurlijk aan. We hebben alleen net de bevestiging van zijn identiteit binnen. Ik vond dat u het moest weten.'

Kent opende zijn mond en deed hem meteen weer dicht. Salter trok zijn wenkbrauwen op en vroeg: 'Ja?'

'Ik wilde zeggen dat ik het naar vond dat het zo is gelopen,' zei Kent. 'Maar weet u, dat valt niet mee. Op dit moment ben ik… ben ik blij om te horen dat hij er geweest is.'

'Begrijpelijk. Maar er zijn daardoor wel een paar problemen gerezen.'

'Zoals?'

'Om te beginnen is de zaak nog niet afgerond, voor Penny Gootee,' zei Salter. 'Ik moet het moordonderzoek nog afsluiten. Daar komt met de dood van Clayton Sipes nog geen einde aan.'

'Althans, niet zoals u dat had gewild.'

'Sowieso niet,' zei Salter. 'De zaak is nog niet afgerond. En nu heb ik er nog een bij. Nu moet ik ook nog uitzoeken wie Sipes heeft vermoord. Dat zal ik toch moeten uitzoeken.'

Kent knikte.

'Heeft uw broer bij wijze van bewaking bij u in huis gezeten?' vroeg Salter.

Het hoge woord was eruit, maar Kent had het gevoel alsof er inbreuk op zijn privacy werd gemaakt. 'Hoe weet u dat mijn broer bij ons was?'

'U wilde dat we uw huis in de gaten zouden houden, Coach. Ik heb gezegd dat we dat zouden doen. Als iemand uw oprit op rijdt, lopen we zijn kenteken na. Om u te helpen. Ik dacht dat u dat wilde.'

'Zeker,' zei Kent. 'Alleen… Alleen hoorde ik er niets meer over.'

'We hebben de boel in de gaten gehouden.'

'Dat is mooi.' Hij had geen idee waarom dat zo hol klonk. 'Ja, Adam was een soort extra veiligheid. Ik weet dat jullie geen fan van hem zijn, maar hij heeft meer ervaring met dit soort zaken dan ik. Het was gewoon prettig om hem in de buurt te hebben voor het geval Sipes terug zou komen.'

Salter knikte. 'Oké. Nou, Sipes komt dus niet meer terug.'

'Ik ga niet doen alsof ik dat erg vind.'

'Dat vraag ik ook niet van u,' zei Salter. 'Ik ging er ook niet van uit dat ik u slecht nieuws kwam brengen, Coach. Ik weet dat morgen een belangrijke dag voor jullie is, maar ik hoop dat u beschikbaar bent voor agent Dean.'

'Dean?'

'Van de FBI.'

'Ik weet wie hij is. Waar heeft hij mij voor nodig?'

'Ik weet niet zeker of hij u nodig heeft,' zei Salter. 'Het zou me alleen niet verbazen. Maar ik ben ervan overtuigd dat u uw medewerking verleent.'

'Natuurlijk. Alleen heb ik geen idee wat ik kan bijdragen.'

'Daar heeft hij vast zo zijn eigen gedachten over,' zei Salter.

'Als hij me nodig heeft, zal ik er zijn. Maar ik ben blij dat dit uit de wereld is geholpen.'

'Zover is het nog niet,' zei Salter. 'Voor mij niet, in ieder geval. Er is nog veel onduidelijk.' Hij zei het afwezig en schudde zijn hoofd, alsof hij zichzelf eraan moest herinneren dat Kent nog in de kamer stond. Hij maakte zich los van de deurpost. 'Ik moet weer aan het werk, Coach. U ook. Iedereen staat achter jullie. Iedereen wil dat jullie morgenavond winnen.'

'Ja,' zei Kent. 'We doen ons best.'

Hij vertrok van school en reed naar Adams borgkantoor. Zijn broer was aanwezig, en Chelsea ook, hun bureaus stonden tegenover elkaar.

'Hé, Chelsea.'

'Hallo, Kent. Hoe gaat het?'

'We geven de moed niet op.'

Adam loodste hem naar de deur. 'Ik heb een sigaret nodig. Laten we even buiten praten.'

Het was zonneklaar dat hij het gesprek van Chelsea weg leidde en hem onder vier ogen wilde spreken, en zij leek dat ook door te hebben. Ze keek hem even vragend aan, haalde haar smalle schouders op en richtte haar aandacht weer op de computer. Ze liepen naar buiten, de herfstdag in, en Adam stak, zoals hij had aangekondigd, een sigaret op.

'Weet je het al?'

'Ja. Ik wist niet dat jij het ook al had gehoord.'

'Het politiebureau is verderop, Kent. Ik heb het gehoord.'

'Is Salter ook bij jou langs geweest?'

Adam schudde zijn hoofd en zei: 'Ik heb mijn bronnen, daar. Mensen praten, weet je?'

'Zeker.' Kent keek hem aan en zocht naar woorden. Hoe vroeg je zoiets? 'Maak je je zorgen om het onderzoek?' vroeg hij ten slotte.

Adam blies een straal rook uit en vroeg: 'Hoezo?'

'Sipes is vermoord. Ze gaan natuurlijk uitzoeken door wie.'

Adam keek hem onbewogen aan en zei: 'Ja, dat denk ik ook. Maar daar maak ik me geen zorgen over. Ik maakte me alleen zorgen om hém.'

Kent was opgelucht, maar voelde zich ook schuldig, en zei: 'Natuurlijk, ik bedoelde alleen... Je sloeg van die dreigende taal uit, weet je, je hebt het een en ander gezegd.'

'Woorden zijn woorden,' zei Adam.

'Oké. Mooi.'

Adam boog zich voorover en legde zijn hand op Kents schouder. 'Relax, Franchise. Het probleem is opgelost. Snap je dat dan niet? Je probleem is opgelost.'

Ja, dat was zo. Kent ademde diep in, liet zijn longen leeglopen en zei: 'Ik wou dat ik niet zo blij was dat die man dood is, maar na wat hij...'

'En of je blij moet zijn,' zei Adam met een scherpe stem. 'Iedereen die ervan weet, zou blij moeten zijn. Die klootzak is van de aardbodem verdwenen, en dat is maar goed ook. Voor iedereen. Niet alleen voor jou, voor mij of voor je kinderen. Voor iedereen.'

Kent knikte. 'Ik zou het graag anders willen zien, Adam, maar waarschijnlijk heb je gelijk. Ik geloof dat dat voor Clayton Sipes inderdaad opgaat.'

Adam bracht de sigaret weer naar zijn lippen, keek niet naar Kent maar in de richting van het politiebureau en zei: 'Ik hoop dat ze genoeg weten om Rachels moeder te kunnen vertellen dat het de juiste man was.'

'Daar werken ze nu aan. Ik weet niets van de plek waar ze hem hebben gevonden. Of hij daar woonde, wat de situatie was. Ik weet niet eens of Salter er al meer van wist. Maar hopelijk vinden ze daar meer. Ze moet het kunnen afsluiten.'

'Ja,' zei Adam. 'Dat moet ze zeker.'

'Luister, Adam, ik wil dat je weet hoezeer we waarderen wat...'

'Geen zorgen, Franchise. Je hoeft me niet te bedanken. Ik ben gewoon blij dat het voorbij is.'

Kent zweeg even, van zijn stuk gebracht door Adams kortaangebondenheid, en zei toen: 'Oké. Weet wel hoezeer we het waarderen. En blijf niet weg.'

'Je ziet me wel weer. Om te beginnen ben ik morgenavond bij de wedstrijd. Doe me een lol en zorg dat je wint, oké?'

'Ik doe mijn best.' Kent aarzelde weer. 'Hm... jouw wapen ligt nog in mijn auto. Of eigenlijk in Beths auto, die van mij is nog steeds niet teruggevonden. Ik dacht... ik heb het nu niet meer nodig. Ik ben blij dat ik het kon gebruiken, maar nu heb ik het liever niet meer in mijn bezit. Ik weet dat je het daar niet mee eens bent, maar Beth en ik hebben nooit wapens in huis willen hebben. Er kan te gemakkelijk iets misgaan, vooral met de kinderen.'

'Tuurlijk. Het was er toen je het nodig had, en als dat weer zo is, hoor ik het wel.'

'Ik hoop dat dat nooit meer gebeurt.'

'Ik ook.'

Ze liepen naar de auto, en Kent opende het portier, pakte de Taurus Judge uit het handschoenenkastje en gaf het voorzichtig aan Adam – het contact met zijn huid gaf hem nog steeds een ongemakkelijk gevoel. Het paste zoveel beter in Adams hand.

'Ik wilde je niet storen,' zei hij. 'Ik wilde je het alleen even laten weten en je bedanken. Dat je er was toen we je nodig hadden, betekent veel voor ons. Voor ons allemaal.'

'Je kunt me altijd bellen, Franchise. Onthou dat.'

'Doe ik.'

'En laat het me weten als je nog iets van Salter of de FBI hoort. Ik ben benieuwd hoe het is gebeurd.'

Kent beloofde hem dat hij dat zou doen en zei dat hij hoopte dat alles snel duidelijk werd. Want hoe sneller alles bekend was, hoe sneller ook andere mensen de rust zouden voelen die Kent nu voelde.

In de auto belde hij Beth en vertelde dat het voorbij was.

'Het is afschuwelijk,' zei hij. 'Te horen dat iemand is vermoord en daar blij om te zijn. Maar ik kan er niets aan doen.'

'Dat is heel menselijk, Kent. Hij was een bedreiging en die bedreiging is verdwenen. We kunnen het onszelf moeilijk kwalijk nemen dat we daar blij om zijn. Het is niet zo dat we iemand dood wensten. Het enige wat we wilden was bescherming, veiligheid.'

'Ja. Daar schuilt geen kwaad in.'

'Weet Adam het al?'

'Ja. Ik kom net van hem vandaan. Hij heeft de hele dag op zijn kantoor gezeten, maar ik denk dat iemand bij de politie het hem al had verteld.'

'Mooi,' zei ze. Hij hoorde aan haar stem dat ze dezelfde vragen had als hij, en dat ook zij bang was ze te stellen. 'Wat we hem vroegen, boezemde me angst in, weet je.'

'Wat we hem vroegen? Ik kan je niet volgen.'

'Daar met zijn pistool te zitten, om te doen wat wij zelf niet wilden doen, dat voelde…'

'Hij is er beter in,' zei Kent. 'Het is zijn beroep, hij werkt met criminelen, hij gaat met wapens om, hij is beter bestand tegen dat soort dingen.'

Hij had het te snel en te hard gezegd, Beths zwijgen veroordeelde hem daarom.

'Sorry,' zei hij. 'Je raakt een gevoelige snaar. Ik voelde me daar ook niet helemaal prettig bij. Ik wilde het alleen niet...'

'Hardop zeggen?' maakte ze zijn zin af toen hij zweeg.

'Ja.'

'Het is nu voorbij,' zei ze. 'Dat is het enige wat telt. Het is voorbij en Adam is in orde.'

'Dik in orde.'

Ze zweeg even en zei toen: 'Zeg hem dat hij niet meer zo lang weg mag blijven, alsjeblieft.'

'Dat heb ik al gedaan.'

'Hij heeft ons geweldig geholpen. Meer dan ik bereid was toe te geven. Te weten dat hij er was, was enorm geruststellend.'

'Ja,' zei Kent. 'Dat was het zeker.'

Hij was pas de helft van zijn belofte nagekomen. Het voelde als meer dan dat, zeker, maar je kon beloftes niet op een weegschaal leggen. Of je deed wat je had gezegd of je deed het niet.

Hij had beloofd de moordenaar van Rachel Bond op te sporen en te vernietigen, en dat had hij gedaan. Hij had ook tegen Rachels moeder gezegd dat hij het haar zou vertellen als het zover was.

Die dag leek het bijna alsof dat gedeelte nog moeilijker was. Het was een schuldbekentenis, onmogelijk dwaas.

Maar hij had het beloofd. En toen ze hem midden in de nacht belde, was dat het enige wat ze hem vroeg. Hij dacht aan zijn vader en moeder, ook zij hadden een uitweg voor de onophoudelijke stroom verdriet gezocht en ook zij waren bang geweest om zich buiten gehoorafstand van de telefoon die niet rinkelde te wagen; hij dacht terug aan zijn moeder, die uit de stapels brieven met onbruikbare aanwijzingen een brief haalde van iemand die zich er anoniem over beklaagde dat er te veel posters van Marie in de stad hingen, en hij wist dat hij zijn woord gestand moest doen. Hij mocht Penny Gootee niet laten wachten.

Hij belde haar met een van de wegwerpmobieltjes die hij gebruikte, een andere dan hij had gebruikt om Bova in de val te lokken. Ze nam op nadat hij één keer over was gegaan, en hij dacht opnieuw aan zijn ouders, aan het lange, vreselijke wachten.

'Hallo?'

'Hallo, Penny. Ik ben de man die je nog niet zo lang geleden een belofte heeft gedaan. Weet je wie ik ben?'

Het bleef even stil. 'Ja.'

'Het is gebeurd,' zei Adam.

Toen ze weer sprak, was haar stem onvast.

'Meent u dat? Bedoelt u dat de man die…'

'Het is gebeurd,' zei Adam en hing op. Hij liep naar de vuilnisbak en gooide de telefoon erin. Zijn hand trilde.

41

Adam verwachtte de politie, maar die zou nooit komen. De dag ging voorbij zonder dat er contact was. In zijn kantoor stond de politiescanner aan, maar hij hoorde niets anders dan het gebruikelijke radioverkeer. Wat er ook gebeurde, het verliep niet via berichten en radio-oproepen. Waarschijnlijk waren ze bezig de plaats delict te onderzoeken, buurtbewoners te ondervragen en te kijken of beveiligingscamera's iets geregistreerd konden hebben.

AA-Borgtochten had geen borgschenners, er hoefde niemand opgespoord te worden. En die dag kwam er ook niemand voor de afhandeling van een borgtocht. Het bleef stil. Chelsea bekommerde zich om de financiële administratie, Adam zat een tijdje achter de computer op sites van makelaars te kijken. Om halfvijf, het zonnetje scheen nog, pakte hij zijn sleutels en vroeg Chelsea of ze zin had om een ritje te maken.

'Een ritje?' vroeg ze. Ze keek hem met opgetrokken wenkbrauwen aan, streek het haar uit haar gezicht en stak het achter haar oor.

'Alsjeblieft?'

Ze nam zijn hand aan en kwam van haar stoel. 'Wat heb jij, vandaag?'

Hij gaf geen antwoord. Onderweg naar Amherst Road was hij gespannen, hij moest zichzelf tot onnozel geklets over koetjes en kalfjes dwingen. Zij stelde zich er tevreden mee en vroeg niet waar ze heen gingen. Het was een heerlijke middag – na het koudefront van de laatste weken was er een blauwe lucht tevoorschijn gekomen, waar op een warme zuidelijke bries vette witte wolken door dreven. Het was een heerlijke nazomerdag, met zon, helle kleuren en de laatste warmte. Een illusie. Hij had de weersverwachting gezien en wist dat het weer die avond zou omslaan, dat er de volgende dagen een harde noordenwind zou staan die regen mee zou voeren. Maar nu was het perfect, zo perfect dat je je niet kon voorstellen dat het de volgende dag heel anders zou zijn. Het was althans gemakkelijk te negeren. Gemakkelijk om de verwachtingen terzijde te schuiven.

Het was een natuurstenen boerderij met een losstaande garage en een kelder onder de hele begane grond. Het was Adam eigenlijk iets te dicht bij de stad en het miste karakter, maar het stond op een groot stuk grond en dat vond hij aantrekkelijk. Zeven hectare bos, en een gazon met een oude eik, enkele walnootbomen en een paar Weymouth-dennen bij de veranda achter het huis.

'Executieverkoop,' zei hij toen ze uit de auto stapten en in het zwak geworden zonlicht stonden, de bomen rondom het huis vol kleur. 'Daar heb je er nu veel van, hier.'

Ze keek naar hem zonder iets te zeggen, de warme wind blies haar haar naar achteren.

'Je hebt een beslissing genomen,' zei ze.

Hij knikte.

'Wil je dit echt, Adam? Je moet het niet alleen voor mij doen. Als je er nog niet aan toe bent of je bent niet helemaal overtuigd, neem dan...'

'Ik ben eraan toe,' zei hij. 'En ik wil het. Het is tijd.' Hij keek van haar weg en voegde eraan toe: 'Waarschijnlijk is het zelfs al aan de late kant.'

Ze legde haar hand op zijn arm en hij voelde een tinteling over zijn ruggengraat gaan en vroeg zich af hoe het kon dat zo'n vertrouwde aanraking zulke sensaties teweegbracht. Waarom verflauwde dat niet, als zoveel andere dingen?

'Het is een mooie plek,' zei ze.

'Het is de eerste die we zien. Zoals ik al zei, er zijn er een heleboel. Zoals de economie er nu voorstaat, zal het heel wat makkelijker zijn er een te kopen dan te verkopen wat we al hebben. Daar moeten we wel rekening mee houden.' Zij verbrandde de schepen achter zich en ging voorwaarts. Dat zou hij ook doen. 'En wie zorgt er dan voor de slangen?' vroeg hij.

Ze keek hem verbaasd aan. 'Wat kan jou dat nou schelen? Ik dacht dat je een hekel aan ze had.'

'Ik ben geen fan van ze. Maar ze zijn er wel. Iemand moet zich over hen ontfermen. We kunnen niet doen alsof ze niet bestaan.'

'Er zorgt wel iemand voor ze. Bekommer jij je daar maar niet om.'

Hij knikte. Ze liepen langs de zijkant van het huis. Hij wees ernaar. 'Of dit iets voor ons is, weet ik niet. Ik wilde het alleen even zien omdat het idee van al die ruimte me wel aanstond. Het is meer dan zeven hectare. Dan heb je veel privacy. Geen buren die over je schouder meekijken.'

'De pioniersmentaliteit,' zei ze. 'Jullie jongens uit het Midwesten zijn diep vanbinnen allemaal boer. Jullie willen land. Hoe meer, hoe beter.'

'Privacy,' herhaalde hij.

Ze glimlachte. 'Ik ben dol op privacy. Mooie veranda voor een warm bad. Ik ben helemaal dol op privacy als we er een warm bad neerzetten.' Ze boog naar hem toe en kuste zijn hals, haar tong gleed over zijn huid.

'Daar heb ik juist liever buren bij,' zei hij.

'O ja?'

'Dat is mijn sportverleden. Ik presteer beter met publiek.'

'Tot nog toe doe je het ook best aardig met zijn tweetjes in de slaapkamer.'

'Met zijn tweetjes? Ik heb de hele kamer vol camera's gehangen!'

Ze glimlachte, trok aan zijn riem zodat hij moest blijven staan en keek hem opeens ernstig aan. 'Ik hou van je,' zei ze.

Hij antwoordde dat hij ook van haar hield, en dat meende hij. Hij had het altijd gemeend. Terwijl hij haar daar in die tuin zoende, bedacht hij dat dit misschien wel de goeie plek was. Ze zouden het daar heel goed kunnen hebben: er was ruimte, en ze waren ver genoeg van huis, maar niet té ver. Hij wilde zijn zonden niet ontvluchten – in zijn zonden kwamen zijn verleden en heden samen, in een omhelzing die net zo intiem was als zijn omhelzing met Chelsea op dat moment – en hij geloofde, misschien wel voor het eerst, dat er in de schaduw van die zonden iets nieuws gebouwd kon worden.

DEEL 4

De laatste dagen van de herfst

42

Het was de dag van de wedstrijd.

Kent had die nacht diep geslapen. Hij wist dat, omdat Beth het de volgende dag tegen hem zei.

'Normaal gesproken slaap je donderdagnacht heel onrustig,' zei ze. 'Maar afgelopen nacht sliep je als Lisa. Alleen snurkte jij er dan nog bij.'

'Betekent dat dat jij niet zo goed hebt geslapen?'

'Zoals ik al zei, je snurkte.'

Ze konden het zich weer veroorloven op lichte toon met elkaar te praten en grapjes te maken. Op de voorpagina van de krant stond het nieuws van de moord op Clayton Sipes, een crimineel uit Cleveland die recent voorwaardelijk was vrijgekomen. De naam werd nog niet met Rachel Bond in verband gebracht, maar hij hoopte dat dat snel zou gebeuren. Stan Salter en Robert Dean zouden hun werk doen. Tot die tijd was hij dankbaar voor de troost die hij vond in wat hij wist.

'Het is slecht footballweer,' zei Beth. De zon, die de dag ervoor nog uitbundig had geschenen, liet zich niet zien; de lucht was loodgrijs en de regen viel in nikkelkleurige druppels op de oprit.

'Slecht footballweer bestaat niet,' zei Kent.

Die middag kwam Rodney Bova langs, en Adam wist meteen dat het niet goed zat. De man had roodomrande ogen en gonsde van de spanning. De eerste woorden die uit zijn mond kwamen, waren: 'Heb jíj ze geholpen?'

Adam zei: 'Heb ik wie geholpen?'

'De politie. Heb jij ze geholpen?'

Chelsea, die achter hem zat, bewoog. Bova draaide zich niet om, maar Adam zag dat haar hand onder het bureau ging, naar de plek waar een .38 Special met korte loop lag. Hij had er bij haar op aangedrongen dat ze die daar bewaarde, maar ze keek er nooit naar om. Bova's gedrag bracht haar in de hoogste staat van paraatheid.

'Rodney, als ik deze dagen iets niet ben, is het een vriend van de politie,' zei Adam.

'Waarom heb ik die zender om mijn enkel?'

Nu ging Chelseas blik van het pistool naar Adams ogen. Hij keek weg en kwam uit zijn stoel.

'Laten we even naar buiten lopen,' zei hij. 'Ik zal naar je luisteren, Rodney, maar ik sta niet toe dat je bij mij op kantoor komt staan schreeuwen. Ik doe hier mijn zaken.'

Hij liep naar de deur zonder Bova's instemming af te wachten. En zonder Chelseas blik te kruisen. Ze liepen de regen in die van de ene op de andere dag voor het prachtige nazomerweer in de plaats was gekomen. Adam bleef staan onder de overkapping van het gebouw waarin zijn kantoor huisde, haalde een sigaret uit zijn pakje en stak hem op. Ze stonden voor het stoffige raam van wat ooit een verzekeringskantoor en borgrivaal was geweest. Het stond al drie jaar leeg. Adam bracht de sigaret naar zijn mond, zoog de rook naar binnen en hield die even vast voordat hij hem door de koude wind van zijn lippen liet plukken.

'Waarom heb ik die om mijn enkel?' herhaalde Bova.

'Dat heb ik je al verteld. Het was voor je eigen bestwil. Hoe duidelijk wil je het horen?'

Bova zag er vertwijfeld uit, en Adam maakte daarvan gebruik door te blijven praten en de druk te verleggen, hem te dwingen op de situatie te reageren in plaats van hem naar zijn hand te zetten.

'Je zei zelf dat de politie je erin heeft geluisd,' zei Adam. 'Je hebt me niet verteld waarom. Dat hoeft ook niet. Maar ik kan jou één ding verzekeren, Rodney, en dat kan ik verdomme iederéén verzekeren: ik heb de politie helemaal niets over jou verteld.'

Bova zweeg. Adam dacht aan het zendertje en het risico dat dat voor hem meebracht, en zei: 'Als je wilt dat ik het eraf haal, dan haal ik het eraf. Ik moet aan mijn reputatie denken. Dit soort praatjes kan ik niet gebruiken.'

'Haal het er dan af.'

'Dat zal ik doen. Maar vertel me eerst maar eens waarom.'

'Mijn broer is vermoord. Ze zochten hem en nu is hij dood. En ik... Ik heb hem gezien. Ik bedoel, ik ben vlak voordat hij werd vermoord bij hem langs geweest. Ik wist niet waar hij van verdacht werd, maar nu ik dat wel weet...'

'Wat heeft je broer dan gedaan? Waarom zocht de politie hem?'

Bova keek weg. 'Dat is persoonlijk.'

'Jíj bent naar me toe gekomen.'

'Ik wist dat ze hem zochten,' herhaalde Rodney Bova zacht. 'Maar ik wist niet waarom. Het is erg. Maar ze begrijpen hem niet. Hij was van alles, een herrieschopper ook, maar zoiets zou hij nooit doen. Dat niet.'

'Hadden jullie een hechte band?'

'We spraken elkaar niet vaak. Maar hij was wel mijn broer. We hebben samen veel meegemaakt, vroeger. Ik kwam wat sneller op het rechte spoor. Hij nam een andere route. Maar ik weet wat hij was en wie hij was, en...'

'Dat snap ik allemaal,' zei Adam. 'Maar vertel eens, heb jij tegen de politie over hem gelogen? Hebben ze jou gevraagd waar hij was en heb jij toen gezegd dat je dat niet wist, zoiets?'

'Ja. Hij had zijn voorwaarden gebroken. Dat is alles wat ik wist. Maar ik ging hem echt niet aangeven.'

Adam vroeg: 'Heb je ze zijn verblijfplaats gegeven, toen ze het jou kwamen vertellen?'

'Nee. Ik heb niets verteld.'

'Waarom niet?'

'Omdat ik eerst wil begrijpen wat er is gebeurd. Niet van hen. Ik wil zelf achterhalen wat er is gebeurd.'

'En dan?'

Bova bevochtigde zijn lippen, keek weg en zei niets.

'Ik heb ze niets verteld,' zei Adam. 'En dat ga ik niet doen ook.

Maar ze kunnen een bevelschrift voor de gegevens van het zendertje krijgen. Weten ze dat jij een enkelband draagt?'

'Nee.'

'Dan halen we hem er nu af, en wees voorzichtig met wat je tegen ze zegt. Zorg ervoor dat je niet nog verder in de problemen komt.'

'Dat is nu echt het allerlaatste waar ik me druk om maak.'

'Begin er dan maar meteen mee,' zei Adam. 'Want als ze hem van iets verdenken wat zo ernstig is als dit klinkt, en jij bent erbij betrokken, dan proberen ze jou erin mee te slepen, of hij nou dood is of leeft. Besef dat goed. Hoe ernstiger zijn misdaad is, hoe liever ze zien dat iemand die nog leeft ervoor boet. Ben je bereid betrokken te raken bij datgene waar je het nu over hebt?'

Bova antwoordde niet.

'Wat je broer ook gedaan mag hebben,' zei Adam, 'zorg ervoor dat je je er niet door laat meeslepen.'

Chelsea keek zwijgend toe hoe Adam Bova's enkelband losmaakte, maar zodra de man weg was, wilde ze weten waar dat over ging.

'We hebben ons garant gesteld voor iemand die bij een onderzoek in een moordzaak is betrokken,' zei Adam. Dat was geen leugen. Het was heel storend om te merken hoe vaak hij zich daar de laatste tijd druk om maakte, hoe vaak hij zijn best deed om niet te liegen, zonder dat hij ook maar in de buurt van de waarheid kwam, alsof dat hem tot eer strekte.

'Waarom heb je hem dan een enkelband omgedaan?'

'De borgsom was hoog.'

'Daar heb je me niets over verteld.'

'Ik heb mijn gedachten niet zo bij mijn werk gehad, Chelsea. Dat weet je toch?'

Ze keek hem sceptisch aan.

'Zit je nog steeds in de problemen, Adam?'

'Ik wil mijn problemen achter me laten. Dat weet je.'

Ze drong niet verder aan. Hij keek naar de klok.

'Ben jij al klaar om te gaan?' vroeg hij.

'Naar de wedstrijd? Die begint pas over vier uur. We gaan toch niet drie uur in de regen op een footballwedstrijd staan wachten?'

'Dan gaan we eerst even eten. Ik heb zin om naar Murray Hill te gaan en een van die Italianen daar te proberen. Daar zijn we al een tijdje niet meer geweest.'

'De wedstrijd begint pas over vier uur,' herhaalde ze.

'In de tijd dat ik nog speelde, vertrok de bus om halfvier. Het is een oude gewoonte. Doe het voor mij.'

'Voor jou doe ik alles,' zei ze en trok haar jas aan.

De wedstrijd was helemaal uitverkocht – er waren die vrijdagochtend meer dan tienduizend kaartjes aangevraagd, het publiek zou zich niet door het slechte weer laten afschrikken. Niet in het noordoosten van Ohio. Er zouden genoeg fans van Chambers zitten, maar het grootste deel van het publiek zou hen vijandig gestemd zijn en lawaai maken. Saint Anthony's fans waren overwinningen gewend, vooral in wedstrijden tegen Chambers. Als de Cardinals hun veld ongeslagen en met de nummer één-notering verlieten, zouden ze bloed willen zien.

Kent was van plan geweest het team in de kleedkamer het gebruikelijke repertoire voor te schotelen. Voor het evenwicht en de stabiliteit. Hou de koppen laag, hou de koppen laag, hou de koppen laag! Maar 's avonds had hij daar geen goed gevoel meer bij. Dus richtte hij zich tot de jongens die aan het einde van dat jaar van school zouden gaan, vlak voordat ze het veld op zouden gaan en nadat hij hun zijn gebruikelijke teksten had gegeven – besef hoe gelukkig jullie zijn, jullie spelen de mooiste sport die er is met de beste vrienden die jullie ooit zullen hebben.

'Een dezer dagen trekken jullie je shirt voor de laatste keer uit,' zei hij. 'Daarna dragen jullie het nooit meer. Besef dat goed. Aan elke herfst komt een einde. Zorg ervoor dat jullie voordat deze herfst voorbij is de trofee in de prijzenkast hebben staan.'

Het team brulde.

Chambers won de toss en Kent koos ervoor Saint Anthony's te laten aftrappen. Normaal gesproken trapte hij het liefst zelf als eerste af, want hij zette graag snel punten op het scorebord, dan liep de tegenstander meteen al achter de feiten aan, maar hij verwachtte dat het erom zou gaan spannen en dan zou extra balbezit in de tweede helft waardevoller zijn.

Bovendien was hij, om eerlijk te zijn, bang dat Colin de eerste bal zou verknoeien.

Kent ijsbeerde langs de zijlijn, knikte naar spelers, sloeg op helmen en moedigde hen aan snel en intelligent te spelen. Tegenover hem, bij de zijlijn van de Saint Anthony's-spelers, overlegde Scott Bless met Rob Sonnefeld, zijn quarterback. Kent kon niet nalaten te kijken en dacht: laten we beginnen, laat maar eens zien wat jullie in huis hebben.

De regen bleef, vergezeld van harde windvlagen, gestaag naar beneden komen, en het was niet meer dan een graad of acht. Dit soort weer paste beter bij het krachtspel van Saint Anthony's, maar dat maakte niet uit, Kent deed niet aan smoesjes. Hij had zijn team getraind om onder alle omstandigheden te winnen en dat moesten ze doen ook.

Vijf snaps later begon zijn zelfvertrouwen weg te vloeien. Van de vier passes die Sonnefeld had verstuurd, werden er drie gevangen, en de bal bevond zich op Chambers' vijfentwintig-yardlijn. Hoezo, krachtspel? Kent had verwacht dat Bless twee tight ends zou gebruiken om de frontlinie van Chambers op de proef te stellen, maar blijkbaar had hij er de hele week op getraind het veld groot te houden en de druk bij Chambers' secondary neer te leggen.

Bij de zesde snap maakte Sonnefeld een schijnbeweging alsof hij de bal zou afgeven, en Ritter Damon – de beste linebacker die Kent ooit had gecoacht, díe Ritter Damon – trapte erin. Hij sprong weg van de tweede receiver voor wiens dekking hij verantwoordelijk was en die de bal, die werd gepasst, achter hem ving. De eerste zes punten stonden op het scorebord en Chambers keek tegen een achterstand aan.

'Waar ben jij nou mee bezig?' schreeuwde Kent tegen Damon toen die met gebogen hoofd het veld af kwam. 'Waar zaten je ogen? Jij kijkt naar het achterveld! Jij kijkt niet naar Sonnefeld! Jij zou toch beter moeten weten. Zo'n fout mogen wij niet maken!'

Ritter zei *ja, sir* en maakte zich snel uit de voeten. Kent schudde vol afgrijzen zijn hoofd en beende weg terwijl het extra punt binnenzeilde. 7-0. Hij had nog nooit een voorsprong gehad tegen Saint Anthony's. Nog nooit.

'Nu zijn wij aan zet,' zei hij in zijn headset. Zijn assistenten knikten, maar niemand keek hem aan. Het was een waardeloze start, dat wisten ze allemaal.

Zijn aanvalsteam pakte de eerste down met drie acties van Payne, geheel volgens scenario, bedacht om rust te brengen en Saint Anthony's respect voor hun loopspel af te dwingen. Lorell ontving de bal na de snap op een meter of zeven van de center, deed alsof hij de bal gooide maar hield hem bij zich en Colin liep weg en lag drie stappen voor op zijn verdediger, en op dat moment kwam de bal, hoog en zacht, er precies overheen.

Hij ving hem.

En liet hem alsnog uit zijn handen glippen. Kent had zijn vuist al geheven, wild van blijdschap zowel voor de jongen als vanwege de wetenschap dat hij gelijk zou maken, want als Colin eenmaal voor lag, zouden ze hem niet meer te pakken krijgen.

Maar dat deden ze dus wel. Colin, zijn voeten onzeker op het natte gras, probeerde uit alle macht de bal onder controle te krijgen, maar de cornerback wist hem met een veeg van zijn rechterhand weg te slaan en de bal stuiterde over het gras. Saint Anthony's schepte hem op en Kent dacht: alsjeblieft, zeg alsjeblieft dat hij hem ook heeft laten vallen, maak er een incomplete pass van.

Dat deed de scheidsrechter niet. De verdediging van Saint Anthony's had de bal heroverd op de veertig-yardlijn.

Kent liep het veld op naar Colin, pakte zijn helm, en dwong hem op te kijken. 'Dit soort ballen krijg je de hele avond,' zei hij. 'En vanaf nu heb je hem. Geloof je erin?'

'Ja, sir.'

'Gelóóf je erin?!'

'Ja, sir!'

Kent sloeg op de zijkant van zijn helm, keerde terug naar de zijlijn en keek toe hoe Sonnefeld de bal heel nauwkeurig en uitgebalanceerd over het veld stuurde, zeven minuten van de tijd af knabbelde en toen nog een efficiënte schijnbeweging maakte, deze keer bij een achterwaartse bal, waardoor Chambers opnieuw achter de bal aan ging en de dekking vergat. Ze wisten een touchdown te voorkomen, maar Saint Anthony's maakte het velddoelpunt en het stond 10-0.

'We krijgen een pak slaag, verdomme,' zei Kent tussen zijn op elkaar geklemde tanden. Hij had het zo zacht gezegd dat zijn spelers het niet konden horen, maar de microfoon van zijn headset stond aan en elke assistent verstond het. Hij zag het aan het rukje van hun hoofd – de mythe dat er op het footballveld van Kent Austin niet werd gevloekt was officieel verkruimeld. Hij overwoog zijn excuses te maken, maar besloot dat niet te doen; hij veegde de regen van zijn gezicht en liep hoofdschuddend in de richting van de achterlijn.

43

Terwijl zijn broer foeterend langs de zijlijn ijsbeerde, liep Adam om het veld heen; hij wilde voor een beter zicht op de wedstrijd naar de eindzone aan de andere kant en botste tegen kinderen met beschilderde gezichten op en dook onder een uitgeschoven trombone van een pepbandspeler door. Chelsea liep achter hem aan, tot ze in de zuidelijke eindzone stonden, waar de wind de koude regen recht in hun gezicht blies.

'Leuk afspraakje is dit,' zei ze. 'We lopen vlak langs het kraampje en je biedt me niet eens popcorn aan.'

'Wat heb je nou aan natte popcorn?'

'Daar heb je een punt.' Ze keek naar de zijlijn van Chambers. 'Je broer ziet er niet blij uit.'

'En terecht.' Adam vouwde zijn armen voor zijn borst, zag toen hoe Chelsea zich klein maakte tegen de regen, kwam achter haar staan en sloeg zijn armen om haar heen. Ze leunde terug en duwde haar lichaam tegen hem aan.

Bij Chambers' tweede en derde balbezit zette Scott Bless zijn safety niet op Mears maar in het hart van het verdedigingsblok tegenover de quarterback, alsof die ene losgelaten bal genoeg was om te bevestigen wat hij had gehoopt, namelijk dat Mears geen bal meer ving. Lorell McCoy stelde die overtuiging op de proef; hij wist Mears drie keer te vinden, hij legde hem de bal bij iedere pass bijna letterlijk in de handen, maar Mears hield er niet één vast. Toen hij hem voor de derde keer liet vallen, legde Chelsea een hand voor haar ogen. De verdediging van Chambers herpakte zich, ze lieten geen gaten meer vallen en trapten niet meer in de schijnbewegingen van de quarterback, en Saint Anthony's werd weer tot een schot gedwongen. Toen de nieuwe teams het veld op kwamen, schoof de safety van Saint Anthony's nóg verder naar voren, zodat hij op maar vijf yard van de scrimmagelijn stond en de zijlijn ongedekt was. Daarmee negeerden ze Mears nu open en bloot, ze lieten hem aan die slome duikelaar van een cornerback over. Dat zou niet eens een optie mogen zijn. Maar deze avond was het simpelweg de juiste beslissing.

Chambers werkte de bal geduldig over het veld. McCoy zag er stabiel uit, hij incasseerde charges, bewoog goed in de pocket en pakte de eerste downs met passes op de running-back of door de bal aan een verdediger mee te geven. Twee keer zag hij Mears vrij staan, twijfelde even, hield zich in en gooide de bal vervolgens breed. Mears stond verderop met zijn armen in de lucht en wilde weten waar de bal was. Adam kon het nauwelijks aanzien.

De aanval kwam op de vijftien-yardlijn tot stilstand, ze pakten een velddoelpunt. 10-3. Saint Anthony's antwoordde zelf ook met een velddoelpunt en maakte er 13-3 van op het moment dat de regen echt met bakken uit de hemel begon te komen. Ze hadden de wedstrijd onder controle maar nog niet beslist, en met nog maar twee minuten tot de rust bedacht Adam dat het erger had gekund.

Op dat moment koos Saint Anthony's voor balbezit, en Adam zei: 'Holy shit.'

Het was een stoutmoedige beslissing. Saint Anthony's ving de bal, en hoewel Chambers zich beslist had laten verrassen, leek het erop dat twee special-teamspelers van Saint Anthony's buiten het veld terecht waren gekomen. Adam zocht naar een strafvlag maar vond er geen. Chelsea zei: 'O o, je broer...' en hij zag Kent schreeuwend het veld op stormen, zijn headset van zijn hoofd rukken en achter zich neersmijten.

'Kom op, Franchise,' fluisterde Adam. 'Niet zo verliezen. Niet zo.'

'Hij was uit! Hij liep vijf stappen buiten het veld! Zijn jullie gek geworden? Hoe kunnen jullie dat nou niet gezien hebben!'

Kent stond nu bijna halverwege het veld en wist dat zijn headset op de aluminium bank kapot was gegaan, maar het kon hem niet schelen, zijn woede nam hem volkomen in beslag.

'Coach! Terug naar de zijlijn!'

'Hoe kun je dat niet gezien hebben?' schreeuwde Kent. Hij bracht zijn gezicht vlak bij dat van de official, de regen prikte in zijn ogen en droop in zijn mond. Hij draaide zich om en trapte in de grond, het gras was zo nat dat hij er sporen in trok en een zode door de lucht schopte, en het publiek loeide.

'Terug... naar... de... zij... lijn!' herhaalde de official.

'Je staat op de lijn en je ziet hem niet springen? Neem je me in de maling? Je staat erbovenop! Je hoeft alleen maar te kijken! Dat is het enige wat je hoeft te doen!' De official probeerde weg te lopen, maar Kent hield gelijke tred met hem, nog steeds schreeuwend, nog steeds met zijn gezicht bij zijn gezicht, en toen de vlag ten slotte toch omhoogging, had het hem niet moeten verbazen. Maar het wakkerde zijn woede nog verder aan.

'Dit is bullshit! Dit is totale bullshit!'

Hij voelde een hand op zijn arm en begon zich al los te rukken, maar het was Matt Byers, en zijn greep was stevig. 'Coach, ga terug. Laat je niet wegsturen.'

Hij liet zich onder luid boegeroep van de Saint Anthony's-aanhangers door Byers naar de zijlijn terugtrekken. Scott Bless keek hem na, oprecht verbaasd. Kent raapte zijn headset op, zag dat de lichtjes niet meer brandden en dat hij dus kapot was, en gooide hem weer op de grond. Een van zijn assistenten reikte hem een nieuwe aan, maar hij wimpelde hem af en beende weg, terwijl de kettingploeg de bakens vijftien yard opschoof, het gevolg van zijn straf. Hij keek in zijn eentje, met zijn armen voor zijn borst gekruist en zijn pet ergens in de modder, toe hoe Sonnefeld vier passes op rij afleverde en toen van dichtbij over de achterlijn dook terwijl de laatste seconden van de eerste helft wegtikten.

Het was rust en het stond 20-3.

Kent keek naar het door de regen geteisterde scorebord en schreeuwde met overslaande stem: 'Dat meen je niet!'

Niet weer. Niet weer.

Op het moment dat het team met gebogen hoofden naar de kleedkamer jogde, maakte Adam zich van Chelsea los en liep naar zijn broer, die aan de zijlijn met zijn rechterhand onder zijn kin naar het scorebord bleef staan kijken, alsof er een code op stond die hij niet kon ontcijferen. Adam wilde iets tegen hem zeggen, hij wist niet wat, hij wilde alleen even met hem praten.

Maar hij kwam net te laat; Kent was het veld op gelopen, in de richting van de jouwende, joelende fans van Saint Anthony's. De aanhangers van Chambers waren stil – ze stonden versteld van de score en van de inzinking van hun doorgaans onverstoorbare hoofdcoach. Adam zag Beth met haar kinderen links en rechts van haar zitten, gedrieën comfortabel midden in de hen gunstig gezinde menigte. Hij staakte zijn poging bij zijn broer te komen en keek bij het hek toe hoe Kent het veld overstak en de officials bereikte. Er werd een hand uitgestoken naar degene die de verkeerde beslissing had genomen en Kents tirade over zich heen had gekregen, er werden wat dingen in zijn oor gezegd en er werd op schouders geklopt. De official knikte, excuses geaccepteerd. De Chambers-fans applaudisseerden; de fans van Saint Anthony's bleven joelen. Kent liep met gebogen hoofd het veld af, alleen, in de stromende regen. Adam zag hem gaan, met een brok in zijn keel.

'Dat was mooi van je, Franchise,' zei hij. 'Heel mooi.'

Verdomme, hij was trots op hem.

De andere coaches stonden buiten de kleedkamer op hem te wachten. Normaal overlegden ze daar terwijl de jongens binnen op adem kwamen, en praatten ze over mogelijke aanpassingen. Nu liep Kent meteen naar de deur.

'Het is nog niet gedaan,' zei hij. Meer had hij zijn staf niet te zeggen.

Normaal gesproken viel de kleedkamer stil als hij de deur opendeed, deze keer wás het er al stil. Hij liep naar het schoolbord, pakte een van de markeerstiften en schreef een zo groot mogelijke drie op. Hij draaide zich om, keek naar het team en vroeg: 'Wat betekent dat getal voor jullie?'

'Het is het aantal punten dat we hebben,' zei Lorell McCoy.

Kent schudde zijn hoofd. 'Het is het aantal touchdowns dat we nodig hebben. Ik zal jullie een ander cijfer laten zien.' Hij draaide zich om en schreef nog een drie op. 'Iemand een idee waar deze voor staat?'

Stilte.

'Dat is het minimumaantal touchdowns dat we dit jaar per wedstrijd hebben gescoord,' zei hij. 'Het maximum is acht. Het gemiddelde vijf. Het gemíddelde is víjf. Is er iemand die eraan twijfelt of we er drie kunnen maken?'

Dat deed niemand. Hij drukte de dop op de stift, legde hem neer en zei: 'Wij gaan deze footballwedstrijd winnen, heren. Zij hebben een goede eerste helft gespeeld. Wij gaan een nog betere tweede helft spelen. En we gaan onze zelfbeheersing niet verliezen. Dat heb ík al voor jullie gedaan. Ik bied daarvoor mijn verontschuldigingen aan. Jullie moeten het nu beter doen dan ik, begrijpen jullie dat? Jullie moeten beter zijn dan ik.'

Hij werd van alle kanten met intense ogen aangekeken. Hij ademde diep in, schraapte zijn keel en zei: 'Zij zullen de bal diep blijven gooien. Bless haalt zijn voet pas van onze strot als hij er niet meer bij kan. Met onze aanval kan hij nooit het gevoel hebben dat hij er niet bij kan. En daar heeft hij gelijk in. Mee eens?'

Ze waren het met hem eens.

'We gaan zo het veld op en leggen die bal bij ons eerste balbezit meteen in de eindzone,' zei hij. 'Vanaf dat moment hoeven we nog maar twee keer te scoren. Dan spelen we ze kapot. Linebackers, zijn jullie klaar om te gaan uitdelen?'

Vanuit verschillende hoeken om hem heen werd 'ja, sir!' geschreeuwd. Hij knikte. 'Blaas die jongens van het veld, begrepen? Blaas ze van het veld. Krijgt een blocker krediet voor een tackle of voor een gewonnen yard?'

'Nee!'

'Zorgt een blocker ervoor dat een ander het spel kan maken?'

'Ja, sir!'

'Als we niemand op het gras achterlaten, verdienen we het niet om op dit footballveld te staan!'

Er kwam weer wat geestdrift terug, hij kon het zien, hij kon het voelen.

'We gaan vanavond niet van dit team verliezen,' zei hij. 'Dat gaat niet gebeuren.'

Ze schreeuwden nu, ze klapten. Matt Byers stond achter in de kleedkamer te grijnzen, en Kent voelde zich zo goed en zo vol leven dat het hem bijna angst aanjoeg.

'Ik wil zien dat de beuk erin gaat,' zei hij. 'De beuk erin!'

Adam had gevreesd dat het op een afstraffing zou uitlopen, maar nu zag hij agressie en executie. Ze zagen er niet uit alsof ze haast hadden, ze zagen er niet uit alsof ze zich zorgen maakten om de achterstand – Lorell McCoy stond zo kalm in de pocket dat je zou denken dat hij net had gemediteerd. Hij kreeg twee keer een beuk nadat hij de bal had losgelaten, en twee keer liet Mears een bal glippen waarmee een hoop terreinwinst geboekt had kunnen worden, maar iedere keer kwam McCoy zonder ook maar een spoortje frustratie terug en hij scoorde een conversie. 20-10. Daarna verbluffte de verdediging Adam en alle andere mensen in het stadion – inclusief Sonnefeld – met een serie felle charges in drie downs op een rij. Om lucht te krijgen trapte Saint Anthony's de bal naar voren, en McCoy leidde de tegenaanval met een drive tot in de eindzone; de Chambers waren terug, aan het begin van de vierde helft stond het 20-17.

'Het is weer een wedstrijd!' fluisterde Adam in Chelseas oor. 'Het is weer een wedstrijd!'

Saint Anthony's wist zich met een paar downs te herstellen, maar toen stoof Damon Ritter dwars door het midden en werkte Sonnefeld tegen de grond, waardoor hij de bal liet glippen. Chambers kwam er razendsnel uit en scoorde. Het schot op de goal was goed.

Chambers leidde met 24-20.

Het publiek werd gek. Adam hoorde Chelsea lachen. Hij keek op.

'Wat?' vroeg hij.

Ze hield haar arm op en trok haar mouw omhoog. Kippenvel. Hij glimlachte, kneep in haar schouders en zei: 'En nu kijken of ze het kunnen afmaken.'

Kent wist dat Saint Anthony's nog een keer zou scoren. Zijn verdediging speelde voortreffelijk en zwermde om de bal heen, maar Scott Bless had zijn team niet naar twee staatstitels gecoacht zonder een paar trucjes achter de hand te hebben.

En toen gebruikte hij er een: een dubbele terugspeelbal waarmee hij veertig yard won. Vervolgens bewoog Sonnefeld naar rechts en keek naar het eindveld, waar niemand vrijliep. Hij was nog maar een halve stap van een tackle verwijderd toen hij weer naar binnen sneed en een gat zag dat alleen echt goeie spelers zien, en hij was vrij en liep de eindzone in.

'Maakt niet uit,' zei Kent. 'Geen probleem.'

Dat geloofde hij ook echt. Ze domineerden deze helft zoals Saint Anthony's de eerste had gedomineerd, en met het extra punt zou het 27-24 worden, wat betekende dat een fieldgoal genoeg was om een verlenging af te dwingen. Maar Saint Anthony's vormde een formatie om voor de twee extra punten te gaan. Kent keek naar Matt Byers en vroeg: 'Meent hij dat nou echt?'

Als ze de twee punten níet scoorden, kon Chambers met een fieldgoal winnen. Maar Bless leek het niet op een verlenging te willen laten aankomen. Hij wilde het afmaken, linksom of rechtsom.

Saint Anthony's scoorde door om de verdedigingslinie heen te zwenken en perfect te blokkeren – niemand van Chambers wist bij de running-back te komen. 28-24. Nu móesten ze een touchdown maken. Aan de overkant van het veld stond Scott Bless, uiterlijk onbewogen, met zijn handen op zijn knieën, en Kent voelde plotseling een intense behoefte zijn pet voor de man aan te tikken.

'Ze hebben erom gevraagd,' zei hij bij de tactiekbespreking in het veld tegen zijn aanvallers. 'Dus gaan we ze het geven ook. Ze hebben net een hoop risico genomen. Weten jullie waarom? Omdat ze bang zijn, heren. Ze zijn bang. Laat ze nu maar zien waarom.'

Toen Saint Anthony's de twee punten in de eindzone scoorde, zei Adam: 'Godverdomme!' en boog hij zijn hoofd en begroef zijn gezicht in Chelseas haar.

'Ik dacht dat ze zouden schieten,' zei ze.

'Ja.' Dat dacht iedereen. Nu moest Chambers de bal in de eindzone zien te krijgen, en met de tijd die over was, hadden ze daar een pass voor nodig.

'Laat hem de bal vangen,' zei Adam, zijn blik weer op het veld. 'Godsamme, laat hem de bal vangen.'

'Wie? Rachels vriendje?'

'Ja.' Zijn mond was droog. Hij was vergeten hoeveel het kon betekenen, deze sport, hoe je hart tekeer kon gaan, hoe je vingertoppen konden tintelen en je longen zich niet meer vol zuurstof konden zuigen. Hij wilde dáár staan, hij wilde de tegenstander tackelen, de beuk uitdelen, en hij was verdomme veertig. Was dat geweldig of was dat triest?

'Vooruit, Franchise,' zei hij. 'Geen paniek. Je hebt genoeg tijd.'

Chambers stelde zich op, met Colin Mears helemaal aan de buitenkant, gespannen en klaar. Het was duidelijk dat hij nog steeds dacht dat hij de bal zou vangen. Hij dacht het echt. Het was hartverscheurend om hem te zien.

'Eerste down!' schreeuwde Kent tegen Lorell. 'Meer hebben we nu niet nodig. Speel geduldig.'

Lorell speelde geduldig. Hij gaf de bal af aan Justin Payne, die zes yard pakte, daarna wonnen ze vijf yard met een pass naar de wide receiver. Payne pakte nog eens vier yard, en toen kwam Lorell aan de buitenkant los en werd vlak voordat hij een nieuwe down had gehaald getackeld, maar hij kreeg de bal niet uit het veld om de klok te stoppen. Nu werd de tijd wel een probleem, ze hadden minder dan een minuut en de tijd liep door.

'Pak één yard,' zei Kent. 'Eén is genoeg.'

Lorell pakte er twee voordat hij tegen de grond werd gewerkt en het veld uit vloog. Eerste down, de klok werd stilgezet. Nog eenentwintig seconden. Met de bal op de tweeënveertig-yardlijn van Saint Anthony's.

Lorell kwam naar de zijlijn en vroeg wat hij moest doen. Kent gaf hem de formatie en zei: 'Kijk maar wat ze je geven, knul.'

Ze gaven hem Mears. Colin, op volle snelheid, liep het patroon dat hij aan het begin van de wedstrijd ook had gelopen, toen hij de bal wel had gevangen maar toch nog had laten glippen. Lorell keek naar rechts, zag hem en haalde zijn arm naar achteren. Maar vervolgens klemde hij de bal in zijn armen en zette het op een lopen. Hij schoot het veld over en pakte twaalf yard; vervolgens vroeg hij om de laatste time-out die hun team nog overhad. Op de vijf-yardlijn draaide Colin, die volkomen vrij stond, zich om en staarde met zijn handen in zijn zij naar zijn quarterback.

'Breng hem binnen!' schreeuwde Kent. Ze hadden nog elf seconden en geen time-outs meer; ze moesten een touchdown maken. De bal moest door de lucht: als de pass werd onderschept werd de klok stilgezet en hadden ze nog een kans, met een afgebroken loopactie niet. De aanvallers kwamen bij elkaar voor de bespreking, en vóór Kent iets had kunnen zeggen, zei Colin Mears: 'Ik vang de bal.'

In eerste instantie gaf niemand antwoord. Colin had naar Lorell gekeken, maar keek nu naar Kent. 'Ik vang de bal. Ik meen het, ik vang 'm.'

Kent kneep zijn ogen samen tegen de regen. Hij knikte eenmaal. 'Dat weet ik. Hoe wil je 'm hebben?'

'Diagonaal. Hij dekt mij steeds aan de buitenkant. Ik pak 'm met een diagonaal.'

'Goed,' zei Kent tegen zijn team. 'Jullie hebben hem gehoord.'

Ze braken de tactiekbespreking op. Colin ging hen voor het veld op en klapte in zijn handschoenen. Kent aarzelde een fractie van een seconde, rende het veld op en greep Lorells arm.

'Pass kort op Justin,' zei hij.

'Coach?' Lorells donkere ogen stonden verbaasd, maar geconcentreerd, klaar om te luisteren, klaar om te doen wat hem werd opgedragen. Kent greep de achterkant van Lorells helm en trok zijn gezicht naar zich toe.

'Je doet alsof je de bal afgeeft en gooit dan een korte pass op Justin; zorg dat je uit de drukte blijft en gooi zodra hij de ruimte in loopt. Na jouw schijnbeweging zijn ze hem kwijt. Ze concentreren zich op de bal, terwijl hij de ruimte in loopt. Begrepen?'

'Ja, sir.'

Kent sloeg hem op zijn rug en keerde terug naar de zijlijn. Zijn team stelde zich op, Lorell blafte de formatie door, ving de snap, draaide zich om en deed alsof hij de bal zou gaan doorgeven. Daar trapte niemand in, ze wisten dat Chambers in deze situatie niet zou gaan lopen. Ze kwamen op Lorell af, geconcentreerd op de bal. Payne baande zich een weg door het midden. Colin liep een perfect patroon, hij ploegde naar voren, van rechts naar links, de diagonaal lag open zoals hij had voorspeld. Wijd open. Lorell keek naar hem en terwijl hij een paar stappen achteruit deed, weg van de verdedigers, haalde hij de bal naar achteren en lanceerde hem.

Payne liep het gat in. Hij ving de bal, greep hem stevig vast en spoot naar voren. Op de één-yardlijn probeerden ze hem te stoppen, maar het was niet genoeg: hij was erdoor en eroverheen.

Touchdown.

Wedstrijd gewonnen.

Kent zag de score en hief zijn armen. Toen schreeuwde Byers in zijn oor – 'We hebben die klootzakken te pakken, we hebben ze te pakken!' – en de band speelde en het publiek brulde.

30-28. Ze hadden van Saint Anthony's gewonnen, Scott Bless was eindelijk verslagen. Nog twee wedstrijden en de prijs stond in de kast.

Colin Mears stond in de eindzone, zo vrij als een vogeltje nadat hij het patroon had gelopen waarvan hij had gegarandeerd dat het zou werken. Hij liep eerst naar Justin Payne en daarna naar Lorell McCoy en omhelsde beiden.

Chelsea schreeuwde alsof ze een van de leerlingen was. Toen ze zich naar Adam omdraaide straalden haar ogen en glimlachte ze breed.

'Ze hebben gewonnen!' Ze legde haar handen op zijn schouders en schudde hem heen en weer. 'Ze hebben gewonnen! Kun je dan niet op zijn minst glimlachen?'

'Nog twee wedstrijden,' zei Adam. 'Niet te snel glimlachen.'

'Maar je mag toch wel een klein beetje blij zijn?'

'Een klein beetje.' Hij wist dat hij blij zou moeten zijn. Dit was een belangrijke overwinning voor zijn broer, dit was de overwinning die hij het hardst nodig had. Of het liefst wilde behalen, in ieder geval. Hij had het ook perfect geleid, dat pass-patroon naar Justin Payne was briljant. Iedereen was erdoor verrast, zelfs Adam. Misschien Adam wel meer dan wie ook, eigenlijk, want hij had gezien dat Colin Mears met zijn verticale loopactie ongehinderd de eindzone was binnen gelopen en hij had zeker geweten dat Kent opdracht had gegeven de bal naar hem te gooien, alles of niets. Het was van de zotte geweest, gezien het spel van Mears tot dan toe, maar toch was Adam ervan overtuigd geweest dat Kent hem die kans zou geven.

Hij wist niet precies waarom hij het zo verdrietig vond dat Kent voor de andere kant was gegaan.

44

Kent hield niet van de feestjes na wedstrijden. Zijn staf mocht ze vieren – daar ging hij niet over en wílde hij ook helemaal niet over gaan, maar zelf ging hij er vrijwel nooit naartoe. Maar deze avond, toen Matt Byers tegen hem zei dat er bij hem thuis een barbecue en biertjes wachtten, zei hij dat hij zou komen.

'En als we hadden verloren?' vroeg hij in de lawaaierige, uitgelaten bus terug naar Chambers.

Byers grijnsde. 'Je kunt vlees toch invriezen?' vroeg hij. 'Maar hé, Coach, we hebben niet verloren!'

Kent kreeg de grijns niet meer van zijn gezicht. 'Zo is het maar net!'

Hij belde Beth en vroeg of ze meeging.

'Dat wordt voor de kinderen wel erg laat,' zei ze.

'Eén keer laat overleven ze wel.'

En zo kwam het dat ze, na het feestje, om één uur 's nachts thuiskwamen en toen pas de foto's van het lijk van Rachel Bond op de voordeur vonden. Beth zat achter het stuur – Kent dronk bijna nooit, maar hij was zich die avond aan drie biertjes te buiten gegaan, en drie biertjes was voor iemand die niet dronk tamelijk veel – en zij zag ze het eerst. Kents blik was omlaag gericht, op zijn iPad, waarop de beelden van de volgende tegenstander al beschikbaar waren, en ze zei: 'Er hangt iets aan onze deur.'

Hij keek met niet meer dan wat luie belangstelling op. Hij verwachtte een banier of een briefje met gelukwensen. Dat gebeurde weleens. Er was zelfs een keer, na een zeldzame reeks van drie verloren wedstrijden op rij, een TE KOOP-bord in de tuin gezet, een befaamd geintje van fans die wilden dat de coach eruit vloog. Maar na de overwinning van die avond wilde niemand Kent Austin weg hebben.

Toen hij de vreemde verzameling krantenknipsels op de deur zag en besefte dat het foto's waren, keerde de angst, die na de dood van Clayton Sipes bij Lake Erie was verdwenen, meteen terug.

'Stop,' zei hij. Hij verhief zijn stem niet; de kinderen op de achterbank sliepen. Hij wilde dat dat zo bleef tot hij wist wat het was.

'Wat zijn dat?' vroeg Beth.

'Dat weet ik niet. Blijf hier, dan ga ik kijken.' Hij stapte uit en drukte het knopje van het slot in voordat hij het portier dichtsloeg. Het regende niet meer, maar het koelde steeds verder af, het was nog maar net boven nul en zijn adem condenseerde toen hij naar de veranda liep. Het speet hem nu dat hij Adam het wapen had teruggegeven.

De verandalamp stond uit, dus de deur werd alleen door het schijnsel van de koplampen verlicht, maar dat was genoeg. Op de trap bleef hij staan, dichterbij komen was niet nodig.

Het waren foto's van Rachel Bond, genomen nadat het leven uit haar was weggevloeid.

Er waren foto's van wat verder weg en foto's van dichtbij, beelden van haar lichaam en zelfs een van alleen haar oog, gefotografeerd door de waas van de doorzichtige plastic zak. Hij registreerde ze snel achter elkaar want zijn blik schoot al naar andere foto's in de collatie: foto's van Lisa. Van Andrew. Van Beth. Foto's van hen in de tuin en op de tribune, een foto van Beth die Lisa bij school afzette. Hij herkende de kleren – die had ze die dag aangehad. Ze waren die ochtend genomen.

Hij schuifelde de trap af en keek naar zijn gezin. Ze moesten daar weg, zo snel mogelijk. Misschien was Sipes er nog, misschien had hij op hen staan wachten, misschien…

Maar Clayton Sipes was dood.

'Kent? Wat is er?' Beth was de auto uit gekomen. Kent stak zijn hand op en schudde zijn hoofd.

'Niet doen!'

'Wat?'

Hij liep naar haar toe en zag dat Lisa wakker was geworden en zich vooroverboog om te zien waarom ze op de oprit stonden te wachten. Kent legde zijn hand op Beths arm en zei: 'Stap in de auto en rij naar een veilige plek.'

'Waar heb je het over?'

'Neem ze mee, alsjeblieft,' zei hij. 'Ik bel je als ik de politie heb gebeld.'

Ze staarde hem aan, in haar blauwe ogen het begin van het besef dat hij zijn doel nog niet bereikt had.

'Het is niet voorbij,' zei ze.

'Nee.'

'Hoe kan dat...?'

'Weet ik niet. Ga nu weg. Andrew en Lisa mogen hier niet zijn. Ze mogen dit niet zien.'

Ze ging niet ver. Ze nam de kinderen mee naar de overkant van de straat, maakte de buren wakker en legde uit wat er aan de hand was. Tegen de tijd dat de politie was gearriveerd, was ze terug en stond naast hem, in de kou. Hij had tegen haar gezegd dat ze niet naar de foto's moest kijken, en dat deed ze ook niet.

'Ze zijn van Rachel, hè?'

'Ja,' zei hij. Hij zei niets over de andere. Dat kreeg hij niet over zijn lippen.

Kent keek murw geslagen toe hoe de politie de foto's fotografeerde. Ondertussen gingen her en der bij buren lampen aan en deuren open – iedereen was nieuwsgierig en wilde weten wat er aan de hand was. Hun tuin was helverlicht en er begon zich een menigte te verzamelen. Het kwam Kent bijna vertrouwd voor, behalve dan dat hij zich nu zo hulpeloos voelde. Hier had hij geen enkele controle over. Hij kon geen wijzigingen doorvoeren, hij had geen invloed op de uitkomst.

Salter arriveerde op het moment dat agenten met witte handschoenen aan de foto's van de voordeur af haalden. Hij had er ruim een halfuur over gedaan; andere agenten hadden de eerste vragen gesteld en hem toen gezegd dat hij op Salter moest wachten. Waarom

Salter er zo lang over deed was niet duidelijk. Toen hij er eindelijk was, keek Kent hem aan en zei: 'Ik dacht dat het voorbij was.'

'Dat is het niet, nee,' zei Salter. Zijn stem klonk vermoeid. Triest zelfs. Hij keek toe en zei toen: 'Ik zal toch even moeten kijken of het dezelfde zijn.'

'Dezelfde?'

'U bent niet de enige bij wie ze zijn opgeplakt, Coach. De foto's hingen ook op de deur van Rachels moeder. Ik kom net van haar vandaan.'

Kent staarde hem aan. Beth fluisterde: 'Lieve hemel.'

'Haar moeder...' zei Kent en hij dacht dat hij moest overgeven; de drie biertjes waarmee hij niet vertrouwd was klotsten door zijn maag.

'Ja,' zei Salter, en over de vermoeidheid en het verdriet van de man bestond nu geen twijfel meer. 'Laat me even naar de foto's kijken, dan kunnen we hier weg om te praten.'

'Oké.'

Salter liep de tuin door en overlegde met zijn team. Aan de overkant van de straat riep een buurman Kent en vroeg hem of iedereen veilig was. Hij antwoordde niet. Beth stak een hand op en knikte, maar zij antwoordde evenmin. Ze sloeg een arm om Kent, drukte haar gezicht tegen zijn borst en vroeg: 'Wie is dit? Wie doet zoiets?'

Hij wist het niet. Hij had gedacht dat hij het wist, hij was ervan overtuigd geweest, maar de enige zekerheid die hij nu nog had, was dat deze horror niet voorbij was.

Salter bestudeerde de foto's, sprak nog even met de agenten op de veranda en kwam weer naar hen toe.

'We brengen u naar een hotel, mevrouw Austin. U en uw kinderen, als u het goed vindt. Ik wil graag weten waar u zit, en ik wil graag dat een van mijn agenten bij u blijft.'

'Goed. Ja, dat is goed.'

'En Penny Gootee?' vroeg Kent.

'Zij weigerde het, helaas. Ze heeft ons gevraagd te vertrekken. Dat eiste ze zelfs.'

'Dus ze is alleen.'

'Ja. Maar er is een politieauto in de buurt.' Salter haalde een hand over zijn gezicht en zei: 'Het zou fijn zijn, Coach, als u met me mee naar het politiebureau wilt gaan.'

Hij zei Beth gedag, gaf haar een lege kus en keek toe hoe een agent in burger haar naar de overkant van de straat, naar hun kinderen, begeleidde. Salter legde een hand op zijn arm en nam hem mee naar zijn auto. Overal in de straat stonden buren te kijken.

'Hij is dood,' zei Kent tegen Salter, alsof de inspecteur dat niet wist.

'Clayton Sipes is dood,' bevestigde Salter. 'Wat niet hoeft te betekenen dat de moordenaar van Rachel Bond dood is.'

'Hij heeft het gedaan,' zei Kent.

'Nee, Coach, hij heeft het niet gedaan.' Salter opende het portier aan de passagierskant voor Kent. 'Sterker nog, op de avond dat ze werd vermoord was hij bij jullie footballwedstrijd.'

Kent ging zitten en voordat hij had kunnen antwoorden werd het portier dichtgeslagen. Toen Salter aan de andere kant instapte en de motor startte, vroeg Kent: 'Was hij bij de wedstrijd? Die avond?'

'Ja.'

'Hoe weet u dat?'

'We hebben de krantenfoto's bekeken. Er stonden twee foto's van de wedstrijd in de krant, maar de fotograaf heeft er een stuk of duizend gemaakt. Hij staat op drie foto's van het publiek.'

Toen ze wegreden, begon het weer te regenen. Kent was met stomheid geslagen. Hij zei pas iets toen ze niet meer in zijn wijk waren. 'Hij kan toch bij de wedstrijd geweest zijn én haar vermoord hebben?'

'Niet als je de scenario's die de lijkschouwer ons gaf bekijkt. Het is in ieder geval niet erg waarschijnlijk.'

'Jullie hebben hem op foto's zien staan? Waarom is mij dat niet verteld?'

'Dat was een beslissing van de FBI, niet van mij. Ik heb het wel voorgesteld, maar dat werd verworpen. Ik begreep hun standpunt ook wel. We proberen een complexe situatie op te lossen, en het op de hoogte houden van burgers heeft geen prioriteit en voegt ook niet altijd noodzakelijkerwijs iets toe.'

'Maar hij is bij mij thuis geweest, met een pistool. En hij gaf toe dat hij haar had vermoord.'

'U zei van niet. Daar heb ik specifiek naar gevraagd. U zei dat hij het suggereerde, maar niet ronduit toegaf.'

'Dat weet ik, maar het was toch... Hij moet het wel geweest zijn, Salter. Hij kan bij de wedstrijd zijn weggegaan en...'

'Nee.' Salter schudde zijn hoofd. 'Dat ligt niet in de logica van de tijdlijn en het overige bewijs maakt het nog onwaarschijnlijker. Hij heeft het in ieder geval niet in zijn eentje gedaan, Coach. En de gebeurtenissen van vanavond zouden uw twijfels ook moeten voeden. Clayton Sipes heeft die foto's niet op uw deur geplakt.'

Zoveel was zeker. Kent staarde naar de donkere weg voor hen en luisterde naar het ritmische gegons van de ruitenwissers.

'Hij is echt niet zomaar komen opdagen,' zei hij. 'Hij moet ermee te maken hebben.'

'Hij had er zeker mee te maken. Maar hij heeft het meisje niet vermoord.'

'Wie dan wel?'

'Daar wil agent Dean het graag met u over hebben. Dat laat ik hem verder afhandelen. Het is bij zijn onderzoek gekomen.'

'Zijn onderzoek?'

Salter knikte. 'U bent een schakel in een complexe situatie, Coach. U, en Sipes ook. En hoewel het u in eerste instantie misschien heel fijn leek dat Sipes uit de weg is geruimd, zou dat uiteindelijk weleens een tegenvaller kunnen blijken te zijn.'

'Hoezo?'

'Hij was een link,' zei Salter. 'Hij wist iets en had ons misschien kunnen helpen. Misschien. Maar nu zijn we die link kwijt.'

45

Op het moment dat Penny Gootee belde, lag Adam wakker in bed, met Chelsea tegen zijn borstkas aan gekruld. Ze bromde ontevreden, probeerde zich dieper in zijn borst te begraven, kwam met tegenzin een stukje overeind en deed haar ogen open toen hij de telefoon pakte en het nummer herkende.

Shit, dacht hij, je mag me niet bellen. We praten er niet over, nooit. Je hoeft alleen maar te weten dat het is gebeurd, en ik hoop dat je daar troost uit kunt halen. Maar erover praten, dat gaat niet.

Hij overwoog niet op te nemen, maar dat kon niet, niet bij deze vrouw, dus drukte hij op de toets en kwam overeind, en Chelsea schoof van hem af en rolde op haar zij. Hij wilde niet dat zij hem kon horen, want dit zou weleens een gesprek kunnen worden waar hij geen getuigen bij wilde hebben, maar hij ging ervan uit dat hij genoeg tijd zou hebben om de slaapkamer uit te lopen. Op haar gegil was hij niet voorbereid.

'Je zei dat hij dood was! Je zei dat hij dood was!'

Zelfs als hij de slaapkamer al uit was geweest, zou Chelsea het misschien nog gehoord hebben. Zo luid was het. Maar nu lag ze nog naast hem, en de woorden waren duidelijk. Ze greep zijn arm en zei zijn naam, op ruwe, vragende toon. Hij trok zich los, maakte dat hij het bed uit kwam, liep naar de woonkamer, botste tegen een van de planken met slangen aan en hoorde hen meteen tegen het plastic glijden.

'Penny, dit kun je niet maken. Je kunt me niet bellen en zeggen...'

'Je zei dat je het had gedaan.' Ze snikte. Adam bleef in de donkere woonkamer staan, geschrokken nu – hij vroeg zich af wat er in godsnaam was misgegaan.

'Dat heb ik ook,' zei hij. Hij had zoiets belastends niet over de telefoon willen zeggen, maar nu hij haar hysterische gesnik hoorde, kon hem dat niet meer schelen. Hij wilde het alleen nog maar begrijpen.

'Nee, dat heb je niet! Dat stuk stront leeft nog, want hij heeft foto's gebracht. Hij heeft me foto's van mijn lieve schat gebracht!'

Nee, dacht Adam. Nee, dat kan hij niet gedaan hebben. Hij ligt in het lijkenhuis. Ik heb hem dood op de stenen bij het water achtergelaten, Penny, dat weet ik zeker, hij was dood. Ik heb hem een kogel door zijn hart gejaagd. Hij is morsdood.

'Hij moet ze daarvoor hebben opgestuurd,' zei hij. 'Anders kan het niet.'

'Hij heeft niets opgestuurd. Hij heeft ze in een envelop gestopt en ze voor mijn deur gelegd!'

Dat kon niet.

'Dat heeft iemand anders gedaan,' zei Adam. 'Ik vind het vreselijk voor je, Penny. Vreselijk. Maar dat was hij niet. Iemand anders...'

'Ik geloof je niet.' Haar stem smoorde in tranen. 'Volgens mij heb je helemaal niets gedaan. Je hebt tegen me gelogen. Wat voor een klootzak ben je om over zoiets te liegen? Hoe kun je over zoiets liegen?'

'Ik heb niet gelogen.'

'Loop naar de hel,' zei ze. 'Loop naar de hel, jullie allebei, jullie horen bij elkaar.'

Ze hing op en hij stond daar alleen in het donker, vol ongeloof.

Niemand zei iets, je hoorde alleen het geritsel van de slangen. Toen zei Chelsea: 'Waarom dacht die vrouw dat de man die haar dochter heeft vermoord, dood was, Adam?'

Hij draaide zich om en keek haar aan. Het schermpje van zijn telefoon doofde, eindelijk was hij in volkomen duisternis gehuld.

'Omdat hij dood ís,' zei Adam. 'Hij ís dood. Althans, hij zou dood moeten zijn, ik begrijp er niets van, iemand anders moet dit voor hem gedaan hebben...'

'Weet je wie het heeft gedaan?'

'Dat dacht ik.' Hij kon niet tegen haar liegen, niet nu, hij had geen energie meer voor leugens. Hij had nauwelijks genoeg energie om te ademen. Hij had het afgemaakt. Hij had zijn belofte ingelost, hij was al zijn beloftes nagekomen. En nu zei de moeder van Rachel Bond dat hij helemaal niets was nagekomen, dat hij helemaal niets had afgemaakt.

'Hoe weet jij dat? Wie heeft jou dat verteld?'

'Kent heeft me zijn naam gegeven. Hij heeft het aan de politie verteld, en aan mij.'

Kent heeft hem gezien, dacht hij. Kent wist dat het Sipes was, hij wist het zeker.

Chelsea had een sweater aangetrokken. Ze liep naar hem toe en nam zijn gezicht in haar handen en hield het vast, als om te voorkomen dat hij zich van haar af zou wenden, hoewel hij dat helemaal niet wilde.

'Wat heb je gedaan, Adam?'

'Ik heb hem gedood.'

Ze haalde haar handen van zijn gezicht. En ze fluisterde zijn naam. Dat was alles, alleen zijn naam.

'Hij is gewapend naar het huis van mijn broer gegaan,' zei Adam. 'Hij bedreigde zijn gezin en praatte over de dood van Rachel Bond. Hij heeft het gedaan, Chelsea, hij heeft het gedaan, dus ik weet niet wie die foto's aan Penny heeft gegeven, maar de man die ik heb vermoord, was de juiste man.'

'Heb je hem doodgeschoten? Vermoord? Ben je gewoon naar hem toe gegaan en...'

'Hij had zelf ook een pistool,' zei Adam.

'Je hebt hem vermoord,' herhaalde ze.

'Ik heb gedaan wat ik heb beloofd te doen. Wat gedaan moest worden.'

Ze deed een stap naar achteren en liet zich tegen de muur omlaagglijden, tot ze op de vloer zat, met haar blote benen voor zich uit. Ze keek hem niet meer aan. Ze leek niets meer te zien.

'Hoe heb je hem überhaupt gevonden?'

'Ik was hem al op het spoor,' zei hij. 'Kent heeft me het laatste zetje gegeven. Hij heeft me zijn naam gegeven, en ik had zelf zijn halfbroer al opgespoord. Rodney Bova.'

'Heb je zijn broer daarvoor gebruikt?' vroeg ze. 'Is dat hoe je hem hebt gevonden? Door zijn broer een enkelband om te doen?'

'Ja.'

'Rodney Bova werd zeker niet toevalligerwijs op zo'n gunstig moment gearresteerd?' Haar stem was zacht en gereserveerd en onmogelijk verdrietig.

'Nee.'

'Dus… Wat heb je gedaan? De politie getipt toen je wist dat hij drugs bij zich had?'

'Iets meer dan dat.'

'Adam!' Ze liet haar hoofd in haar handen zakken.

'Dat wilde ik nog gaan rechtzetten.'

'Hoe dan?'

'Dat weet ik nog niet, Chelsea. Maar ik zet het recht. Dat was ik al van plan. Ik had hem alleen maar nodig. En het heeft gewerkt, verdomme. Hij heeft me zo naar hem toe geleid. Het werkte.'

'Je had de politie kunnen bellen. Toen je hem had gevonden, had je de politie kunnen bellen…'

'Toen Gideon Pearce mijn zus had vermoord, deed de politie…'

'Dit gaat niet om je zus!' schreeuwde ze.

Hij antwoordde niet. Het was een tijdje stil, en hij ging ook op de vloer zitten. Maar niet dicht bij haar. Aan de andere kant van de kamer, hij vergrootte de afstand en staarde vanuit de schaduw in haar richting.

'Ze komen erachter, Adam,' zei ze. 'Iemand gaat praten. Bova, Penny, iemand.'

'Ze zullen me verdenken. Maar ze zullen het niet zeker weten. Dat is een verschil.'

'Voor iemand die schuldig is misschien wel.'

Wat moest hij daarop zeggen?

'Kunnen ze het bewijzen?' vroeg ze ten slotte.

'Dat zal nog moeilijker zijn dan mij ermee in verband te brengen.'

'Wat zal het signaal van het zendertje opleveren?'

'Dat Rodney Bova naar een huis aan Erie Avenue is gereden waar Sipes verbleef en dat ik dat wist. Dat is alles. Meer bewijzen zal niet meevallen. Het kan, natuurlijk. Maar het zal niet meevallen.'

Chelsea zei niets meer. Adam zei: 'Hij heeft dat meisje vermoord, Chelsea. Hij heeft een kind vermoord.'

'Het lijkt er anders op alsof hij dat misschien niet heeft gedaan.'

Het lukte Adam niet dat tot zich door te laten dringen. Hij had het zeker geweten. Hij was dat hele stuk met Sipes naar het meer gelopen en Sipes wist wat hij dacht en had geen woord gezegd, hij had niets ontkend. Waarom niet?

'Hij was een roofdier,' zei Adam. 'Zelfs als we ernaast zaten, en ik zou niet weten hoe dat mogelijk zou moeten zijn, dan nog vormde hij een bedreiging. Hij heeft jarenlang een vrouw gestalkt en is daarvoor in de gevangenis beland, en zodra hij vrij was gekomen, begon hij mijn broer en zijn gezin te stalken. Hij is met een pistool in zijn hand naar hun huis gekomen, Chelsea. Hij was een roofdier.'

'En dus besloot jij er ook een te worden.'

'Wat wil je dat ik doe?' vroeg hij. 'Ik wil het echt graag weten. Zeg wat ik volgens jou moet doen en ik doe het. Wil je dat ik beken? Ik kan nu meteen bellen.'

'Ik wil dat je bij mij blijft,' zei ze. 'En ik wil dat je goed bent, Adam. Dat je bent wie je echt bent en niet wie je jezelf hebt laten worden.'

'Misschien heb ik een alibi nodig,' zei hij langzaam. 'Als het zover komt, als ze lang genoeg aandringen, moet ik kunnen zeggen waar ik was.'

'Dan doe ik dat.'

'Ik wil niet dat jij dat doet.'

'En wie dan wel, Adam? Wie dan wel?'

'Mijn broer, misschien,' zei hij.

46

Hij volgde Salter over de stoep, de traptreden op en het politiebureau in, en hij dacht terug aan de vorige keer, na de eerste beslissingswedstrijd, de nacht dat alles was begonnen. Hoe verschrikkelijk was die nacht geweest, en hoe onwaarschijnlijk dat het allemaal nog veel erger kon worden.

Robert Dean zat op hem te wachten. Hij vertoonde geen spoor van de vermoeidheid waardoor Salter werd getekend. Hij neuriede met een stille energie, die hij ook bij hun eerste ontmoeting had gehad. Die heeft een goede motor, zou Kent over hem hebben gezegd als hij een footballspeler was geweest. Hij wekte de indruk lang te kunnen rennen zonder te pauzeren.

'Ik begrijp dat uw gezin in veiligheid is gebracht,' zei Dean.

'Dat klopt,' antwoordde Salter voor Kent.

'Mooi.' Dean knikte. Zijn opschrijfboekje en pen lagen weer klaar. Hij keek naar de pen en niet naar Kent, en zei: 'U zult het na uw ontmoetingen met die man wel niet met me eens zijn, maar de dood van Clayton Sipes is voor mij nogal een teleurstelling.'

'Ik wens niemand dood,' zei Kent. 'Maar ik wil wel weten wat voor mij verborgen is gehouden en waarom mij niet alles is verteld.'

'U heeft reden te over om boos te zijn, maar ik heb niets voor u verborgen gehouden, meneer Austin.'

Hij was de enige die Kent niet 'coach' noemde. Salter leek dat niet te kunnen; in dit stadje was Kent de coach. Robert Dean kwam niet uit Chambers.

'In sommige opzichten was Clayton Sipes heel gevaarlijk,' zei Dean. 'Hij kampte met problemen en had een zieke geest, en het is meer dan duidelijk dat hem niet de juiste hulp geboden is. Dat is een schande. Maar hij was niet gewelddadig, meneer Austin.'

'Hij heeft een pistool op me gericht!'

'Maar hij heeft het niet gebruikt.'

Het scheelde weinig of Kent was in de lach geschoten, zo onzinnig was dat commentaar. Maar hij schudde zijn hoofd en zei: 'Hij zat niet voor niets in de gevangenis. Hij was veroordeeld voor aanranding van een vrouw. Noemt u dat niet-gewelddadig?'

'Hij zat aan haar borsten terwijl hij een ongeladen wapen bij zich had. Dat is strafbaar, zeker. En heel vervelend. Het is aanranding. Maar ik zou het niet meteen gewelddadig noemen. Hij heeft haar niet aangevallen, ze had nog geen schrammetje. In de vele maanden – jaren – die hij die arme vrouw heeft gestalkt, heeft hij niets gedaan wat echt gewelddadig was. Hij leek een voorkeur te hebben voor het spel zelf. Zijn verleden staat vol stalking, voyeurisme en zelfs brandstichting, maar een neiging tot geweld vinden we niet bij hem. Zijn psychologische evaluatie ondersteunt dit beeld. Liefde voor geweld: ja, fascinatie voor geweld: ja. Maar dan wel meer als een toeschouwer.'

'Dat had u me dan wel wat eerder kunnen vertellen. U wist dat ik dacht dat hij Rachel Bond had vermoord.'

'Zowel uw als mijn kennis was op dat moment beperkt. Inmiddels weten we veel meer. Na de moord op Sipes hebben we in zijn appartement in Cleveland, waar hij woonde, bewijs aangetroffen dat suggereert dat hij weliswaar in de moord op Rachel Bond heeft geparticipeerd en er zeker tot op zekere hoogte aan heeft bijgedragen, maar het niet alleen heeft gedaan. Sterker nog, het lijkt erop dat hij onder sterke invloed van iemand anders heeft gestaan. En ik waag me op dit punt aan de veronderstelling dat deze iemand anders meer belangstelling voor u heeft dan Sipes.'

'Over wie heeft u het?'

Dean wierp een blik op Salter, haalde een vel papier uit zijn opschrijfboekje en schoof het over de tafel naar Kent. Het was een foto van Dan Grissom. Kents eerste reactie was zijn hoofd schudden en het als een vergissing af te doen. Dean had zich vergist en hem de verkeerde foto gegeven. Maar toen zag hij het gezicht van de rechercheur en begreep dat het geen vergissing was.

'Dat geloof ik niet,' zei Kent. 'Dan is dominee, hij is consulent, hij is...'

'Nee,' zei Dean. 'Hij is geen dominee. Hij heeft theologie gestudeerd, maar hij is geen dominee van een kerk. Sterker nog, hij is zes jaar geleden van een seminarie gestuurd. Hij heeft ook een titel in de psychologie, maar hij heeft nooit in een klinische omgeving gewerkt. Afgezien van zijn titels was het cv dat hij overlegde toen hij als gevangenisdominee begon voor het grootste deel bij elkaar verzonnen. Helaas is het nooit door iemand ter discussie gesteld. Hij heeft ook niet voor de reclassering gewerkt, maar er zijn hem nooit wapens of sleutels of andere dingen ter hand gesteld die een grondig onderzoek noodzakelijk maakten. Hij heeft niet eens voor de overheid gewerkt, alleen voor vrijwilligersorganisaties. Hij zei dat hij wilde helpen en zijn verhaal was geloofwaardig, dus hij werd vertrouwd.'

Kent staarde naar de foto. Hij bezocht al jaren gevangenen toen hij Grissom leerde kennen. Hij was zo innemend. Zo ernstig. Hij had gezegd dat Kents inspanningen hem fascineerden en dat hij hoopte dat Kent zou willen overwegen met hem samen te werken.

'Hoe lang weet u dit al?'

'Ik persoonlijk? Een paar uur. Ik heb al drie andere mensen gehoord voor wie Grissom zo'n belangstelling had.'

'Mensen zoals ik?'

'Nee,' zei Dean. 'Mensen zoals Sipes. Ik heb nog niemand zoals u gevonden, maar ik ben ervan overtuigd dat die er ook zijn. Het lijkt erop dat hij vooral gevangenisdominee was om te rekruteren. En te heersen. Daniel Grissom drijft mensen graag zover dat ze hem volgen. Dat lijkt heel belangrijk voor hem te zijn. In uw geval, bijvoorbeeld, zag hij een mogelijkheid om bij twéé mannen tegelijk te onderzoeken waar hun grenzen lagen. Bij u, en bij Clayton Sipes.'

'En hoewel u dit weet, heeft u hem nog niet gearresteerd?'

'Ik ben hier vandaag pas achter gekomen, na het ontdekken van de link tussen Sipes en Grissom. Ik werk zo snel als ik kan, meneer Austin. Dat doen we allemaal. En net als in het geval van Clayton

Sipes moeten we Grissom eerst vinden voordat we hem kunnen arresteren.'

'Waar heeft u het over? Grissom houdt zich toch niet verborgen?'

'Inmiddels wel. Sinds september al, eigenlijk.'

'Maar ik heb hem laatst nog gesproken.'

'Wanneer?'

'De dag nadat ik u had gesproken, denk ik. Ik belde hem om te vragen wat hij zich van Sipes herinnerde. Hij was…' Hij was me tot steun, had Kent willen zeggen. 'Hij kwam heel normaal over. Hij klonk hetzelfde als anders. En hij nam zijn telefoon gewoon op. Dus waarom denkt u dat hij zich verborgen houdt?'

Dean leunde naar voren. 'Nam hij op? Of liet u een boodschap voor hem achter?'

Kent dacht even na. 'Een boodschap,' zei hij toen. 'Maar hij belde gelijk terug.'

Dat leek Dean te ontmoedigen.

'Hij was dus wel in de buurt van zijn telefoon,' zei Kent. 'En het enige nummer dat ik van hem heb, is van een vaste lijn. Dus…'

'Dat spoor hebben we al nagelopen,' zei Dean. 'Zo heeft hij ook contact met Sipes onderhouden. Het lijkt erop dat hij zijn berichten vanaf een veilige lijn afluisterde en dan terugbelde vanaf een ander nummer. De rekening had hij een jaar vooruitbetaald. Hij heeft er dus op geanticipeerd dat we achter hem aan zouden komen. We houden de lijn open en hopen dat hij een fout maakt, maar daar reken ik niet op.'

'Waarom zou hij mijn oproep beantwoord hebben als hij kon vermoeden dat hij werd verdacht?'

'Het verbaast me niets dat hij u heeft teruggebeld. Waarschijnlijk was hij uitermate nieuwsgierig naar wat u had te zeggen. Misschien hoort u nóg een keer van hem. Tot voor kort verschafte Sipes nieuwe informatie over u. Dat is niet langer het geval. En dus heeft Grissom besloten de touwtjes zelf in handen te nemen.'

'Hoe dan?'

'Sipes is dood, meneer Austin, en toch heeft hij nog steeds contact met u. Eerst zorgde Sipes voor dat contact, maar nu niet meer. Ga maar na. Het heeft er alle schijn van dat ze ruzie hebben gekregen en dat Grissom zijn partner heeft vermoord. Hij gaat ervan uit dat hij nu alle macht in handen heeft. En onmiddellijk voelt hij de behoefte contact met u te leggen.'

'Contact met me te leggen. Noemen we het ophangen van de foto's zo?'

'Het is de vraag,' zei Dean alsof Kent niets had gezegd, 'of hij weet dat zijn dekmantel bij ons bekend is. Dat is moeilijk te zeggen. Ik hoop vurig dat hij denkt dat de moord op Sipes hem een extra beschermingslaag heeft opgeleverd: twee mannen zijn met een geheim uit dat vakantiehuisje weggelopen, en van hen is er nog maar één over.'

'Waarom is hij dan niet gevlucht of heeft hij geen schuilplaats gezocht? Waarom laat hij het niet rusten?'

'Ik denk dat hij ervan geniet dat hij u dit aandoet. Hij vermoedt dat u Sipes verdacht. Sterker nog, hij wéét dat u dacht dat Sipes de dader was. Toen werd Sipes vermoord. Hij wil niet dat die wetenschap u rust geeft, u mag niet denken dat er een ontknoping is geweest. Of hij nu vlucht of blijft, hij zal u zeker willen laten weten dat u zich heeft vergist. Hij heeft het kwaad, waarvan u dacht dat het was verdwenen, nieuw leven willen inblazen.'

'Dat is Sipes ten voeten uit,' zei Kent. 'Ik begreep natuurlijk dat hij de foto's niet heeft kunnen ophangen, maar de ideeën waar u het over heeft, de doelstellingen, dat is Clayton Sipes ten voeten uit.'

'Dan Grissom had Clayton Sipes al vijf keer bezocht voordat u hem voor het eerst in Mansfield sprak. Sipes werd niet door u verrast. Hij reageerde niet op u, hij was op u voorbereid.'

'Vijf keer?'

Dean knikte. 'En tussen uw bezoek en zijn vrijlating in nog zes keer. Ze hadden een tamelijk hechte band opgebouwd. Ze deelden eenzelfde wereldbeeld, lijkt het. Dus waarschijnlijk geloofde Sipes echt in wat hij tegen u zei, meneer Austin, maar dat wil nog niet zeggen dat die ideeën uit zijn eigen geest ontsproten. Ze kunnen er ook in zijn geplant. En na de gesprekken die ik vandaag heb gevoerd, lijkt dat me het meest voor de hand te liggen. Er was hier sprake van samenwerking. Oorspronkelijk hadden Dan Grissom en Clayton Sipes ieder hun eigen klus – Grissom zou Rachel Bond vermoorden, Sipes zou u afhandelen. Afhandelen en om de tuin leiden. Dat deed hij goed. Maar met de dood van Rachel was Grissom zijn speeltje kwijt. Ik vraag me zelfs af of er sprake is geweest van territorium-drift.'

'Met mij als inzet.'

'Met als inzet u te bréken, ja. Grissom beschermde zichzelf door Sipes het voortouw te laten nemen, maar het zou goed kunnen dat hij nu zelf aan de bak gaat. Hij lijkt alle controle te willen hebben.'

Kent herinnerde zich de foto's weer, Rachels ogen door het melk-achtige plastic, en die van zijn dochter, helder, glimlachend, onwe-tend.

'U moet hem vinden,' zei hij. Zijn stem was hees.

'Mee eens. We hopen dat u ons kunt helpen. Dat u ervoor wilt zor-gen dat hij aan de oppervlakte komt… Dat is wat we nodig hebben, meneer Austin. Dat hij aan de oppervlakte komt. Voor u doet hij dat misschien zelfs hoewel hij zich zorgen maakt over zijn dekmantel. U lijkt van grote waarde voor hem te zijn, u lijkt hem enorm op te winden. Wilt u ons daarmee helpen?'

'U wilt dat ik hem in de val lok?' Het idee stond Kent helemaal niet aan, hij moest er niets van hebben.

'Ja. We willen in ieder geval graag dat u hem nog een keer belt. Net als de vorige keer, toen u nog niet wist hoe de situatie was. Laat een boodschap achter en wacht af. We bespreken van tevoren wat u moet zeggen en bereiden ons voor op de manier waarop u dat het beste kunt doen. Wilt u dat?'

'En u blijft mijn gezin beschermen?'

'Absoluut. Vanzelfsprekend.'

Kent ademde diep in en knikte. 'We kunnen het proberen.'

'Dank u. Misschien helpt het.'

'Als het lukt,' zei Kent, 'als ik ervoor kan zorgen dat hij aan de oppervlakte komt, zoals u dat noemt, kunt u er dan voor zorgen dat hij wordt veroordeeld?'

'We bouwen aan een heel sterke zaak.'

'Bouwen aan? Dat betekent dus dat jullie die nog niet rond hebben. Dat jullie niet in het bezit zijn van het bewijs dat voor een veroordeling nodig is. Kunnen jullie bewijzen dat hij Rachel Bond heeft vermoord?'

'Dat denk ik wel, ja. We hebben een DNA-profiel uit het huis en van haar lichaam, en dat komt niet overeen met het DNA van Sipes. Als er wel een match met het DNA van Grissom is, en ik denk dat dat het geval zal zijn...' Hij spreidde zijn handen, hij had zijn punt gemaakt. Toen liet hij ze op de tafel zakken en zei: 'Ik zorg ervoor dat de man wordt veroordeeld, meneer Austin. Vertrouwt u mij, alstublieft. Daar zorg ik voor.'

Kent zweeg. Toen Dean verder sprak, was zijn stem vriendelijk en geruststellend.

'Waar denkt u aan, meneer Austin? Ik probeer deze keer al uw vragen te beantwoorden. Ik hou niets voor u achter.'

'Ik geloofde in hem,' zei Kent.

'Hij had een overtuigend verhaal.'

Kent schudde zijn hoofd. 'Ik geloofde niet alleen in zijn verhaal, meneer Dean, ik geloofde in hém.'

'Hij is een valse profeet, meneer Austin,' zei Dean. 'Maar wel een die heel overtuigend is.'

47

Kent belde Grissom om zes uur 's ochtends op, na wat coaching door Robert Dean, die het vroege tijdstip van het telefoontje goed vond vanwege de urgentie die eruit sprak.

'Als u erin slaagt wanhopig over te komen,' zei hij, 'zou dat aantrekkelijk voor hem kunnen zijn.'

Wanhopig overkomen was niet moeilijk voor Kent. Het was veel moeilijker zijn stem in bedwang te houden en niet te gaan schreeuwen. Die klootzak had nog geen vierentwintig uur daarvoor foto's van zijn gezin genomen; dat monster had een prachtig meisje vermoord en haar lichaam in een greppel achtergelaten en Kent vervolgens souvenirs van die gruweldaad gestuurd.

Maar het lukte hem. Hij belde met zijn eigen mobiele telefoon, terwijl Dean meeluisterde. Hij had onderstreept hoe belangrijk het was toe te geven dat hij bang was. Als Sipes zijn daden had gepleegd omdat Grissom hem daartoe had aangezet, dan was angst essentieel. Grissom en Sipes probeerden Kent te breken. Dean had tegen Kent gezegd dat hij Grissom moest vragen of hij voor hem wilde bidden, maar dat was het enige wat Kent weigerde. Zijn stem beefde niet toen hij zijn korte, zorgvuldig gechoreografeerde boodschap insprak.

'Dan, met Kent Austin. Je ligt waarschijnlijk nog te slapen, en het spijt me als ik je heb gewekt, maar... Ik heb je hulp nodig. Zou je me willen terugbellen? Clayton Sipes is dood, Dan, maar daarmee is het blijkbaar niet voorbij. Ik weet niet wat ik moet doen. Het lijkt wel alsof de politie mij niet gelooft, maar ik heb Sipes gezien, hij was bij mijn huis. Ik begrijp niet waarom ze me niet serieus nemen. Degene die hier achter zit, heeft het op mijn gezin gemunt. Ik ben bang dat hen iets overkomt, Dan. Ik ben heel bang. Misschien kunnen we elkaar zien. Bel in ieder geval even terug, alsjeblieft.' Toen verbrak hij de verbinding.

'We zullen zien of hij bijt,' zei Dean.

Inderdaad. Ze zouden zien.

Dean wilde dat Kent die dag dezelfde dingen zou doen als altijd: zijn team coachen, zijn spel spelen. De politie zou de boel in de gaten houden, had hij gezegd.

Dus dat deed hij, ook al was hij bekaf. Hij stopte bij het hotel waar zijn gezin was ondergebracht, omhelsde Beth, kuste zijn kinderen en vertelde hun dat alles binnenkort weer als altijd zou zijn, het was gewoon een minder fijne dag en ze zouden zich er wel doorheen slaan. Die horen er ook bij, zei hij. Je had zo nu en dan weleens een minder fijne dag en het was belangrijk te leren je daardoorheen te slaan. Je schrap te zetten.

Hij coachte in een waas. Zijn staf had van alle commotie 's nachts bij zijn huis gehoord, net als de helft van de leerlingen. Hij was bekend in deze kleine stad, wat niet bevorderlijk is voor je privacy of het bewaren van geheimen, maar hij had het wel geprobeerd en gehoopt. Hij vertelde zijn assistenten dat hij er niets over mocht zeggen – dat had de politie hem verzocht – en vroeg hun hem te helpen de kinderen bij de les te houden. Dat probeerden ze. Iedereen deed zijn best.

Het hadden een paar euforische uurtjes op het veld moeten zijn. Ze hadden net de belangrijkste overwinning van hun carrière geboekt, ze hadden het op een na beste team van de staat verslagen, ze waren nog twee wedstrijden van het kampioenschap verwijderd. Maar de stemming was gedrukt, iedereen fluisterde met elkaar over wat er met de coach aan de hand was, iedereen was in verwarring en onzeker. Kent bemoeide zich nauwelijks ergens mee. Byers leidde het grootste deel van de training, terwijl Kent op vermoeide benen op zijn fluitje stond te bijten en naar zijn ongeslagen jongens keek. Na de training wilde hij linea recta naar zijn auto lopen toen hij, tot zijn verbazing, zag dat zijn team zich midden op het veld verzamelde. Pas toen hij zag dat de spelers knielden, besefte hij dat hij het dagelijkse gebed na de training nog moest uitspreken.

De woorden kwamen niet vanzelf. Hij bad voor hun gezondheid en bedankte God dat Hij hem gelegenheid bood zich nog een week door deze groep te laten omringen. Hij hield het kort en probeerde het veld zo snel mogelijk af te komen, maar slaagde daar niet in. Colin Mears haalde hem in en zei dat hij reserve wilde staan.

Ooit was dat belangrijk geweest. Heel belangrijk zelfs; een sterspeler die aangeeft dat hij het niet langer verdient tijdens een wedstrijd in de play-offs opgesteld te worden. Maar Kent keek hem aan en vroeg zich af hoe iemand het in zijn hoofd zou kunnen halen dat dit footballveld en alles wat erop gebeurde van belang was.

Maar toen herinnerde hij zich de dagen na de verdwijning van Marie weer, de lange wandeling naar Walter Ward om naar beeldmateriaal te kunnen kijken, de uren waarin hij met zijn schouders tegen het rubber van de tackleslee beukte en een bal naar nergens gooide. Het was toen héél belangrijk voor hem geweest, en nu was het heel belangrijk voor Colin.

'We zetten jou niet op de bank, jongen,' zei Kent.

'Maar ik wil het. Alstublieft. In het veld help ik mijn team niet meer. Dat weet u best, Coach. Iedereen weet het. Ik heb beloofd dat we voor haar kampioen worden. Dat heb ik beloofd. Maar ik help ons niet. Ik wou dat het anders was, maar ik help niet.'

Kent had dertig uur niet geslapen en in diezelfde tijdspanne de grootste overwinning van zijn carrière behaald en de op een na schokkendste gebeurtenis van zijn leven beleefd. Zijn emotionele tank was leeg. Hij had zich nooit eerder zo leeg gevoeld.

'We hebben nog een hele week, Colin. We hebben het er nog over. Oké?'

Hij kneep de jongen in de schouder, passeerde de kleedkamer zonder er naar binnen te gaan en liep de parkeerplaats op, waar Chelsea Salinas hem bij zijn auto stond op te wachten.

Toen hij nog zo ver van haar vandaan was dat hij zelf nog niets zou zeggen, vroeg zij al: 'Hoe heb je hem zijn naam kunnen geven?'

'Wat?'

Haar ogen waren rood en haar huid, die normaal gesproken mokkakleurig was, had de kleur van een grijze winterlucht. Ze zei: 'Je wist wat hij van plan was, Kent. Hij heeft het je verteld. En jij hebt hem de naam gegeven en hem laten begaan, en het kwam zelfs niet bij je op om mij te waarschuwen. Misschien had ik kunnen helpen. Misschien had jij zelf kunnen helpen. Maar in plaats daarvan heb je hem er gewoon naartoe laten gaan en...'

Ze begon steeds harder te praten. Kent legde zijn hand op haar arm en fluisterde: 'Hou op met schreeuwen, Chelsea. Waar heb je het over? Wat is er met Adam gebeurd?'

Ze schudde zich los. 'Vooralsnog niets. Maar dat duurt niet lang meer. Binnenkort kun je hém in de gevangenis opzoeken. En dat had jíj kunnen voorkomen.'

Hij tastte eerst nog in het duister – die morgen was denken alleen al zoiets als tegen een sterke stroom in waden – maar plotseling kreeg het vorm en drong de verbijsterende waarheid tot hem door.

'Sipes,' zei hij. Dat was alles, alleen de achternaam. Ze antwoordde niet, maar haar ogen vertelden hem alles wat hij moest weten.

'Waar is hij?' vroeg hij. 'Waar is mijn broer?'

'Hij praat met je zus,' zei ze. Een traan maakte zich van haar oog los en gleed over haar wang. 'Godverdomme, Kent, wat ga je doen? Ga je hem helpen?'

'Hoe kan ik hem helpen?'

'Door hem een alibi te verschaffen. Bevestig wat hij op het moment dat Sipes werd vermoord beweert gedaan te hebben.' Ze zag iets in zijn gezicht wat haar razend maakte, en ze zei: 'Ja, je hebt het goed begrepen: bereid je maar voor op een leugen. Je zult je de tyfus moeten liegen, Kent, want dat is het enige wat hem kan redden, en dat is wel het minste wat je hem verplicht bent. Je hebt hem door laten gaan toen je hem kon tegenhouden. Ik weet dat je ons geen van beiden ooit zult vergeven dat we Marie die avond zelf naar huis hebben laten lopen, maar deze keer heb jij hém aan zijn lot overgelaten...'

'Chelsea, ik had geen idee…'

'Bullshit, Kent. Hij heeft je verteld wat hij van plan was.'

'En ik heb tegen hem gezegd dat hij dat niet moest doen!'

'In eerste instantie wel, ja,' zei ze. 'Maar toen Sipes voor jouw neus opdook? Wat deed je toen?'

'Hij bood me aan te helpen. Hij bood aan…'

'Je bent een pistool bij hem komen halen,' zei ze. 'En je zocht niet alleen een pistool, je zocht ook iemand die de trekker voor je zou overhalen. Zeg het maar als het niet zo is.'

'Ik had niet gedacht dat hij het echt zou doen.'

Ze schudde haar hoofd, walgend, vol ongeloof. 'Dit is veel erger dan wat wij jou hebben aangedaan, Kent. Veel erger. Toentertijd wisten we niet wat er stond te gebeuren. Maar jij? Je wist het.'

48

Chelsea had geen ongelijk.

Dat besefte Kent achter het stuur. Zijn instinct zei hem dat hij zich moest verdedigen, dat hij het moest beredeneren. Het enige wat hij tegen Adam over het vermoorden van Clayton Sipes had gezegd, was dat hij het niet moest doen, dat hij er niet eens aan mocht denken. Dat was wat hij had gezegd, en daar kon hij zich achter verschuilen.

Net zoals hij zich achter Adam had verscholen toen Sipes ten tonele was verschenen.

Maar dat zou hij nu niet doen. Er zijn meerdere lagen eerlijkheid – je had de waarheid van wat je zei en de waarheid van je hart op het moment dat je die woorden uitsprak. Die kwamen niet altijd met elkaar overeen.

Sinds hij Sipes' identiteit aan Adam had gegeven, bleven een paar dingen in zijn gedachten terugkeren. De foto van zijn broer in de krant, met de bloedspatten van de agent op zijn kleren. Zijn gekneusde, gezwollen hand. Dat hij zonder zelfs maar met zijn ogen te knipperen had verteld hoe teleurgesteld hij was geweest toen bleek dat zijn kans om Gideon Pearce te vermoorden was verkeken.

Kent dacht: ik wist dat hij het zou doen, als hij de kans kreeg. Ik wist het.

Hij herinnerde zich hoe ongemakkelijk hij zich had gevoeld nadat hij met Colin Mears naar die oude wedstrijdbeelden had zitten kijken. Hij had er toen geen verklaring voor gehad, of liever gezegd, hij had er niet diep genoeg naar willen zoeken en was er niet eerlijk genoeg voor geweest. Maar nu stond de reden hem helder voor de geest. Hij had gekeken hoe ze de wedstrijd hadden gespeeld – ze hadden Adam voorin gezet en hem de klappen laten uitdelen, ze hadden hem het rauwe werk laten doen en ze hadden begrepen dat de tegenstander, zolang je achter Adam bleef, niet bij je kon komen en niets kon doen – en op dat moment had hij ingezien dat hij hetzelfde met zijn broer deed.

Ik wist niet dat hij hem zou vinden.

Dat was waar. Maar hij had maar al te goed geweten wat Adam zou doen áls hij hem zou vinden.

Chelsea had hem om een alibi gevraagd. Daar kon Kent voor zorgen, maar hij vond dat hij meer moest doen. Hij begreep dingen die Adam zelf niet begreep, en in die dingen lag zijn kans om iets recht te zetten en zijn broer te bevrijden uit de hel, waarin Kent thuishoorde. Hij had zich Grissom op zijn nek gehaald, Grissom én Sipes, en het was tijd om dat te erkennen. Hij zou niet meer voor zijn verantwoordelijkheden weglopen, hij zou zich niet meer van het conflict afwenden. Als er vanaf nu nog uitgedeeld moest worden, zou Kent het zelf doen, op de manier waarop hij het van het begin af aan had moeten doen.

Adam vond die dag geen woorden voor Marie. Hij had gedaan wat hij moest doen – twee keer kloppen en de juiste kaarsen in de juiste volgorde aansteken – maar woorden kon hij niet vinden.

Dus zat hij op de vloer en dacht aan alles wat hij had gedaan. Rodney Bova valselijk van een misdrijf beschuldigd. Clayton Sipes vermoord en dood op de oever van Lake Erie achtergelaten. Vreselijke daden, maar ze dienden een doel. Het was noodzakelijk, de enige manier van boete doen die er op deze wereld toe deed. Wat hij had gedaan was wreed, maar gerechtvaardigd.

Maar nu was hem verteld dat hij de verkeerde man had gedood. Wat liet dat achter?

'Het spijt me,' zei hij ten slotte tegen Marie. Meestal was dat het laatste wat hij tegen haar zei; die dag was het het enige.

Er werd beneden op de deur geklopt. In eerste instantie dacht hij dat het de politie was, maar toen besefte hij dat er niet op de voordeur maar op de zijdeur was geklopt. Familie kwam door de zijdeur; bezoek nam de voordeur.

Het was Kent.

Adam kwam overeind en verliet Maries kamer zonder de kaarsen uit te doen. Hij liep naar beneden, ging de keuken door en deed open, en daar stond zijn broertje, en hij had gewild dat hij hem niet zo had hoeven zien – zo beroerd oogde Kent. Gewond.

'Chelsea heeft het je verteld,' zei Adam.

'Ja.'

Om de een of andere reden verbaasde het Adam niet.

'Wat heeft ze precies gezegd?'

'Alles wat er te zeggen was, denk ik,' zei Kent. Hij stapte naar binnen. Adam deed de deur achter hem dicht en ging aan de keukentafel zitten. Kent nam tegenover hem plaats, op de plek waar hun vader altijd had gezeten. Adam had altijd geprobeerd Kent weg te houden van die lange sessies aan de keukentafel, wanneer ze whisky dronken alsof het water was en met bloeddoorlopen ogen op ontrefbare doelwitten mikten. Adam zei dan tegen zijn broer dat hij moest maken dat hij wegkwam, naar het footballveld of het krachthonk of het huis van Walter Ward. De plek tegenover zijn vader behoorde op die avonden Adam toe, die last moest Adam dragen. Hij had zijn best gedaan Kent daar weg te houden en hij had lang gedacht dat hij daarin was geslaagd. Maar nu zat hij daar toch. Hun vader was dood en Kent zat op zijn plek, en dat besef stemde Adam verdrietig.

'Ik zou willen dat je het niet had gedaan,' zei Kent. Hij vroeg niet of het waar was. Chelsea had geen ruimte voor twijfels opengelaten. 'Adam, je had moeten...'

'Ik weet wat ik had moeten doen,' zei Adam. 'En wat ik niet had moeten doen. Ik heb iemand die onschuldig was een kogel door het hoofd gejaagd. Zo staan de zaken er nu toch voor, Kent?'

Kent knikte.

'Geweldig.' Adam ademde diep in. 'Sipes was een stuk stront. Een roofdier. Dat probeer ik mezelf voor te houden. Maar ik ga altijd met dat soort mensen om en ik zet ze niet allemaal een loop tegen het hoofd. Ik wilde hem doden om wat hij had gedaan. Alleen heeft hij het niet gedaan. Dus blijf ik met…' Hij wreef over zijn gezicht en zweeg.

'We zorgen ervoor dat je uit de wind blijft,' zei Kent.

'Uit de wind?' Adam keek op. 'Daar is het nu een beetje te laat voor, Franchise.'

'Qua politie, bedoel ik. We kunnen niet veranderen wat je hebt gedaan, nee. We kunnen wel beïnvloeden wie het te weten komen en wat voor gevolgen het heeft. Dat hebben we wel in de hand.'

'Ik weet niet eens of ik dat wel wil,' zei Adam. 'Maar afgezien daarvan zorg ik wel voor mezelf. Chelsea heeft waarschijnlijk gezegd dat je me moet helpen. Maar ik heb besloten dat ik dat niet wil. Als een schip zinkt moet je niet aan boord stappen, Kent. Ik zorg…'

'Als we hem vinden, kunnen we jou uit de gevangenis houden,' zei Kent.

Adam keek hem verbaasd aan. 'Als we wie vinden?'

'Ik weet wie het wél heeft gedaan, Adam. Deze keer weet ik het echt. Ik heb de hele nacht bij de FBI gezeten.'

'Vertel,' zei Adam en hij luisterde naar het verhaal van zijn broer, over de psychopaat die zich op zoek naar rekruten voor een dominee uitgaf in gevangenissen waarin hij zelf had moeten zitten. En hij had zijn rekruut gevonden. In de persoon van Clayton Sipes.

Adam stak een sigaret aan, maar hij rookte hem niet. Hij vond het te moeilijk om te inhaleren, daarom liet hij hem in de asbak opbranden.

'Ze denken dat Grissom Sipes heeft vermoord,' zei Kent. 'Sterker nog, daar twijfelen ze op dit moment niet aan. Jij wordt niet verdacht.'

'Daar zal snel genoeg verandering in komen. Bova was al argwanend, en als hij gaat praten, en dat doet hij vroeg of laat, dan komen ze bij mij. Zodra ze beseffen dat ik wist waar Sipes zat, draaien ze de duimschroeven aan. Het is de vraag of ik dan nog tegen de druk bestand ben.'

'Hoe lang heb je achter hem aan gezeten voordat… voordat je hem vermoordde?'

'Bova?'

'Sipes.'

'Ik heb niet achter hem aan gezeten. Ik heb hem gevonden en ik heb hem vermoord.'

Kent fronste zijn wenkbrauwen. 'Sipes woonde in Cleveland.'

Adam schudde zijn hoofd.

'Jawel,' zei Kent. 'Ze hebben me verteld dat ze via bewijzen die ze in een appartement in Cleveland hebben gevonden bij Grissom zijn uitgekomen. Sipes woonde in dat appartement.'

Adam keek hem lang aan. Hij vroeg: 'Dus hij woonde in Cleveland?'

'Ja.'

'Dan zal hij hier een plek hebben gehad van waaruit hij opereerde. Hebben ze zoiets gezegd?'

'Nee. Het is niet ver, Adam. Waarschijnlijk...'

'Hoe hebben ze die woning in Cleveland gevonden?'

'Geen idee.'

'Zoek dat uit.'

'Wat doet het ertoe, Adam?'

'Zoek het uit.'

Kent belde zijn contact bij de FBI, die onmiddellijk opnam, en Adam luisterde mee. Kent speelde het goed. Verrassend goed. Hij gaf het gesprek richting met vragen over Grissom en de beveiliging van zijn gezin, zei dat hij, nee, niets van Grissom had gehoord, maar, ja, wel een vraag had. Hoe wisten ze wat Sipes' verblijfplaats was geweest? De antwoorden kon Adam niet horen, maar hij maakte op dat het iets met een telefoon had te maken. Hij had Sipes niet gefouilleerd, niet voor een telefoon, niet voor een portemonnee. Waarom zou hij ook? Zodra Sipes met zijn gezicht op de stenen lag, was zijn zoektocht volbracht.

'Met wie had hij gebeld?' vroeg Adam toen Kent had opgehangen.

'Met Dan Grissom, om te beginnen. Op het nummer dat ik ook heb, van de telefoon die hij alleen voor de voicemail gebruikt. En met zijn huisbaas. Om te beloven dat hij de huur zou betalen. Ik denk dat die had gedreigd hem op straat te zetten. Misschien dat hij daarom naar Rodney Bova kwam. Voor geld.'

'Dat zou kunnen,' zei Adam. Zijn stem klonk alsof hij van ver kwam. 'Dus hij woonde in Cleveland?'

'Ja.'

Adam stond op. Kent vroeg: 'Waar ga je heen?' maar hij gaf geen antwoord. Hij liep naar buiten, deed de Jeep open en pakte zijn camera. Hij liep weer naar binnen, zette het schermpje aan, klikte terug door zijn recente foto's en gaf de camera aan Kent.

'Is dat hem?'

Het was een foto van de man die het huis aan Erie Avenue 57 had verlaten toen Adam weg wilde rijden en Sipes in het raam zag staan. Sipes had naar de straat gekeken, en Adam had op dat moment gedacht dat hij de boel in de gaten hield en controleerde of de kust veilig was. Maar misschien was dat toch niet het geval geweest. Misschien had hij naar het vertrek van zijn Messias gekeken.

Kent staarde naar het schermpje van de camera.

'Is dat hem?' herhaalde Adam.

'Ja.' Kents stem was moeilijk te verstaan. Hij ging een paar foto's terug en keek toen weer naar de close-up van de man die uit het huis was gekomen. 'Dat is Dan Grissom. Wanneer heb je die foto genomen?'

'Donderdagochtend.'

Kent keek op. 'Vlak voordat...'

'Ja.'

'Waar kwam hij vandaan?'

'Van Sipes. Uit het huis waar Sipes zat.'

'Niet in Cleveland.'

'Nee. Dus als hij in Cleveland woonde en Grissom is spoorloos...'

Een tijdlang zwegen ze. Kent keek naar het schermpje van de camera en Adam dacht dat hij zich afvroeg waar het huis stond. Maar Kent kon het huis niet kennen; waarschijnlijk kende hij de straat niet eens. Ze moesten daar als kind, toen de staalfabriek nog open was en hun vader er werkte, weleens zijn geweest. Maar Adam kon zich niet voorstellen dat Kent er sindsdien ooit nog naartoe was gereden. Hij had wel een paar goede spelers uit deze buurt gehad – Erie Avenue was zo'n buurt waar verdedigende aanvallers vandaan kwamen, het type dat een beuk uitdeelt, het type waar Kent van hield – maar de huizen zou hij nooit herkennen. Het was zijn wereld niet.

'Weet je of Sipes daar alleen woonde?'

'Nee. Bova is er midden in de nacht naartoe gereden. Ik zat toen bij jou thuis, dus ik wilde niet weggaan. Ik heb tot de volgende ochtend gewacht en ben op het adres zelf gaan kijken. Toen ik daar was, kwam deze vent naar buiten en reed weg. Sipes bleef binnen. Toen heb ik op de deur geklopt en hem te pakken genomen.'

Bij die zin vertrok Kent zijn gezicht, maar hij zei: 'Dan moet Grissom daar zitten. Sipes is naar hem toe gekomen, niet andersom.'

'Denk je?'

Kent knikte. 'Controle is belangrijk voor Grissom, volgens de FBI. Cruciaal.'

'Dan ben ik benieuwd of hij er nog is. Of dat ik hem door Sipes te vermoorden heb weggejaagd.'

'Ja,' zei Kent, 'dat vraag ik me ook af.' Hij legde de camera eindelijk neer en keek peinzend naar Adam. 'Mag ik dat pistool terug?'

'Waarom?'

'Om dezelfde reden als waarom ik het in eerste instantie wilde hebben. Voor het geval ik mezelf moet beschermen.'

'Onzin, Franchise. Zeg op, wat ben je van plan?'

Kent zweeg. Adam spreidde zijn handen. 'Kom op, Kent.'

'Als Grissom ook sterft,' zei zijn broer – zijn broer die die dag met zijn handen in de lucht op de voorpagina van de krant had gestaan, vlak na de overwinning – 'dan neemt hij de zaak-Sipes mee in het graf. De politie en de FBI gaan ervan uit dat hij Sipes heeft vermoord. Als Grissom blijft leven, zullen ze de dood van Sipes moeten onderzoeken, want Grissom gaat natuurlijk niet bekennen dat hij hem heeft vermoord. Misschien weet Grissom zelfs wel dat jij het hebt gedaan.'

Adam schudde zijn hoofd. 'Stop.'

'Ik kan het doen,' zei Kent. 'Ik ben er de juiste persoon voor. Om heel veel redenen.'

'Praat niet zoals ik,' zei Adam, en hij meende het uit de grond van zijn hart.

'Hij neemt foto's van mijn gezin, Adam. Toen ik gisteravond thuiskwam, hingen er foto's van een vermoord meisje naast foto's van mijn dochter.'

Een halfuur daarvoor had Adam nog gedacht dat zijn vermogen om gerechtvaardigde woede te voelen was gedoofd, en waarschijnlijk voorgoed. Maar nu was het daar weer, als een kwaadaardige golf.

'*Fuck it*,' zei hij. 'Dan neem ik hem wel te grazen. Ik ben al zo ver gegaan, dan kan ik het net zo goed afmaken.'

Kent schudde zijn hoofd. 'Laat mij het doen.'

'Verdomme, nee. Kent, kijk eens wat je hebt te verliezen. Kijk wat ik heb – het is al verloren.'

'Ik kom er misschien mee weg, jij niet. Na alles wat de FBI me heeft verteld, denk ik dat iedereen me gelooft als ik zeg dat hij naar mij toe is gekomen en ik hem uit zelfverdediging heb doodgeschoten. Iedereen.'

'Praat niet zo!' herhaalde Adam.

Kent zweeg. Ze keken elkaar lang aan, en toen zei hij: 'Oké, Adam, maar laat mij dan wel het adres aan de politie geven. Ik wil niet dat ze dat van jou krijgen, want dan ziet het er heel anders uit. Als het van mij komt, is dat veel geloofwaardiger.'

'En hoe zou jij er dan aan gekomen moeten zijn?'

'Ik zeg gewoon dat hij me op mijn mobiele telefoon heeft gebeld. Ze hopen dat hij dat doet. Maar ze luisteren hem niet af, ze kunnen niet opnemen wat hij zegt.'

'Maar ze kunnen wel zien of je een oproep hebt gehad.'

'Dan bel ik mezelf ergens vandaan. Vanuit een telefooncel daar in de buurt, zoiets. Dan geloven ze ook wat er daarna gebeurt.'

Adam kon het niet aanhoren. Hij had altijd een hekel aan hun meningsverschillen gehad, hij had Kent gehaat om de manier waarop hij met de moordenaar van Marie omging, omdat hij naar de gevangenis ging en met die klootzak ging zitten bidden. Toentertijd had hij het gevoel dat er geen slechtere reactie mogelijk was. Maar die was er toch.

Deze.

'We geven het adres aan de politie,' zei Adam. 'Zij mogen het verder afhandelen.'

'Maar dan beland jij wel in de gevangenis. Grissom misschien ook, maar jij zeker.'

'Misschien wel, misschien ook niet. Maar we laten het de politie afhandelen.'

Kent leunde voorover en legde zijn voorhoofd op de rand van de tafel. Hij zag er uitgeput uit. Erger dan dat eigenlijk: verslagen.

'Het is aan mij, Adam. De hele onderneming. Ik heb de problemen op ons dak gehaald, jij had vanaf het begin af aan gelijk. Ik had me net zo moeten opstellen als jij.'

'Het is hier ondanks jou. Kijk nou eens wat je hebt bereikt in je leven, Kent. Kijk eens wat je hebt opgebouwd, voor jezelf en voor anderen. En dan zou je willen dat je dezelfde weg als ik was ingeslagen? Dan ben je zo stom als een rund.'

Kent keek op, maar hij zei niets. Adam zei: 'Ik benijd je, Kent. Om hoe je het met Pearce hebt aangepakt. Dat heeft je goed gedaan. Het was de juiste keus.'

'Heeft dat mij goed gedaan? Moet je kijken hoe we er nu voor staan!'

'Dat heeft daar niets mee te maken, en de enige die wil dat het er wél mee te maken heeft, is de psychopaat die hier verantwoordelijk voor is. Het laatste wat jij moet doen, is het met hem eens zijn.'

Kent zuchtte diep, ging weer rechtop zitten, wreef in zijn ogen, stond op en vroeg: 'Mag ik dat pistool, alsjeblieft?'

'Ik dacht dat we naar de politie zouden gaan.'

'Dat doen we ook. Dat wil zeggen, dat doe ik. Ik verzin wel een reden waarom jij Grissom hebt gezien. Misschien vinden ze hem daar, misschien niet, maar laat mij het vertellen.'

'Goed dan. Maar waar heb je dat pistool dan voor nodig?'

'Zelfbescherming. Voor het geval dat. De man is een moordenaar, Adam, en hij heeft het op mij gemunt.'

'Voor het geval dat,' echode Adam. 'Oké. Goed dan.'

'Geef je het?'

Adam knikte. 'Het ligt nog in mijn auto.'

'Goed,' zei Kent. 'Je geeft me het wapen en het adres waar je die foto hebt gemaakt. Ik bel mezelf, zodat het verhaal klopt. Daarna ga ik naar de FBI en geef hun het adres. Ik zeg dat hij me heeft gebeld en dat we daar hebben afgesproken. Hopelijk is hij er dan nog. Zo niet, dan is het in ieder geval een aanwijzing. Een spoor. Bewijsmateriaal. Een plek waarvandaan ze verder kunnen.'

Kent was nooit goed geweest in liegen. Hij had er gewoon geen aanleg voor, zelfs als hij het echt wilde lukte het hem niet. Zijn gelaatsuitdrukking verraadde hem, hij kon iemand niet recht aankijken en hem een leugen op de mouw spelden. Hij keek Adam niet aan.

'Ben je dat echt van plan?' vroeg Adam. 'Je gaat het adres aan de politie geven? Je gaat geen domme dingen doen? Je gaat er niet zelf naartoe?'

'Ik geef het aan de politie. En jij moet naar Chelsea, voor de zekerheid. Of naar iemand anders. Zoek maar iemand uit met wie je de dag doorbrengt, goed?'

'Waarom?'

'Omdat ze dan niet kunnen zeggen dat jij mij hebt gebeld.'

'Gebeld.'

Kent knikte.

'Oké,' zei Adam. 'Prima.'

Hij liep naar de deur, en Kent volgde hem, ze liepen door de tuin naar de Jeep. Er bleef modder en bladeren aan hun schoenen plakken, alles was doordrenkt van de regen van de afgelopen dagen. Adam haalde de Taurus Judge uit het handschoenenkastje, controleerde het magazijn en gaf het wapen aan zijn broer. Kent pakte

372

het bijna gretig aan. Het wapen leek nu lekker in zijn hand te liggen. Adam had niet verwacht dat hij dit ooit zou meemaken.

Kent zei: 'Het spijt me, Adam. Voor alles wat er is gebeurd, dat jij hierbij betrokken bent, het sp...'

'Daar doen wij niet aan, in onze familie,' zei Adam. 'Als er iemand is die dat weet, dan ben ik het.'

'Waaraan?'

Adam maakte een gebaar naar hun ouderlijk huis. 'In huize Austin doen we niet aan sorry zeggen, Kent. Niemand wilde ooit dat ik het zei. Jij niet, papa niet, mama niet. Niemand. Ik ben weggereden en heb Marie achtergelaten, maar ik mocht van niemand zeggen dat het me speet.'

'Omdat het niet jouw fout was.'

'Ik had haar thuis moeten brengen en dat heb ik niet gedaan. Natuurlijk wist ik niet wat er zou gaan gebeuren, maar dat verandert er niets aan. Maar wij deden allemaal alsof het niet mijn schuld was.'

'Het was jouw schuld niet.'

'Ik had haar thuis moeten brengen,' herhaalde Adam. Hij sloeg het portier van de Jeep dicht. 'Alleen tegen haar heb ik het kunnen zeggen. Jullie wilden het niet horen, maar tegen haar kan ik het tenminste zeggen.'

Kent keek naar hem en naar het pistool in zijn hand, en hij zei niets.

'Dus maak jij ook geen excuses, Kent,' zei Adam. 'Je kunt hier helemaal niets aan doen. Jij hebt die zieke klootzak niet gevraagd hier te komen.'

'Oké.' Kent knikte, keek naar het pistool en zei: 'Je moet me het adres nog geven.'

Adam dacht aan Rachel Bond, aan de manier waarop ze met op elkaar geklemde kaken had gezegd dat ze geen advies nodig had maar een adres. Hij had haar het adres gegeven en weg was ze.

'Adam?' drong Kent aan.

'Je gaat ermee naar de politie, hè?' vroeg Adam.

'Ja.'

'Goed dan,' zei Adam en hij gaf hem het adres. Kent herhaalde het, hij prevelde het alsof het een gebed was en zei toen dat hij ervandoor moest en herhaalde dat Adam naar Chelsea moest gaan en bij haar moest blijven.

'We spreken elkaar snel,' zei Kent.

'Dat hoop ik maar.'

'Pas goed op jezelf,' zei Kent.

'Jij ook, Franchise. Hou je taai.'

Zijn broer knikte, liep naar zijn auto, stapte in met het pistool in zijn hand en reed de straat uit. Adam keek toe hoe de achterlichten verdwenen.

'Ik hou van je,' zei hij hardop, maar de auto was al verdwenen en de straat was leeg.

Hij ging naar binnen om Marie gedag te zeggen en de kaarsen uit te blazen.

49

Kent wilde niet liegen. Dat had hij nooit gewild, maar nu al helemaal niet, en zeker niet tegen Adam, na alles wat die had doorstaan. Daarom had hij opnieuw met de gespleten tong van de waarheid gesproken; hij had niet gelogen, maar de waarheid had hij in zijn hart bewaard.

Hij zou de politie inlichten. Hij zou hun het adres geven.

Maar hij zou eerst zelf langsgaan.

Hij geloofde in zijn plan, hij dacht echt dat het zou werken. Robert Dean, Stan Salter en alle andere rechercheurs die aan de zaak werkten, zouden niet verbaasd zijn als Dan Grissom die dag door zijn toedoen stierf. Kent was tenslotte het doelwit van deze man geweest, en ze kenden Kent. Iedereen in de stad kende hem. Ze kenden hem en ze geloofden in hem, ze wisten hoe hij in elkaar stak; dat zou hem helpen. Hij had al zo lang de juiste beslissingen genomen dat de wereld moeilijk zou kunnen geloven dat hij in staat was nu zo'n verschrikkelijk besluit te nemen.

Maar dat besluit stond vast. Hij ging er een eind aan maken, als het hem lukte zou hij Grissom naar de andere wereld helpen. Voor zichzelf en voor zijn gezin. Voor de veiligheid van Beth, Lisa en Andrew. En voor Adam, die had geprobeerd voor Kent hetzelfde te doen.

Terwijl hij reed, bad hij met het pistool in zijn schoot. Het was het vreemdste gebed dat hij ooit had gebeden. Hij vroeg de kracht om iets te doen wat verkeerd was en om vergeving voor diezelfde daad.

Hij wist dat hij zowel het een als het ander nodig zou hebben.

De rit duurde twintig minuten. Hij bad het hele stuk en stuurde alleen met zijn linkerhand; de rechter lag op het pistool. Hij had het gevoel dat hij zijn vastberadenheid kwijt zou raken als hij het ook maar even losliet. Hij reed op het navigatiesysteem en kwam door delen van de stad waar hij in geen jaren was geweest, en toen meldde de zachte instructiestem dat hij er bijna was en dat zijn bestemming aan zijn linkerhand lag.

Hij beëindigde zijn gebed, klemde zijn hand om het pistool en remde af. Het straatnaambordje gaf aan dat zijn navigatiesysteem gelijk had: hij was op het adres dat Adam hem had gegeven.

Het enige probleem was dat Amherst Road 2299 niet het huis van de foto was. Het was een bakstenen boerderij op een royaal stuk grond, en in de tuin stond een TE KOOP-bordje – het leek in de verste verte niet op het huis dat Adam op de foto had vastgelegd. Kent had geen vragen gesteld omdat Adam niet had geaarzeld: hij had de straat en het huisnummer genoemd alsof ze heilig voor hem waren.

Hij had Kent het verkeerde adres gegeven.

Het was jaren geleden traditie dat staalarbeiders de smeltoven van hun fabriek een naam gaven. Adam wist niet of die traditie in de weinige steden waar nog staal werd gemaakt in ere werd gehouden, maar hij herinnerde zich dat de smeltoven van de Robard Company Becky heette.

Hij parkeerde bij het verlaten gevaarte en zette zijn Jeep op het uitgestorven fabrieksterrein, met de overgroeide spoorrails die van hem weg leidden, de gigantische pijp van de smeltoven en zijn enorme schaduw als de zon het won van de donkere wolken die op een westenwind door de hemel joegen. Jarenlang had hij aan de rook die uit die verweerde schoorsteen omhoogdreef een vreemde trots ontleend, omdat zijn vader er trots op was geweest daar te werken. Heel even, op het moment dat hij het portier opende, dacht hij de rook te kunnen ruiken. Grappig hoe je herinneringen met je zintuigen aan de haal gaan.

Hij droeg dezelfde spijkerbroek en dezelfde laarzen als altijd, met een zwart jack dat hij openliet zodat hij snel bij de Glock in zijn holster kon. Hij had geen wapen dat hij weg kon gooien, geen ongeregistreerd wapen van de straat, alleen dat van hemzelf.

Misschien is hij al vertrokken, dacht Adam terwijl hij van de staalfabriek naar Erie Avenue liep. Misschien is hij 'm meteen nadat ik Sipes heb doodgeschoten gesmeerd en zien we hem nooit meer terug.

Toen hij bij de stoep kwam, bleef hij staan en keek naar de straat. Er stond een witte Buick Rendezvous, de auto waarmee Grissom was weggereden op de dag dat Adam de foto's had genomen.

Even bleef hij staan. Toen keek hij naar rechts, in de richting van de eindeloze, kille watervlakte die zich tot Canada uitstrekte. Hij zag het hek waar hij twee dagen daarvoor met Sipes doorheen was gekropen. Een paar meeuwen cirkelden rond boven de plek waar Sipes was gestorven, doken omlaag op zoek naar iets eetbaars, vonden niets van hun gading en klommen de lucht weer in.

Er gonsde iets, een warm zoemgeluid in de stille straat. Het was zijn telefoon, hij trilde in zijn jaszak. Hij haalde hem eruit. Het was Kent.

Hij hoefde niet op te nemen om te weten dat zijn broertje op Amherst Road was aangekomen. Adam wist dat hij ernaartoe zou gaan, en hoewel het hem ergens ook teleurstelde, sterkte het hem in zijn besluit. Hij had Kent naar het juiste adres gestuurd. Er schuilde geen kwaad in Amherst Road 2299. Daarvan was Adam overtuigd. Hij had in de tuin gestaan en gezien wat er was en wat er mettertijd zou kunnen zijn. Kwaad zat daar niet tussen.

Hij hield de telefoon in zijn hand tot het trillen was gestopt; toen deed hij hem weer in zijn zak en sloeg links af. Het meer lag achter hem, Erie Avenue 57 vóór hem.

'Is mijn broer bij jou?' vroeg Kent, de telefoon in de ene hand en het pistool in de andere, met draaiende motor voor het vredige boerenhuis aan Amherst Road.

'Nee,' zei Chelsea Salinas. 'Hoezo, Kent? Wat is er?'

'We moeten hem vinden,' zei Kent. 'En snel ook.'

'Wat is er aan de hand?' herhaalde zij.

'Als hij niet bij jou is, weet ik waar hij wél is, maar ik heb jouw hulp nodig om het te vinden. Hij is naar de plek waar Rodney Bova midden in de nacht naartoe ging. Donderdagnacht. Rodney Bova droeg een zendertje.'

'Wat doet hij daar dan?'

'Mij ervan weerhouden hetzelfde te doen,' zei Kent. 'Chelsea, ik heb het adres nodig. Kun je dat voor me opzoeken?'

'Als het volgapparaat het heeft geregistreerd, kan ik het vinden. Wacht even.'

'Snel,' zei Kent. 'Alsjeblieft.'

Ze stelde geen vragen. Ze legde de telefoon neer, hij hoorde dat ze in het kantoor rommelde en dat haar vingers over het toetsenbord gingen, en al snel was ze weer aan de lijn, haar stem angstig maar ferm.

'Erie Avenue 57,' zei ze. 'Wat is er aan de hand, Kent?'

'Ik moet daar zo snel mogelijk naartoe,' zei hij.

Maar Erie Avenue lag aan de andere kant van het district, in het noordoosten van het stadje, bij de oude staalfabriek. Hij kon er niet snel zijn. Zijn broer had hem te ver weg gestuurd; hij zou nooit op tijd komen.

'Bel de politie, Chelsea,' zei hij.

'De politie?' Ze leek te aarzelen, en hij begreep waarom. Ze dacht aan Sipes, aan een aanklacht wegens moord en aan de gevangenis, en hij ramde de auto in zijn achteruit en begon aan de rit waarvan hij wist dat hij niet snel genoeg zou gaan. Chelsea zei: 'Het is hier niet ver vandaan. Ik ga naar hem toe.'

'Niet doen,' zei hij. 'Chelsea, bel de politie.'

Maar ze had de verbinding al verbroken.

Hij gooide de telefoon op de stoel naast hem, trapte het gaspedaal diep in en spoot zonder op of om te kijken langs een stopbord. Maar één blik op het schermpje van het navigatiescherm was genoeg om te zien dat hij te laat zou komen. Wat er ook stond te gebeuren, Kent zou te laat zijn, precies zoals Adam het had beraamd. Terwijl hij met vliegende vaart over de plattelandswegen scheurde, belde hij weer naar zijn broer. Er werd niet opgenomen.

En weer liep hij naar de deur aan de zijkant van het huis, de deur waar Grissom uit was gekomen toen Adam nog geen idee had wie hij was, de deur die Sipes, vlak voor zijn executie, met ontbloot bovenlichaam en glimlachend voor Adam had opengedaan. Het lege, aluminium frame van de tochtdeur zat niet helemaal dicht en bewoog op een windvlaag, een zacht, regelmatig klapperen.

Wap, wap, wap.

Op het moment dat hij naar de deur toe liep, trilde Adams telefoon weer, maar deze keer zette hij hem uit zonder op het schermpje te kijken. Hij haalde de Glock uit zijn holster, keek naar de gesloten deur en vroeg zich af hoe hij het moest aanpakken. Sipes had hem vreedzaam geopend en ingestemd met een wandeling en een praatje. Maar hij had geen enkele garantie dat Dan Grissom hetzelfde zou doen.

Adam had het gevoel dat de tijd van rustig aankloppen voorbij was.

Hij deed zijn rechtervoet naar achteren en trapte toen met zijn hak vlak naast de deurknop tegen de deur. Het was een perfecte trap, snel en hard, en het hout versplinterde en de deur sloeg open; de met linoleum bedekte traptreden erachter voerden naar de keuken. Adam trok wat er van de tochtdeur over was open en zette zijn voet op de onderste trede. Zijn pistool lag in zijn hand. Binnen, links van de keuken, hoorde hij iemand. Hij sprong de trap op en maakte in de schiethouding een scherpe draai naar links. Hij zag Dan Grissom nog net door de woonkamer rennen, de gang in. Adam schoot één keer; op het moment dat hij de trekker overhaalde wist hij al dat hij een fractie van een seconde te langzaam was. De kogel vloog door de lucht waar Grissom vlak daarvoor nog had gestaan en boorde zich in een wolk van kalk in de muur.

Adam had drie stappen nodig om vanaf de bovenste trede van de korte trap bij de drempel tussen de keuken en de woonkamer te komen; daar liet hij zich op één knie zakken, maakte een beweging naar links en zag dat Grissom zich aan het eind van de gang naar hem omdraaide, en op hetzelfde moment zag hij het jachtgeweer en terwijl ze tegelijk vuurden dacht hij: ik wou dat hij een ander wapen had.

Adams 9-mm kogel raakte Grissom in zijn rechterwang en doorboorde hem – hij sloeg tegen de muur en zakte op de vloer, bloed, bot en vlees trokken een spoor over de vuilgele verf. Het was een perfect schot, door het hoofd: schoon, zuiver en dodelijk.

Grissom, bij wie de paniek veel groter en de vaardigheid veel kleiner was, schoot minder gericht.

Maar dat werd gecompenseerd door het jachtgeweer. Van vijf meter afstand vuurde hij een lading af, en de dunne laag gips tussen Adam en de tromp van het geweer konden de negen massieve loden hagelkorrels uit het patroon niet tegenhouden. Ze vlogen door het wandje en vonden zijn linkerzijde ongedekt, en openden die en vergoten zijn bloed. Adam had er niet voor niets bij zijn broer op aangedrongen de hagelpatronen eerst te gebruiken. Die vergden geen precisie.

Hij viel op zijn rechterzij, maar hij liet zijn wapen niet los en hield zijn blik op Grissom gericht. Die lag dodelijk gewond achter in de hal.

Voor alle zekerheid, zei Adam tegen zichzelf, en hij mikte heel zorgvuldig, hij concentreerde zich door alle pijn heen, de pijn die hem als een opstijgende mist te pakken kreeg, en hij haalde de trekker nog een keer over. De Glock sloeg nog een keer terug en een tweede kogel vond zijn weg naar Dan Grissoms lichaam; deze drong zijn borst binnen. Het lijf reageerde alleen even toen de kogel zich erin boorde. Dan Grissom was al dood.

Ik heb hem, Kent, dacht hij. Ik heb hem voor je te pakken genomen.

Meteen daarna werd hij door duizeligheid overmand, en hij legde de Glock neer en zette zijn rechterhand op de vloer en zoog lucht naar binnen om tegen de ondraaglijke pijn te kunnen.

Nog even sterk zijn, zei hij tegen zichzelf. Roep het op, Austin. Zoek het. Verdomme, je hebt er heus nog wel wat van over, roep het op.

Hij werkte zichzelf met een gesmoorde kreet omhoog; hij wist zo ver overeind te komen dat hij stond en met zijn rechterhand tegen de muur kon steunen. Even dacht hij dat hij van zijn stokje zou gaan, maar hij wist de flauwte te onderdrukken en schuifelde terug naar de keuken, waar hij ervoor zorgde dat hij niet in zijn eigen bloed uitgleed.

Het lukte hem de trap af te komen en door de deur naar buiten te gaan, de koude wind in. Daar stond hij zichzelf toe de wond te bekijken.

Het enige wat hij besefte, was dat hij te veel kon zien. Delen van zijn lichaam die onzichtbaar zouden moeten zijn, waren dat niet meer, en de zijkant van zijn jack en zijn spijkerbroek glansden van het bloed. Met zijn rechterarm trok hij zijn jack strakker om zich heen, en hij slaagde erin de rits omhoog te trekken, alsof dat zou helpen. Hij bleef even staan, zonder goed te weten wat hij moest doen. Ver zou hij niet komen, maar hij mocht daar niet stoppen, net zomin als hij in dat duivelse huis had willen eindigen.

Toen zag hij de enorme schoorstenen, en hij liep ernaartoe, zich er vaag van bewust dat die bij de plek hoorden waar hij vandaan was gekomen, hoewel hij niet meer precies wist waarom of waar die plek was. Hij bereikte de stoep en zag dat iemand op de veranda van het huis van de buren hem aanstaarde. Er werd iets naar hem geroepen, maar hij kon het niet verstaan. Hij aarzelde weer, keek naar de schoorstenen en besefte dat die veel te ver weg waren. Zo ver zou hij nooit komen.

Hij sloeg links af en slingerde over de stoep. Voor hem lag Lake Erie. Hij zag de meeuwen, ze cirkelden nog steeds rond, de ijverige dieren overleefden de koude wind niet alleen, maar deden er nog hun voordeel mee ook. Hij herinnerde zich de stenen en de golven en de ondiepe plassen die tussen de stenen achterbleven en hij dacht: dat is de juiste plek, niet te ver weg.

Het kostte hem grote moeite om bij de eerste zijstraat te komen. Zijn voeten gehoorzaamden hem niet en alleen al in evenwicht blijven was een gevecht, laat staan vooruitkomen. Er werd nog steeds geroepen, maar hij deed geen moeite de woorden te ontcijferen, tot hij in een van de kreten zijn eigen naam herkende. Hij bleef staan, keek om en zag Chelsea.

Ze sprong uit haar auto en rende naar hem toe.

Natuurlijk, dacht hij, terwijl de gloeiende pijn overging in warme opluchting, natuurlijk. Ze was naar hem toe gekomen, dat had hij moeten weten, hij had het zich moeten herinneren en het gaf hem een slecht gevoel dat hij het was vergeten. Hij draaide zich naar haar om, maar zich omdraaien was geen goed idee, het was te moeilijk voor die niet meewerkende rotbenen die normaal zo sterk waren, ze raakten in de war en begaven het, en voor hij het wist lag hij op de stoep.

Toen ze bij hem was en hem in haar armen nam, zag hij dat hij haar met bloed besmeurde, ze zat er helemaal onder en dat beviel hem helemaal niet. Er liepen tranen over haar gezicht, en ook dat was niet goed. Ze zei iets over een ambulance, en hij wilde graag luisteren want het was duidelijk dat ze het belangrijk vond, maar al zijn aandacht ging naar haar tranen en het bloed. Hij wilde het wegvegen, maar daar had hij de kracht niet voor, ze zou het zelf moeten doen.

'Het spijt me,' zei hij tegen haar. Hij wist zeker dat zijn woorden haar bereikten, hij wist zeker dat hij ze duidelijk had uitgesproken, maar ze reageerde er niet op, ze praatte nog steeds over de ambulance. Hij antwoordde niet, hij wist niet wat hij moest zeggen, maar toen zei ze dat ze van hem hield en wist hij wel wat hij moest antwoorden, dat was gemakkelijk, want hij hield van haar, hij had altijd van haar gehouden. Hij was heel blij dat ze bij hem was, maar hij had gewild dat het niet zó zou hoeven zijn, met bloed en met tranen.

'Het spijt me,' zei hij weer, en deze keer leek ze te begrijpen hoe lastig het was om de woorden uit te spreken, hoeveel moeite het hem kostte. Ze legde haar handen op zijn wangen, twee sussende koele handen in een wereld die veel te heet was geworden.

'Dat weet ik, liefje,' zei ze. 'Dat weet ik. Het geeft niet, het is goed.'

50

Tegen de tijd dat Kent er was, werd Adam al naar het ziekenhuis vervoerd. De politie treuzelde niet, ze brachten hem direct naar het ziekenhuis, en daar hoorde hij dat zijn broer was overleden.

Het werd hem verteld door een chirurg. In de ambulance gestorven, zei hij terwijl hij zijn hand met een gebaar dat troostrijk was bedoeld op Kents arm legde. Een hagelwond. Het speet hem heel erg. De politie wist meer dan hij. Hij kon alleen zeggen dat hij dood was.

FBI-agent Dean was inmiddels ook gearriveerd, net als Stan Salter. Ze stelden nog geen vragen, waarvoor Kent hen dankbaar was.

'Hij heeft Grissom gevonden,' vertelde Dean. 'Veel meer weten we nog niet. Grissom lag dood in het huis. Uw broer is er nog wel in geslaagd naar buiten te strompelen, maar veel verder is hij niet gekomen.'

Kent knikte en vroeg of hij even alleen mocht zijn voordat hij het gesprek zou vervolgen. Natuurlijk, zei Dean, zo lang hij maar wilde, en hij vroeg of hij Beth moest bellen of dat Kent dat zelf wilde doen. Kent antwoordde dat hij dat zelf zou doen en liep met klapperende schoenen over de glanzende, gedesinfecteerde vloer van de lange, helverlichte gang naar de parkeergarage. Daar wisten zijn benen hem nog net langs de rijen met auto's te dragen en toen hij wist dat ze hem niet veel langer zouden houden, zocht hij het dichtstbij gelegen plekje dat beschut was. Iets verderop was een losplaats, de roldeuren waren omlaag en er stonden geen vrachtwagens, en daar liet hij zich op de vloer zakken, legde zijn hoofd tussen zijn knieën en huilde om zijn broer.

Hij had geen idee hoe lang hij daar had gezeten. Op een gegeven moment hadden Dean en Salter de ziekenhuisdeuren geopend, en ze zagen hem wel maar kwamen niet naar hem toe. Uiteindelijk droogden zijn tranen op, want zo ging dat, ze hadden geen keuze. Hij keek naar Robert Dean en dacht aan wat die nog maar een paar uur eerder had gezegd, toen hij Kent de relatie tussen Grissom en Sipes had uitgelegd, zijn theorie dat de een de ander had vermoord.

Twee mannen zijn met een geheim uit dat vakantiehuisje weggelopen, en van hen is er nog maar één over.

Hij stond op, sloeg het vuil van zijn broek en liep naar de politie om uit te leggen hoe het kwam dat zijn broer was overleden.

In het huis op Erie Avenue 57 vond de politie spullen van Rachel Bond, reden genoeg om wijlen Dan Grissom en Clayton Sipes als de hoofdverdachten van de moord op haar te beschouwen. Dean vertelde Kent in vertrouwen dat drie mannen die op dat moment in de gevangenis zaten en één ex-gevangene hadden aangegeven over Grissom te willen praten. Hij ging ervan uit dat hun verhaal en het forensische bewijs genoeg zouden zijn om de zaak-Bond te kunnen sluiten – en hopelijk nog een paar andere ook. Kent vroeg of ze hem, als hij in leven was gebleven, zouden hebben kunnen veroordelen. Dean antwoordde dat ze erg sterk hadden gestaan.

Penny Gootee vertelde iedere nieuwsdienst die het wilde horen dat ze met de resultaten was ingenomen en dat Adam Austin haar de moorden die hij had gepleegd van tevoren had beloofd. Dat verhaal ging al snel het hele land door en kwam zelfs in het buitenland terecht – Kent kreeg telefoontjes van journalisten uit Frankrijk en Engeland. Die zondag riep hij zijn coaches bij elkaar en vertelde hun dat hij voor de rest van het seizoen terugtrad, omdat zijn team niets aan alle media-aandacht had en hij bij zijn gezin moest zijn. Hij benoemde Byers tot hoofdcoach. Hij liet hen het werk doen dat gedaan moest worden, deed de deur achter zich dicht en verliet de kleedkamer – hij bleef alleen even staan om naar de foto van het kampioensteam van 1989 te kijken, met de twee Austin-broers naast elkaar.

Ze begroeven zijn broer op dinsdagochtend vlak na zonsopkomst, in besloten kring, met alleen Kents gezin, Chelsea Salinas en Stan Salter, die Kent had gevraagd of hij er ook bij mocht zijn. Het was een korte, eenvoudige plechtigheid. Het was hun bedoeling de media voor te zijn, en dat lukte. Toen ze de begraafplaats verlieten, stuurde Kent Beth en de kinderen vooruit en vroeg hij Chelsea of ze een momentje voor hem had.

Ze droeg een elegant zwart jurkje, maar toen ze bij haar gebutste oude Corvette aankwamen, gleed ze uit haar schoenen en ging op de vuile motorkap zitten. Kent stond in zijn pak voor haar en vroeg hoe de laatste momenten van zijn broer waren geweest.

Ze vertelde alles wat ze hem kon vertellen. Haar stem werd soms onvast, maar brak nooit. Adam wist dat hij stierf, zei ze, maar ze had het gevoel gehad dat hij blij was haar te zien. Hij leek niet bang te zijn, maar het leek hem wel te spijten. Dat had ze bij hem weg willen nemen, ze had hem vredig willen laten sterven, maar ze wist niet zeker of dat haar was gelukt.

'Ik ben blij dat jij op tijd bij hem was,' zei Kent en dat meende hij uit de grond van zijn hart. 'Was ik ook maar op tijd geweest.'

'Hij zou je niet gezien willen hebben,' zei ze. Haar stem klonk heel zeker. 'Hij had niet gewild dat je dat had moeten meemaken.'

'Ik had bij hem moeten zijn.'

Ze deed haar haar achter haar oren, keek uit over de begraafplaats en zei: 'Hij is altijd blijven proberen het bij Marie goed te maken. Dat was vreselijk triest, maar het is ook een van de redenen dat ik zoveel van hem hou.'

'Ik had hem kunnen helpen,' zei Kent, 'en dat heb ik niet gedaan. Als ik andere keuzes had gemaakt of hem daar meer bij had betrokken, dan...'

'Weet je wat hij me laatst vertelde, Kent? Hij zei dat hij had gewild dat hij samen met jou had kunnen coachen. Hij had geen hoofdcoach willen zijn. Ik geloof dat hij alleen de verdediging had willen doen. En weet je wat ik daaruit opmaakte? Dat hij trots op je was. Misschien niet altijd, dat is onmogelijk. Maar door de bank genomen vertrouwde hij je.'

Kent zocht naar een antwoord, maar vond er geen.

'Heeft hij er goed aan gedaan te doen wat hij heeft gedaan?' vroeg Chelsea. 'Nee. Maar hij heeft het niet voor zichzelf gedaan.'

Haar blik dwaalde weg van de begraafplaats en keerde terug bij Kent. Ze vroeg: 'Mag ik je iets vragen?'

'Natuurlijk.'

'Dat huis waar hij je naartoe heeft gestuurd. Dat adres dat hij je gaf. Lag dat buiten de stad? Was het Amherst Road?'

Hij knikte. 'Hoe weet je dat? Waarom liet hij me daarheen gaan?'

Voor het eerst liepen haar ogen vol tranen. Ze veegde ze weg en schudde haar hoofd. 'Ik had al zo'n gevoel,' zei ze, en hij had graag meer willen weten maar voelde aan dat hij niet door moest vragen. Dit was iets tussen Adam en Chelsea, en daar moest het blijven.

'Ik heb begrepen dat hij geen testament heeft achtergelaten,' zei Kent. 'Maar ik wil dat jij bij zijn nalatenschap wordt betrokken, want dat had hij zo gewild.'

Ze schudde haar hoofd. 'Het zit in een trust fund voor zijn nicht en neef. Alles. Er zijn nog een paar andere dingen. Die hebben voorrang. Eén daarvan kan ik afhandelen. Dat is: de naam van Rodney Bova zuiveren. Daar zorg ik voor. Het andere moet jij denk ik op je nemen.'

'Wat dan?'

'Je zus vertellen wat er is gebeurd.'

'Moet ik met mijn zus gaan praten?'

'Dat deed Adam,' zei ze. 'Hij zou willen dat ze het wist, denk ik. Ik denk dat hij dat heel belangrijk zou vinden.'

Ooit zou Kent dat van de gekke hebben gevonden, maar nu niet meer.

'Weet je, ik had haar ook thuis kunnen brengen,' zei hij.

Chelsea keek hem aan zonder iets te zeggen.

'Adam zou haar met de auto brengen, maar zei tegen mij dat hij dat niet ging doen. Ze moest gaan lopen. En ik ging alleen maar naar wedstrijdbeelden kijken. Ik had haar ook naar huis kunnen brengen. Als ik op de terugweg had gerend, zou ik in tien minuten terug zijn geweest. Adam kreeg de schuld, maar ik wist hoe het zat en ik nam dezelfde beslissing als hij. Ik zei ook dat het niet ver was en er niet veel mis kon gaan. Hij was niet de enige die niet voor haar zorgde.'

'Heb je dat weleens tegen hem gezegd?' vroeg Chelsea.

'Nee,' zei hij. Zijn stem trilde. 'Nee, nooit. Maar ik wilde het wel tegen jou zeggen.'

Chelsea legde een koele hand op zijn arm. 'Vertel het je zus,' zei ze. 'Zeg het tegen haar, vertel haar alles. Dat zou Adam fijn hebben gevonden.'

'Ik zal het doen,' zei hij. 'Blijf je in de buurt, Chelsea? Ik zou graag met je willen praten... Ik vind dat we dat moeten doen. Alsjeblieft?'

Ze keek weg. 'We kunnen wel met elkaar praten, Kent. Maar ik denk niet dat ik hier nog lang blijf wonen.'

'Waar ga je dan naartoe?'

'Ik heb geen idee,' zei ze. 'Maar het is tijd om verder te gaan. Dat is het enige wat ik weet. Hij was er ook aan toe, en ik... En nu... Tja, nu blijf ik over, hè? Maar we hadden goed ingeschat dat het tijd was om verder te gaan.'

Ze liet zich van de motorkap glijden en ze zeiden elkaar gedag. Meer viel er niet te zeggen, maar ze bleef met haar hand op het portier staan.

'Ik las in de krant dat je het seizoen niet afmaakt.'

'Dat klopt. Mijn plek is nu niet op het footballveld, Chelsea.'

'Je broer,' zei ze, 'zou je daar enorm voor op je donder gegeven hebben.'

Dat waren de laatste woorden die ze zei voordat ze in de oude Corvette stapte en wegreed. Kent bracht zijn vrouw en kinderen naar huis, en ging toen naar Adams woning, in zijn eentje, om zijn zus te vertellen dat haar broer dood was en uit te leggen hoe hij was gestorven, en waarom.

Matt Byers coachte het team. Kent bezocht niet één training. Hij wilde daar geen cameraploegen, ze moesten zijn jongens met rust laten, en als hij er zou rondlopen, zou hij niet aan hun rust bijdragen. Hij bleef tot donderdag met Beth en de kinderen in het hotel zitten. Toen ze zich eindelijk weer in hun huis waagden, waren de camera's verdwenen. Er kwamen een paar buren langs, maar de meeste mensen bleven op afstand en gaven het gezin de ruimte.

'Je moet wel bij de wedstrijd zijn,' zei Beth. 'Dat weet je.'

Hij wist het. Ze gingen er samen naartoe en namen plaats op de tribune. Het was voor het eerst sinds zijn kinderjaren dat hij een wedstrijd van Chambers vanaf de tribune bekeek. Ze speelden tegen de Center Point Saxons, een school die tot dat seizoen bekender was vanwege zijn fanfare dan vanwege zijn footballteam. Kent zag hoe Byers de Cardinals met een snelle aanval en een agressieve verdediging naar een 14-10 voorsprong bij rust leidde. Lorell had twee keer geprobeerd Colin Mears te bereiken, maar het was beide keren mislukt. In de tweede helft zocht hij hem niet meer op, en wist de aanval niets meer te halen. Maar de verdediging speelde briljant en stond alleen één velddoelpunt toe. Zo wisten ze een 14-13 voorsprong over de meet te slepen en was een plek in de finale in Massillon veiliggesteld.

De week erna zou het net zo moeten gaan. Die zondag kwam hij met zijn coaches bij elkaar en zei hij dat ze het geweldig hadden gedaan, dat hij hen alleen maar van de wedstrijd afleidde en dat hij bij zijn gezin en niet bij zijn footballteam moest zijn. Zij zeiden dat ze het begrepen, en hij zei dat hij ervan overtuigd was dat ze zouden winnen, en daarmee zou de kous af moeten zijn. Hij zou in Massillon op de tribune gaan zitten, hij zou van een afstandje naar die heilige grond kijken waarvan hij het hele jaar had gedroomd.

Maar op maandagavond werd er aangebeld. Kent deed open met de verwachting dat er een journalist zou staan, maar het was Colin Mears.

'Heeft u even, Coach?'

Kent wilde hem niet even geven. Hij wilde niemand anders in zijn huis dan zijn gezin, maar dat kon hij natuurlijk niet zeggen, dus liet hij Colin binnen en luisterde naar de jongen, die Kent vertelde dat hij naar zijn team moest terugkeren.

'Ik waardeer wat je zegt,' zei Kent. 'Ik waardeer het heel erg. Maar dit is voor mij niet het moment om met football bezig te zijn. Dat moet je begrijpen.'

Hij ging ervan uit dat deze zeventienjarige jongen bij uitstek degene was die dat begreep.

'Ik ben er om jullie te steunen,' zei Kent. 'Dat weet je. Maar ik draag op dit moment niet veel bij.'

'U heeft mij zien spelen,' zei Colin. 'U heeft heel goed gezien wat ik aan de afgelopen wedstrijden heb bijgedragen. Niets. Maar weet u, Coach? Ik heb niemand in de steek gelaten.'

'Ik laat jullie niet in de steek,' zei Kent, maar die stelling was moeilijk te verdedigen. Hij had de tribune boven het veld verkozen. Het was een terechte keus, vond hij, maar hoe hij dat Colin moest uitleggen, wist hij niet.

'Ik heb Rachel beloofd dat we zouden winnen,' zei Colin. 'U zei dat dat niet belangrijk was.'

'Dat is het ook niet.'

'Was het ook niet belangrijk toen u me beloofde dat u er voor mij zou zijn?'

De jongen was woedend. Of eigenlijk ging het verder dan woede. Hij voelde zich verraden – dat was het woord. Kent keek hem aan, zei dat hij zijn verzoek in overweging zou nemen en liet hem uit. Toen hij de deur achter hem had dichtgedaan, stond Beth te wachten.

'Heb je hem gehoord?' vroeg hij.

'Ja.'

'En?'

'Je zei tegen hem dat je nu bij je familie moest zijn,' zei Beth. 'Maar dat team maakt deel uit van je familie, Kent.'

En zo keerde hij terug. Hij stond op het veld toen zijn team voor de dinsdagtraining arriveerde. Niemand zei iets tegen hem, de coaches niet en de spelers niet – ze wachtten alleen maar af wat hij was komen zeggen.

'Ik ben niet echt in goeden doen op het moment,' zei hij tegen zijn team. 'Ik weet dan ook niet of jullie veel aan me zullen hebben. Maar ik zou het waarderen als jullie het goedvinden dat ik toekijk hoe jullie afmaken wat jullie zijn begonnen.'

Byers deed de training; hij hielp alleen bij de positieoefeningen en maakte wat opmerkingen over technische details. Veel zei hij niet, hij keek vooral. Die avond bestudeerde hij voor het eerst weer wat beeldmateriaal. Hun tegenstander, Center Grove, was erg goed. Ze hadden een uitstekende quarterback en handige receivers, ze scoorden veel punten en speelden de tegenstander uit elkaar. Hun eerste receiver liep geweldige patronen en had vaste handen, en hun nummer twee, die Shepherd heette, was minder balvast maar razendsnel. Hij vloog over het veld, en die dreiging opende ruimtes. Kent bleef nog een uur naar beelden van hem kijken.

Op woensdag riep hij Colin bij zich en vroeg of hij de beelden van zowel de verdediging als de aanval van Center Grove had bekeken. Natuurlijk had Colin dat gedaan. Hij had alles gezien.

'Als we je dat zouden vragen,' zei Kent, 'zou jij dan op Shepherd kunnen spelen? Zou jij hem kunnen dekken?'

Colin keek hem met open mond aan. 'Als cornerback, bedoelt u?'

Kent knikte. 'Zijn snelheid gaat ons problemen opleveren. Ik weet dat jij hem bij kunt houden, verder hebben we niemand die dat kan. Maar kun jij op die plek spelen als je in de mandekking moet spelen? Eerlijk zeggen.'

'Ik ken alle patronen,' zei Colin. Hij dacht er goed over na en knikte. 'Dat kan ik wel, ja.'

'Misschien dat we het niet doen,' zei Kent. 'Maar het is een idee.'

In de derde minuut van het tweede kwartier ving Colin Mears zijn eerste pass – een pass van de quarterback van de tegenstander. Het stond 7-7, en hij stond in de mandekking als cornerback. Kent gebruikte hem alleen in situaties waarin hij wist dat ze de lange bal zouden spelen. De eerste keer dat hij het erop waagde, passte de quarterback niet maar begon hij met de bal te lopen; Colin vloog er zonder aarzeling op af, kwam wild maar snel in en gooide zich voor zijn voeten om hem te tackelen. Om zo in te komen moest je opofferingsgezind zijn – je kon geen tik uitdelen zonder er zelf een te incasseren. De tweede keer stond hij aan het einde van de verdedigingslinie en passten ze de bal op de tight end, maar bij de derde poging stelde Center Grove hem eindelijk echt op de proef. Ze stuurden Shepherd diep, hij sprintte op volle snelheid langs de zijlijn, en de quarterback legde de bal precies vóór hem zoals alleen hij dat kon.

Althans, dat was het idee. Maar Colin liep met hem mee – het was snelheid tegen snelheid, en terwijl de bal door de lucht zeilde, kwam hij een volle stap op Shepherd voor en ging zijn blik omhoog; toen nam het instinct van de receiver het in hem over, vergat hij zijn man en ging voor de bal.

Je hoeft hem alleen maar naar de grond te werken, dacht Kent. Dat was het enige wat hij moest doen, de bal naar de grond werken.

Maar dat deed hij niet – hij ving hem. Hij draaide zich om, zag tot zijn verrassing een leeg veld voor zich en zette het op een lopen. Voordat hij werd getackeld, had hij de bal naar het middenveld teruggelopen. Bij de zijlijn stonden de jongens voor hem te juichen. Colin glimlachte en Kent besefte dat hij de jongen vijf weken geleden voor het laatst had zien glimlachen. De glimlach zou niet lang blijven, maar nu was hij er en dat deed hem goed.

'Beloning één, risico nul,' zei Byers in Kents headset.

'Idee van mijn broer,' antwoordde Kent langs de zijlijn ijsberend. In de headset bleef het stil; geen van de coaches wist wat hij moest zeggen, maar dat gaf niets. Kent zei: 'Tijd om met ze af te rekenen, heren.' En toen was het weer alles football wat de klok sloeg.

Bij rust stonden ze met 14-7 voor. Vroeg in het derde kwartier gooide Lorell een pass op Colin, die een diagonaal liep. Hij ving hem en hoewel hij slechts zeven yard won, brulde het Chamberspubliek zich de longen uit het lijf, wat de Center Grove-fans nogal leek te verbazen. Twee downs later ving hij weer een bal, waarna Lorell de bal zelf over de achterlijn liep en het 21-7 stond. Byers vroeg Kent of hij Mears weer cornerback moest zetten.

'Ik denk dat dat niet meer nodig is,' zei Kent.

De wedstrijd was inderdaad gelopen. Het werd 35-10.

Beth kwam het veld op, met de kinderen aan weerszijden. Kent vroeg: 'Waarom huil je?' maar toen ze haar armen om hem heen had geslagen huilde hij ook. Ze trok de klep van zijn pet omlaag om hen af te schermen, en ze drukte haar gezicht tegen het zijne en hun tranen vermengden zich. Ze hield hem zo een hele tijd vast; toen maakte ze zich los en veegde ze zijn gezicht schoon en zei: 'Ga maar naar je team.'

Hij ging naar hen toe. Ze hadden zich in het midden van het veld verzameld, zoals zoveel teams dat na de laatste wedstrijd van het seizoen hadden gedaan, maar deze keer was het toch anders. Hij hoefde hun niet te vertellen waar ze de overwinning die avond moesten zoeken. De trofee ging van hand tot hand, iedereen wilde hem aanraken en Kent keek toe en probeerde de juiste woorden te vinden.

'Heren,' zei hij. 'Ik weet dat dit een moment is waarop je alleen aan feestvieren denkt, en feestvieren zullen we, maar eerst wil ik...'

Hij aarzelde daar, jullie eraan herinneren, had hij willen zeggen, herinneren, herinneren, je voorbereiden. Maar ze hadden herinnerd en ze waren voorbereid geweest en die avond hadden ze gewonnen. Morgen zouden er weer andere dingen op hun weg komen, maar vanavond hadden ze gewonnen.

'Maar eerst wil ik jullie bedanken,' zei hij. Dat was alles wat hij wilde zeggen, die avond.

Het gevangenisterrein beslaat meer dan 445 hectare, waarvan het grootste gedeelte uit bestrating en gebouwen bestaat, met daaromheen hoge hekken met prikkeldraad erop. Zelfs op heel mooie dagen is het een sombere plek, maar in februari, met sneeuw van een week oud onder een grijze lucht, is het er helemaal akelig. Dag in dag uit gaan

honderden mensen de bakstenen gebouwen in om er te werken. Meer
dan tweeduizend mannen blijven binnen. Voor hen is het hun thuis.

De man en de jongen komen op bezoek. De man kent de plek goed,
de jongen niet. Ze melden zich, passeren de strenge controle en volgen
een gevangenbewaarder door eindeloze gangen en talloze deuren die
achter hen in het slot vallen zodra ze zijn gepasseerd. De jongen, lang,
slank en alert, kijkt iedere keer dat de deur dichtvalt even achterom.
De man vraagt hem of hij zeker weet dat hij dit wil doen, daar wil zijn.

De jongen antwoordt bevestigend.

Je hoeft alleen maar te luisteren, zegt de man. Je hoeft niets te zeg-
gen, tenzij je dat wilt.

We zien wel hoe het loopt, zegt de jongen.

Dan komen ze door een laatste deur. In deze ruimte zit een groep
mannen in oranje overalls op plastic stoeltjes. De gevangenbewaarder
richt het woord tot hen, hij zegt dat de coach er is. De man vraagt hun
hem Kent te noemen, niet coach. Hij zegt dat hij niet is gekomen om
over football te praten, dat er die dag andere dingen te bespreken zijn.
Hij is gekomen om hun over zijn familie te vertellen, over zijn zus en
zijn broer en zichzelf, en hij is gekomen om hun te vertellen dat ze niet
zo ver van elkaar af staan, deze mannen achter tralies en prikkeldraad
en deze man die roem heeft vergaard op een footballveld. Ze staan
helemaal niet ver van elkaar af, en het is belangrijk om dat te weten.

Ik wil jullie graag vertellen, zegt hij, over de dag waarop ik iemand
wilde vermoorden.

Ik wil jullie graag vertellen wat ik toen heb geleerd.

DANKWOORD

Zonder de genereuze steun van het footballteam van de Blooming-ton High School North had ik dit boek nooit kunnen schrijven. Ik ben Coach Scott Bless en zijn assisenten heel erg dankbaar dat ze me tijdens het seizoen van 2011 deel van het team lieten uitmaken en al mijn vragen verdroegen. Tyler Abel verdient het leeuwendeel van mijn dankbaarheid omdat hij mijn contact met het Blooming-ton North-team heeft gefaciliteerd en verreweg het grootste aantal vragen heeft aangehoord. Hij heeft me geholpen het idee voor het boek tot het boek zelf uit te laten groeien, en ik ben hem veel dank verschuldigd voor zijn inzichten en vriendschap.

Verder dank ik alle spelers van dat team, dat in het jaar dat ik mijn research deed een geweldig, enerverend seizoen speelde. Wat was die conversie in de extra tijd in Columbus mooi, jongens!

Ook Don Johnson van Trace Investigations was, als altijd, een bron van onschatbare waarde, net als George Lichman van de politie van Rocky River, en Gideon Pine. Alles wat in dit verhaal klopt, heb ik aan mensen zoals zij te danken.

Wat het boek zelf betreft gaat mijn dankbaarheid uit naar dezelfde mensen als altijd, maar het belang van hun kritische rol kan niet overschat worden. Michael Pietsch, David Young, Sabrina Callahan, Heather Fain, Vanessa Kehren, Victoria Matsui, Miriam Parker, Tracy Williams, Eve Rabinovits en talloze andere medewerkers van Little Brown, dank jullie wel voor jullie geweldige steun. Ook agentschap Inkwell, en dan vooral David Hale Smith, Richard Pine en Kimberly Witherspoon, ben ik mijn dank verschuldigd, net als Angela Cheng Caplan en Lawrence Rose.

Maar mijn allergrootste dankbaarheid gaat uit naar alle mensen die *De profeet* in een vroeg stadium hebben gelezen en het beter hebben gemaakt dan ik zonder hen voor elkaar had kunnen krijgen.

En naar Christine. Altijd.